のゆくえ

新潮選書

まえがき

京都の近代を考える

京都については文字通り溢れるばかりの情報がある。しかし、その多くが幾つかの決まったパターンに沿って編集されていて、そのパターンが著者やテーマに関わりなく繰り返されるのをかねてから不思議に思っていた。例えば、「古くて新しい町」という表現である。その組み合わせは、京のおばんざいと京都人のパン好きであったり、西陣織と任天堂や京セラ、あるいはまた、祇園甲部《こうぶ》の舞妓さんとノーパン喫茶であったりするが、その狙いは全く同工異曲で、京都は千年の都にふさわしい長い歴史に培《つちか》われたものと、最先端の現代を象徴するものが併存する町であるというもの。こういう表現は、作者が意図したか否かに関わりなく、近代以前の伝習と技能から最先端の現代が生まれてきたような印象をもたらす。

多少ニュアンスが異なるが、京都では保守性と革新性が同居しているというメッセージも繰り返し現れる。少し時間を遡れば、１９７０年代半ばまで、京都の地方政治は革新勢力、特に共産党の牙城であった。現在でも市議会で共産党は会派別で見て三番目の勢力を誇る。また、京都は戦前から社会主義運動や労働運動の一大中心地でもあり、近代の社会運動史に名を残す者に限っても『貧乏物語』を著した河上肇、戦前の数少ない革新勢力の衆議院議員だった「山宣《やません》」こと山本宣治、部落解放運動の先駆けとなった水平社は京都で創立、更には戦後の京都政治の中心であった蜷川虎三、と枚挙に暇がない。また、1960年代後半以降は、京都は全共闘運動の一大勢力を形成した。俗に関西ブントと呼ばれた六〇年安保時代からのブント勢力の分派が、京都の学生運動に与えた影響力は大きく、その後塩見孝也らによる赤軍派（のちに連合赤軍）を生んだ。

他方、京都は外部勢力に対して極めて保守的な土地柄であり、地元優先の傾向が強いことも否定できない。1970年代、市中に進出しようとするスーパーマーケットチェインは、10年以上も地元商店街の抵抗に遭った。また、西武グループは、創業者の出身地である滋賀を足掛かりとして京都市内に進出を繰り返し試みたが、結局、宝ヶ池の国際会館横のホテルを除いては失敗に終わったといわれる。一時は全国制覇を成し遂げたといわれる山口組も、京都には直接進出することなく、地元の暴力団と不可侵協定のようなものを結んでいた。その協定の当事者である会津小鉄会は、その名が幕末の京都守護職松平容保の中間頭であった人物に由来するといわれ、日本の暴力団でも最古の歴史を誇る。

しかし、このような対置を京都が千年の都であったことに結びつけると、京都は古くからの都でありながら、そのような両面性を持っているという印象を与えるだけで、なぜ一方で根強い革新勢力への支持がありながら、極端ともいえる地元優先の傾向が目立つのか、それは誰が支持し、どのような政治的な基盤を持つのかといった疑問に答えることが難しくなってしまう。

もう一つの繰り返されるパターン。これは井上章一の功績が大であるが、京都の洛中の人が持つ特殊ともいえる選民意識である。京都市の一部である伏見や山科、あるいは洛西ニュータウン（西京区）などは言うに及ばず、京都観光の白眉ともいえる嵯峨野（右京区）でさえ洛中の住人からすれば、洛外であり、本来の京都とは彼らが住まう上・中・下京の一部のみを指すという。しかし、その選民意識の源流がどこにあるのか、いつからその選民意識は芽生え醸成されてきたのかを問う声は聞かれない。せいぜい、御所があり、天皇と公家が住まう王城の地であったからといった答えに終始するだけである。更に言えば、選民意識といい、地元優先といい、たとえ京都市や市民（の一部）にその傾向があるとしても、それは江戸っ子の誇りや、全国どこにでも見られるお国自慢とどう違うのか、果たしてあげつらうほど重要な事柄か、と問われれば答えに窮するのではないだろうか。

京都を古都、歴史都市として捉えること自体に間違いはない。しかし、京都が持つ他都市には見られない特徴を全て古都であること、歴史都市であることに結びつけるのは余りにも乱暴な議論ではないだろうか？

京都は和食の殿堂？

京料理に対する手放しの礼賛はその典型ともいえる。今や、観光都市京都の白眉ともいえるのが、京料理であり、必ずしも正しくはないものの、近年世界文化遺産に認定された「和食」の代表格として京料理を思い浮かべる人は多い。そして、京都こそ和食の殿堂であり、皇室や公家に伝わる有《ゆう》職《そく》料理や、茶道・華道などの影響を背景に京都こそ和食の伝統を継承してきた本家本元だと思い込んでいる人は多い。

しかし、京都を和食の殿堂として捉える見方は、近年のもので、少なくとも高度成長期以前には一般的なものではなかった。そもそも京料理という表現自体が、１９５２年四条河原町川畔の料亭

「ちもと」が広告で「京料理ちもと」と称したのが初めてであるという（奥村 2016）。現代の和食の代表格ともいえる「懐石」料理は、「吉兆」の創始者、湯木貞一《ゆきていいち》が始めたものであるが、吉兆は大阪新町に最初の店舗があったように、懐石料理の出発点は大阪である。また、和食のもう一方の代表ともいえる「割烹」料理店も明治後期に始まったとされ、その草創の地は大阪である。少なくとも高度成長期まで上方の食の代表は大阪であり、それは「京の着倒れ、大阪の食い倒れ」という表現に集約されている。

本論で後にとりあげるように、京料理の今日の盛況は、1980年代以降の現象である。だから、その直接的な背景は千年の伝統ではなく、冷蔵技術の進化や高速道路網の完成、そしてなによりも観光需要の成長に求めることが出来る。郷土料理としての京料理の一番の特徴は、豊富な蔬菜《そさい》と塩干物を利用した「いもぼう」のような「炊き合わせ」に代表される、質素な家庭料理にある。それらは確かに誇るべき和食の重要な一部ではあるが、今日の京料理の飛躍の主役ではない。

現代の京都を近代の歩みから捉えなおす

京都についての言説にこのような紋切り型の表現が目立つ一つの理由には、京都の近代以降の歩みが顧みられることなく、近代以前と現代の京都が対比される無理があるのではないかと思う。京都の近代の歩みが無視されやすい。それは、多くの書物が明治維新以降の京都の歩みについて、無視はしないまでも付けたしのようにしか触れていないことから確認できる。京都という町の通史の決定版ともいえる『京都の歴史』（学芸書林 1968~76）は全体で索引・年表も含めると10巻の大部であるが、第二次世界大戦後の京都は通史最終巻第9巻の約3分の1を占めるに過ぎず、全体の分量に比すると恐らく5%にも達しない。

無論、日本全体を俯瞰する立場に立てば、首都ではなくなった近代の京都に焦点があたらないのは当然ではある。また、第9巻の発刊が1976年であるから、それから既に半世紀近い時間が経過したことも触れておかねばならない。それでも、日本全体ではなく京都という町の姿を歴史に照らして考えるならば、京都の現在の姿を解き明かすには、近代の歩みこそ最も重要なカギを握るのではないか、と想定してみることは極めて自然な態度であると思う。

実際、今世紀に入って、京都大学人文科学研究所、国際日本文化研究センター、立命館大学京都学（文学部京都学クロスメジャー）などの研究者が中心となって、京都の近代を総合的に研究する幾つかの研究プロジェクトが推進され、小著もその研究成果に大きく依存している。但し、これらの「京都の近代」研究では、都市経済や経済地理の視点からの研究は管見の限り殆どなく、本書の力点もその間隙を埋めることにある。

明治維新以降の150年余りを近代化の歩みとすると、今やその半ばを第二次世界大戦後の年月が占めている。京都という町（に限らずどんな都市でも）を理解するためには、常識で考えれば、現在を説明するより重要で直接的な背景や原因は、より近い過去に求めるべきであろう。それこそ小著が目的とするところである。

京都　未完の産業都市のゆくえ　＊目次

第三章　京都の町の変容と人口移動　103

第四章　ゆりかご都市京都　137

終章 250

京都

未完の産業都市のゆくえ

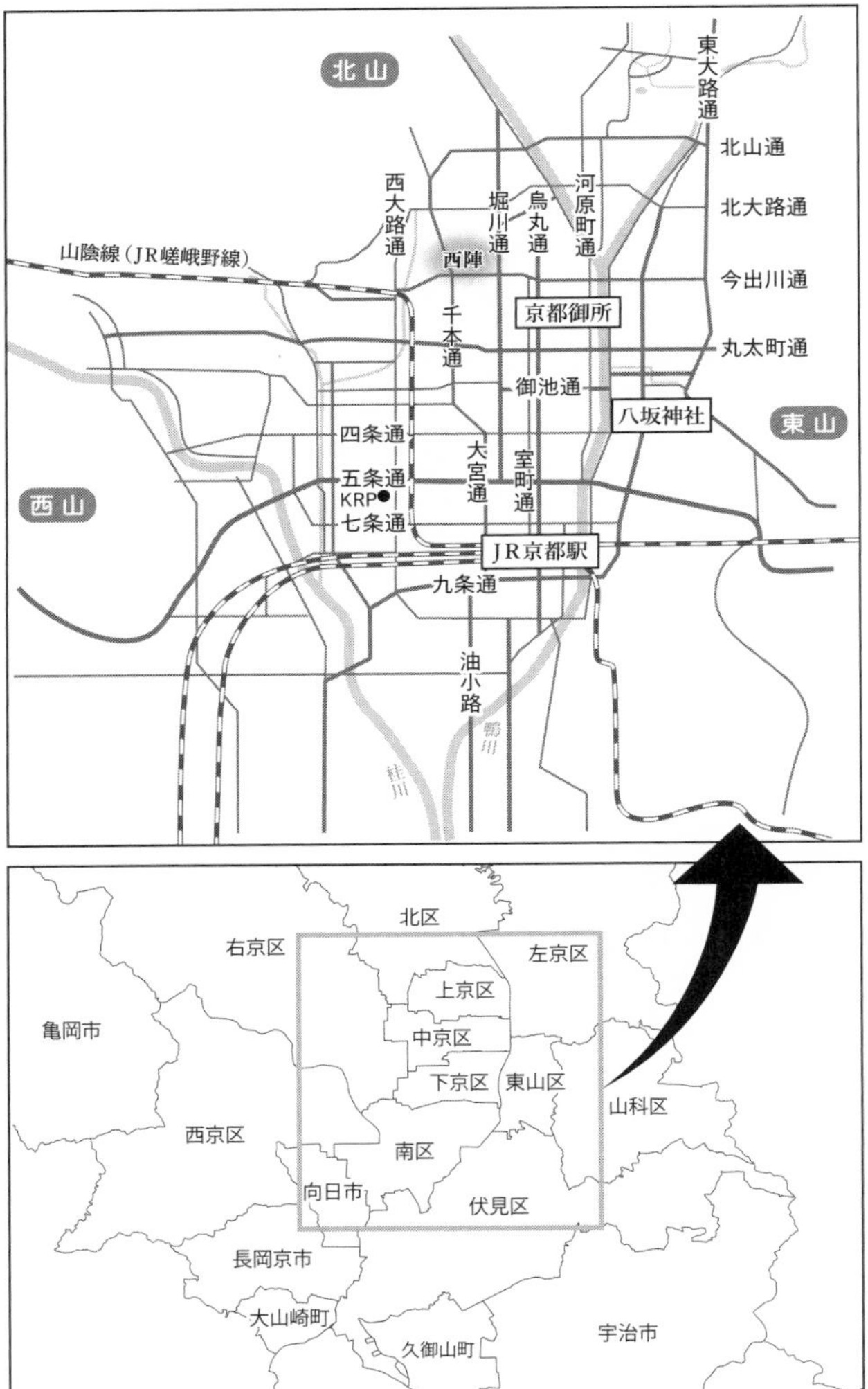

京都市と周辺都市（左京、右京、及び北区の北方向部分は図から省略）。

序章

まえがきでも触れたように、本書の目的は、現代の京都という都市を、近代の歩みの到達点として理解し、その特徴がどのようにもたらされてきたかを検証することにある。そのために、何をどう学ぶのか、本論に入る前に幾つかのポイントを挙げてゆきたい。そこで、まえがきに続いて、もう少し具体例に従い議論を進めよう。

空襲被害がなかったので古都であり続けた?

これまでに示したのと同じくらい頻繁に現れる決まり切った言説の一つに、「京都の中心部は太平洋戦争末期の空襲に遭わずに済んだから、江戸期から続く伝統的な家並みを維持できた」というものがある。京都の空襲被害はゼロではなかったが、それでも他の大都市に比べれば軽微で、中心部には大きな空襲はなかった。空襲被害が東京や大阪のようであったらどうなったか、推測することは難しいので厳密には否定も肯定も難しいが、私は、たとえ空襲で焼け落ちたとしても、京都の中心部の町並みは、それを担う町衆《まちしゅう》が健在である限り、再生産されたと考える。但し、戦後も町衆が健在であったのは、京都の空襲被害が軽微であったことと無縁ではないだろう。東京や大阪など戦後の主要都市のどこでも見られた闇市には、疎開と空襲被害で戦前の地域社会が崩壊し、土地を巡る権利関係もしばしば錯綜した時代背景がある。京都ではこのような地域社会の崩壊は起こらなかった。京都の町並みの再生産が出来なくなったのはバブル崩壊後の1990年代以降であり、西陣（織）と室町（商人）が修復不可能なまでに傷み、廃業を余儀なくされたからである（第五章）。

太平洋戦争末期の空襲被害を含め、戦争や自然災害あるいは大火などによる影響を過大視してはならないと思う。Davis and Weinstein（2002）は日本の空襲被害の程度が戦後の日本の都道府県別人口分布にどのような影響を与えたかを調べた。彼らの統計分析によれば、戦後の人口成長は概して戦前からの分布の趨勢に従っており、空襲被害の程度は有意な影響を与えていないことが示される。ポーランドのワルシャワやドイツのドレスデンは第二次大戦で徹底的に破壊され、中心部は文字通り灰燼に帰したが、町並みは復旧された。物的破壊の有無は文化財の保存には決定的に重要だが、町の姿に長期的な影響を与えるとは限らない。確かに、清水寺や金閣寺（戦後放火により全焼した）が空襲で焼失していたら、それは大きな文化的損失となったであろうが、だからといって町並みが復旧しなかったとは言い切れないのではないか？　それでも戦争や自然災害が分岐点になることはある。実際、戦後復興事業の一環として多くの都市で土地区画整理事業が計画された。その実現には長期の年月を要したが、町並みが戦前とは大きく変貌した都市も多い。

逆に、同じように壊滅的な被害を受けたからといって、その後の復興の道程も同じになる訳ではない。広島と長崎はいうまでもなく太平洋戦争終了直前に原爆を落とされ、町は灰燼に帰した。戦争直前の1940年の人口は広島が34万、長崎が25万でやや広島が大きかったが、いずれも重要な港湾に面し造船・機械・金属加工など製造業が発達し、よく似た都市であったといえる。敗戦後間もない1947年、両市の人口は広島22万、長崎20万足らずといずれも人口は激減しているが、その後の歩みは大きく異なる。広島は１９６５年には50万を突破、１９８５年には１００万、現在は１２０万に近い人口である。一方、長崎は１９６５年には人口40万となりその時点では広島との人口差は10万程度であったが、１９７０年代の半ばに45万に到達したころをピークとして、その後は緩やかに減少、２０２２年には40万を切った。

町の姿は、背後にある社会や経済の構造やその変化がもたらす長期的影響に決定的に依存する。逆に言えば、背後にある社会や経済の構造に変化がない限り、災害や戦禍により失われた町は大きな変化なく復旧される。実際、明治以前の江戸、京、大坂はいずれも数多い大火により、何度もその建築物の大半を焼失してきたが、それで町の姿が根本的に変わったとはいえない。江戸の大火の中でも特に重要といわれる、明暦の大火（１６５７年）は、江戸城の本丸・天守を含む外堀以内のほぼ全域を焼失させ、大火後の江戸の都市改造をもたらしたといわれる。しかし、岩本（2021）によれば、大火の被害はこれまでの推定と同じかそれ以上のものであったが、他方、大火前後の町図を詳細に検証すると、定説とされてきた「都市改造」が実は極めて限定的なもので、江戸の町並みは大火の前後でほぼ不変であったという。

現代の京都の町の姿が他の大都市の景観と大きく違う原因を探るのであれば、江戸期の京と現代の京都を比較するのではなく、あるいは空襲の有無だけで判断するのでもなく、維新以降の京都の町の成長と変化をたどることが求められている。例えば、太平洋戦争の京都への影響を考えるならば、確かに空襲被害は比較的軽微であったが、「建物疎開」と呼ばれた大戦末期の防火のための家屋除去により、御池、堀川、五条の通りが片側3車線を持つに至ったことを忘れてはならない。また、15年戦争と呼ばれる満洲事変（１９３１年）以降の戦時経済体制への移行は、京都の産業の中心であった絹織物や醸造業に壊滅的な影響を及ぼしたことを見逃すわけには行かない。第二帝政のパリで辣腕をふるったオスマンによる都市改造なしに現在のパリの町並みはあり得ないように、20世紀初頭のいわゆる三大事業（第一章で詳述）での主要道路の整備、更には1931年の第二次の大規模市域拡張に続く外郭道路の建設と区画整理事業こそ、今日の京都の町並みの骨格を形成している。例えば、北大路、東大路、西大路などはその名称からあたかも平安京以来の道路という印象を与えるが、建設されたのは大正から昭和にかけてである。平安京が碁盤の目のように街区を形成したから、京都の町は碁盤の目のようになっているというのは、半ば誤りなのである。

それにも増して見逃してはならないのは、高度成長期の日本の主要都市で例外なく見られた、都心部の高層化が京都の都心では起こらなかったという事実である。そして、その事実に景観保存政策は全く関与していない。

京都企業の飛躍と伝統産業

高度成長期以降、京都は任天堂、京セラ、村田製作所、日本電産（現ニデック）といった多くのハイテク企業を輩出した。このような特徴のある製造業が京都で生まれたことを、西陣織や清水焼《きよみず》といった伝統産業に結び付け、ものづくりの歴史がこれらの企業群が誕生した背景にあることが力説される。実際、第四章で見るように、島津製作所と明治初期にあった舎密局《せいみ》との関係、京セラの創設者である稲盛和夫が独立する前には、清水焼から碍子《がいし》製造に転じた松風《しょうふう》工業に勤めていたことなど、このような連想が間違いというわけではない。しかし、伝統産業から近代的企業が生まれ飛躍を遂げたエピソードは京都に限定されるわけではなく、同じ陶磁器に限定しても、明治以降、碍子やプラグなどの産業用陶器、あるいは衛生陶器などの分野に重点を移し大きく飛躍した企業は枚挙に暇がないし(日本碍子、TOTOなど)、絹織物であれば西陣とは異なり、輸出用羽二重で維新後一大産業に成長した福井の企業群を忘れてはならない。

むしろ注目すべきは、これらの京都出身のハイテク企業が、京都の中心部や西陣、あるいは京焼(清水焼)の本拠である東山山麓にではなく、南西部に立地し、高度成長期後半に急成長したという事実である。これら企業の誕生により直結するのは、昭和初期から急速に工業化が進んだこのエリアの特徴と、そして太平洋戦争開始後は軍需産業都市に変貌していた事実であろう。事実、軍需産業として発展した企業は多い。島津製作所やその電池部門を前身とするGSユアサ、更には立石電機(現オムロン)など、現在でも京都を代表する多くの企業が南西部に工場を構え、太平洋戦争突入後は急激に規模を拡大した。工業地域としての素地と人材はこの1920年代以降終戦までの短い期間に培われたのであり、これらの企業の飛躍のための土壌を提供した。更には、高度成長期を経て高速道路交通網が整備され、京都南西部にそのネットワークが集中したことも忘れてはならない(第四、五章)。

但し、立地で全てが説明できるわけではない。京都の町の歴史と京都企業の飛躍を結びつけるのはむしろその負の側面においてではないか。京セラや村田製作所の飛躍の背後には、京焼から派生した産業用陶器の成長があったことは確かだが、ICセラミックパッケージやコンデンサーといった電気部品に特化し、世界市場に進出したのは、京都の市場が小さすぎ、また関連産業も立地しておらず、更には、地域金融や商社も頼りにならない、といった京都の負の側面が大きく作用したのは否定できない。任天堂がライバルのソニーとは異なり、ゲーム機以外の分野に全く進出していないのも偶然ではない。勃興したこれらの企業の創始者はいずれも京都のインサイダーではなかったことも重要である。いわば、地理的にも社会・経済的にもこれらの企業が古くからの京都の外部であったことは、京都の近代を考えるうえで決定的に重要であると思える。

疑わしい論拠

まえがきも含めていままで見てきたように、現代の京都について決まり文句のように繰り返される表現の実証的な根拠が贔屓目に見ても薄弱であり、厳密な統計的検証を経たものではないことが分かってもらえるかと思う。近世以前と現代の京都を直線的に結びつけることが全ての場合に、短絡的で誤った推論だとは限らない。しかし、明治維新以来の150年の京都の歩みを無視して現代の京都を理解することは難しい。高度成長期の交通インフラの飛躍的な向上なくして、現代の京料理の成功はあり得なかったし、空襲被害を免れたからではなく、高度成長期を経てもなお西陣や室町が京都の町の主人公であったからこそ、町家の続く家並みは1990年代に入るまで都心部に残った。

本書の目標は単にこのような京都に関する言説をあげつらい、疑義を唱えることではない。もっと積極的に、京都の近代化の歩みから、異なった解釈を示して、可能な限りそれを支持する事実やデータを示すことを目標としたい。

そこで、まずは、こういう本を書くに至った経緯、特に私自身の京都という町との関わりについて簡単に触れておく。

1970年の京都

1970年、大阪で万国博覧会が開催された年、私は1年の浪人を経て、京都大学に入学し、これまで観光以外の目的で訪れたことのない町に住むことになった。それから半世紀の時間が過ぎた今、自分は、市電で見かけた多くの老人と同じ年齢になった。京都という町の姿、そしてその当時の自分自身の京都に対する印象を振り返ってみることにしたい。60年代後半から70年代初頭にかけての時期は、高度成長の爛熟期にあたり、公害や交通事故・渋滞など、産業化と急速な都市人口の成長による矛盾が噴出し、学生を中心とした若者たちの反体制運動が高揚した時期でもあった。当時、京都では、市電は交通渋滞の元凶として問題視され、外周線を除いて廃止の方向が打ち出されたものの（後に全廃）、まだ主要路線は存続していた。市電路線に沿った東大路の町並み、百万遍や北白川、最初の下宿先のあった一乗寺付近や、二度目の下宿先のあった出町柳《でまちやなぎ》の風景を思い出してみると、当時の私の眼には、町並みは薄暗く、くすみ、はっきりいえばみすぼらしいものに見えた。

一乗寺下《さが》り松付近は、京大から北へ2㎞ほど、白川通の東側にあって周囲は一面に田畑がひろがり、同じ白川通といっても、南の銀閣寺道あたりとは違って店舗は少なく、通りに沿って普通の民家が立ち並んでいた。白川通のバス停から東の山裾に向け上ってゆく坂道は、やがて三叉路の交差点に差し掛かる。そこには、地名の由来である「下り松」とそのそばに石碑があり、宮本武蔵が吉岡道場一門と決闘した地であると記されている。ちなみに、そのような決闘があったか否かも史実としてはっきりしないし、あったとしても決闘の地は別の場所（の下り松）だともいわれる。三叉路を越えまっすぐ東に続く坂を上ると詩仙堂があり、三叉路を北にとるとやがて曼殊院《まんしゅいん》にたどりつく。京大あたりでは遠くに見えた比叡山は余程近くに高く聳え、澄んだ空気が、騒音と排ガスにまみれた大阪からやって来ると新鮮であった。曼殊院に至る坂道は雲母《きらら》坂とよばれ、下宿の近くには「雲母湯」という銭湯があった（Googleで調べる限り、現在も営業中である）。

ひとことでいえば、当時の私の眼に映った京都はくすみ、うらぶれ、老人の目立つ町であり、その魅力は中心部を少し離れれば静かで落ち着いた町並みと、鴨川の流れの清らかさ、周囲の山の美しさにあった。そして、京都は何と言っても学生の町であり、懐具合に応じて様々な食堂、学生向けの居酒屋、喫茶店があり、雀荘も町に溢れていた。ワンルームマンションは無論、学生アパートもまだ存在せず、トイレが付いた部屋さえ少数派で、学生の大半は一部屋だけのいわゆる学生下宿に住んだ。学生はお客さんであり、大切にされていたが、同時にあくまで仮住まいの住人で、そのうち京都を去ってゆく者という立場は、京都の町の人も学生自身も自覚していたように思う。

京都の町について、私を少し驚かせたのは、大阪や神戸、そして阪神間の町が瀬戸内海、更には太平洋に向いているのに対して、京都は大阪湾からせいぜい50㎞のところにありながら、実は日本海を向いていることだ（第三章）。大学生はさておき、京都で生まれ育った以外の人の中では、舞鶴や若狭、丹波や丹後半島といった地域出身の多さに気づかされた。鯖街道に象徴されるように、京都の食べ物には、日本海で獲れたものが多く、海産物の中心は干物であり、大学の学食にさえ「にしんそば」なるものがあるのもちょっとびっくりした（現在でもにしんそばを阪神間の店頭で見かけることは稀である）。今でこそ、京料理は日本の和食の代表のようになっているが、既に記したように、実はそのような世評は最近のもので、少なくとも私が学生時代を京都で過ごした頃までは、京都市民も含め、京阪神の住民で京都を食の都と捉えることはなかった（第六章）。京都の食べ物といえば、今挙げたにしんそばや漬物、湯豆腐といった、学生にとってみれば「じじむさい」、陰鬱で古びたものというのが正直なところであろうか。京大の学生たちに当時圧倒的な人気を誇ったのは、銀閣寺道にあった「珉珉《みんみん》」の餃子、店員が毛沢東帽をかぶっていた。「餃子の王将」が町を席巻するのはもう少し後である。

実は、学生仲間のことを振り返っても京都の印象はうすらぼけている。その当時（そして現在でも）京都大学の学生の中心は大阪と兵庫の進学校の出身者と、西日本を中心とした京阪神以外の地方都市の進学校の出身者である。京都の公立高校出身者は絶対数が少なく、地元出身の京大生といえば、（私立）洛星高校出身が目立ったくらいで、京大の学生の中では京都出身者の影は薄かったように思える。（少なくとも当時の）京大生が「田舎臭い」一つの理由は、地方出身者の多さであったように思える。同志社あたりでは事情は違っていたかも知れないが、京大生の合コン相手として決まって登場する京女《きょうじょ》（京都女子大）もその字面とは異なり、出身は中国、四国、あるいは北陸といったところが多く、一体、京都出身の学生はどこにいるのかとその頃もぼんやりと思ったことを覚えている（第三章）。

そういう私が受けた印象は、自分自身が大阪の進学校の出身で、卒業して10年後に結婚することになる妻も大阪の進学校出身。私の周囲は当然のように、大阪と神戸、阪神間の出身者が一番多かったことに因るのだろう。しかし、妻の親友は（東京）小石川高校卒だし、一緒にデモに出かけた仲間には大分や高松、彦根（滋賀）、岐阜、名古屋、松山など阪神間以外の出身者も結構多く、北海道旅行に出かけたときは札幌出身の同級生と青函連絡船の中で偶然出会ったことも思い出される。少ないといっても京都市内出身の京大生も10％くらいはいたのであれば、私が彼らに出会うことが殆どなかったのは、彼らは京都出身者を中心に仲間を作っていたからではないか。要するに私は周囲の町とは別の小世界の中に生きていたわけで、4年経てば京都を去ってゆく、お客さんのように扱われていたのだろう。

半世紀を経て、老齢の私の眼で振り返れば、こういう印象の少なくとも一部分は、当時自分が20代に入ったばかりの貧乏学生であったことを反映しているに過ぎないことに気づく。一見さんお断りの料亭で供される料理がどんなものであるか、学生には知る由もなかったし、豆腐、漬物、京野菜といった京都が真に誇って良いものも、夕飯代と市電の運賃を天秤にかける学生には余り魅力のあるものではなかった。それでも、50年の歳月の間には自分自身の加齢だけでは説明できない京都自身の変化、また京都に対する評価も大きく変わったのは間違いのないところだろう。いつのまにか、京都は古ぼけた寺と眠ったような町から、日本を代表する伝統文化と食の殿堂になったのである。

1984年の京都

同じ町に住んでいながら京都人とは別の生活を営んでいるという奇妙な感覚は、米国への留学と駆け出しの学者生活を経て京都に戻り、ほどなく結婚して京都市内で生活を始めても続いた。結婚後、御所のすぐ西側の室町通に出来たばかりの賃貸マンションに住んだ。今出川《いまでがわ》の地下鉄の駅まですぐの便利の良いところにあって、住民の多くは20代後半から30代前半のカップルで、大半が市内の出身であったが、それなりに交流も盛んであった。

今出川と室町の交差点の北東隅には室町幕府があったことを示す立て札がある。賃貸マンションは、その交差点から南に下ってすぐのところにあった。そこから室町を更に南下すると、まもなく見えてくるのが芸術品のような白味噌を売る本田味噌の本店、向かい側には「とらや」（虎屋）創業の本店と蔵が見えた。二人の子供が生まれてからは毎日通うことになった保育所は、更に下って中立売《なかだちうり》と室町の交差点にあった。大学の同僚の一人が、本田味噌の本店の斜め向かいにある分譲マンションに住んでいて、彼からの情報では、私が住むことになった賃貸マンションの敷地にはもともと小さな商店街があったとのこと。実際、この賃貸マンションは絵にかいたような鰻の寝床の地割の上に建てられており、室町通に面した間口は狭く、以前には室町通から奥に長く続く商店街があったことを納得させた。室町通を隔てて斜め向かいには大きな一軒家があり、後からそれが『育児の百科』の著書で知られる松田道雄の居宅であることを知った。

新築の賃貸マンションということで、結構人気もあり、入居説明会に勇んででかけたが、ちょっと気に障ったのは、大家と思しき人物が賃貸契約を説明する際、入居者に地域の信用金庫の口座からの家賃自動引き落としを求めたことだ。それは他行からの引き落としで済ませたいというと、その信用金庫に口座を持つことが入居の条件だと言われ、これはどう考えても一方的な要求で、本心ではそんな条件は無視したいところだったが、マンションの魅力にひきずられ、結果的にその信用金庫に口座を持つはめになった。市内でも北西部にしか支店網のない信用金庫の口座はさすがに他に用途もなく、このマンションから転居してまもなく解約することになったが、その当時は、その背景に京都市のある種特異ともいえる銀行部門の低調ぶり、そしてそれと対照的な信用金庫の重要性があったことを知る由もなかった（第二章）。

京都では地蔵盆が盛んで、8月下旬になると、市内では各町内の地蔵を中心に幔幕《まんまく》を張り茣蓙《ござ》が敷かれ、町内の子供たちのために様々な催しが開かれる。地蔵盆は大阪や阪神間でも高度成長期の頃までは広く地域の子供たちの祭りとして催されていた。マンションの眼の前の向かいのお宅の庭を開放して、地蔵盆の用意が進んでいるのが見えるのだが、マンションの住民は参加できない。マンションの住民自体で新しい別の町内会を作って、別途地蔵盆などの行事を主催すべし、とのことであった。マンションの住民は地蔵盆の準備に何の協力もしていないし、別途町内会を作るべし、というのも理屈には合っている。それでも良く考えると、建ったばかりのマンションには地蔵盆を祝うお地蔵さんもないし、お祭りをどう準備してよいか、見当もつかない。理屈には合うにしても随分冷たい仕打ちだと感じたのは否めない（第二章）。時代はぐっと下るが、京都市内の新築マンションの住民が地蔵盆行事に悪戦苦闘するようすは、大野裕之による近著『京都のおねだん』（講談社現代新書 2017）でも詳しく触れられており、やはりここでも著者の住む東山区の新築マンションごと新たな町内会を作ることになったことや、近所の町内会からはお地蔵さんを貸すのを断られた一件も触れられている。しかも、壬生寺《みぶ》から3千円でお地蔵さんはレンタルできるとの説明がある。

話を1984年に戻すと、地蔵盆の経緯を教えてくれたのは、マンションの隣人の中でも親しくしていた夫婦で、我々と同年代、夫が同志社の卒業生で実家が室町の問屋という、絵にかいたような京都のぼんぼん夫婦であった。このご夫婦の紹介で祇園祭の宵山《よいやま》には長刀鉾《なぎなたぼこ》の中を見学したことなど、京都の内側に一歩踏み込んだような経験もさせてもらったが、その分却って我々がよそ者であることも実感した。

とはいえ、当時の私たちには町内会も地蔵盆も所詮は些事に過ぎず、長男が生まれて最初の夏の地蔵盆こそ少し悔しい思いはしたものの、それで京都の町住まいが嫌になった訳ではない。しかし、たかが町内会という見くびりは実は大きな間違いであり、京都にとって町という単位が近代化のプロセスで無視できない大きな役割を担い、それが現代の京都の町をいくつもの側面で特徴づけていることを知ったのは本書を書き始めてからである。

地下鉄の駅から歩いて2分という立地で何より毎日の生活に便利なロケーションだと期待して住むことになったが、実際はそれほど便利ではないことも痛感した。当時妻は研修医で、二人とも自転車で通勤していた。街中にありながら買い物は不便で、それぞれの勤務先である京大と府立医大と室町のマンションの途中にある、出町桝形《でまちますがた》の商店街に頼るしかなかった。先ほど記したように、住んでいる賃貸マンションが商店街の跡地に作られたことを考えれば当然なことではある。出町桝形の商店街では、今や全国的にも有名になった豆餅の「ふたば」や、全国的にも珍しい「猪肉《ぼたん》」の専門店も見つけた。阪神間では、鯖寿司といえば透明の昆布の下に薄く切った鯖の切り身がのっている「ばってら」を指すが、それとは値段もサイズも桁違いの鯖の棒寿司に出会ったのもこの商店街だ。このように嬉しい発見はあったが、昔ながらの商店街の買い物はやはり時間と手間がかかる。今はなくなってしまった、共産党系の民商が経営する小さな食品スーパー「厚生会」があったものの、週末に近くのショッピングセンターで1週間分のまとめ買いをするという、7年余りの米国での生活になじんできた私には、時計を逆戻ししたような懐かしさと共に、やっぱり不便だなあという実感も否定できない経験だった（第五章）。

研修医を終えた妻の最初の勤務先が府下南部の病院になったことで、市内に住んで通勤することが却って不便になり、室町の賃貸マンションの生活は4年足らずで終え、府下南部の新興住宅地に移り住むことになった。学生時代を京都で過ごし、最初の就職は二人とも首都圏、その後京都に勤務先を得たものの、子育ての時期には京都市内から出るというのは、後に詳しく見るように、京都の大学に進学した者の人口移動の典型パターンをそのまま例示するものになった（第三、五章）。

京都につかず離れず人生の大半を過ごした一研究者として、京都という町についてきちんと考えてみようというのが本書の内容である。そこで、次に「きちんと考える」という表現の中身を説明して、その後、各章の概要をまとめておこう。

都市経済学と経済史によるアプローチ

京都の近代と現在を学ぶことの中心はいうまでもなく京都の近代史である。残念ながら私は歴史家ではないので、本書で記す全ての歴史記述は、歴史家の著作に全面的に頼らざるを得ず、そこに私の独自の貢献は何もない。それでも、その取捨選択は著者たる私が行うもので、それがどの程度妥当であるか、私自身が判断することは出来ない。それでも、可能な限り典拠を明らかにし、異論を見つけ得た限りでそれを明示することで、読者の注意を促したい。ただ、全ての典拠や背景を逐一本文に明記すると煩瑣になり読みにくいと思われるので、詳細な参考文献は別途、ウエブ上に公開することとし、直接引用する場合に限り、文献を明示することにした（巻末参考文献）。

他方、私は歴史の専門家ではないが、経済学の研究者ではあるので、これから展開される議論や主張の大半は経済学研究者としての見解や推定、そして一経済学者としての近代の京都の歴史の読解である。そこで、あらかじめ断っておくが、この書物が京都という町を対象にするために、その分析の中心は、都市経済学という応用経済学の一分野の知見や分析方法に依拠している。残念ながら私の専門は同じ応用経済学の中でも労働経済学であるため、これから展開する議論や分析において、十分に自分の専門性を活かしたものであるとはいえない。それでも、都市経済学の知見や分析手法は十分理解して活用可能な程度には、私の専門性と近いのは幸いである。本書はもちろん経済学の専門書ではないので、厳密な模型分析や統計処理を詳しく展開するものではない。これらを避けながら、初歩の経済学の素養がある読者には無理なく読んでいただけるように努めた。

本書の内容のもう一つの大きな構成要素は、経済史の分野における研究蓄積である。これも私の専門分野ではないが、研究成果を吟味し内容を伝える資格はあるものとして、特に三つの分野に注目したい。第一は、経済史というより歴史人口学の分野では、近世の京都の人口構成や動態について多くの研究蓄積があり、近世都市と維新以降の近代化が人口の構成や動態にどう影響したかについて多くの知見を提供してくれる。第二は、京都の近世から近代の経済の要ともいえる絹織物産業に関する研究である。特に西陣と室町（繊維問屋）については、その研究活動自体が一種の地場産業といっても良いくらい厖大な研究蓄積がある。本書の随所でこれらの研究成果が援用される。第三が、一橋大学を中心として蓄積されてきた長期経済データであり、明治期以降の県民所得や産業付加価値、戦後の地域別総生産性の推定などは、第一章や第五章の議論の骨格を形成している。

ミニマリズム

経済学の研究姿勢に特徴を一つだけ挙げるとすれば、それは簡素で明快な理論模型を出発点として、数量データを多用して分析と行論を形成するスタイルだと思う。本書でも可能な限りそのスタイルに倣いたい。その内実はおいおい明らかにする予定であるが、ここで明示しておきたいポイントが二つある。

その第一は、京都の近代の歩みの中心であるいわゆる京の町衆の重要性についてである。町衆とは平たく言えば、中小の自営業者とその家族である。町衆は、祇園祭はいうまでもなく、中世末期から江戸期以降は京都の町の自治組織の中心であり、少なくとも近世以降の京都の歴史と伝統の体現者でもある。桃山から江戸初期にかけての、本阿弥光悦、俵屋宗達、尾形光琳などのいわゆる琳派はいずれも京の上層町衆であったし、近年特にその評価が高くなった伊藤若冲《じゃくちゅう》は、錦小路の青物問屋「枡源」の長男として生まれ家業を継ぐが、40歳にして隠居して以降独特の画風になる多くの絵画を残した。琳派や若冲に象徴されるように町衆はパトロンであるばかりか文化や芸術の担い手でもあった。

しかし、本書で強調したいのは、町衆の多面的な姿ではなく、町衆が基本的に中小自営業者であり、彼らを中心とした町の組織は彼らの利害と社会の特徴を反映したものになったことである。そして、その利害は明治以降の近代化の中でしばしば市場の論理と対立した。近世と近代の相克を象徴し、またその相克の中心にいたのが町衆である。さらに維新以降の産業化の波が京都の経済をどのように変貌させ（なかっ）たかにも、町衆の存在は大きな影響を与えた。近代化、西欧技術の導入といった日本全体が経験した変化は、東京や大阪とは異なる形で京都の町と社会の再構成をもたらすのである。京都の近代化の道筋は、京都の町の中心が町衆であり続けたことに決定的な影響を受けている。これが本書を貫く最も重要な仮説であり、この仮説の妥当性は繰り返し検証されることになる。

第二のポイントは、数量データの重視であり、定性的な特徴づけは可能な限り数量データでそれを統計的に検証する姿勢を貫きたい。言い換えれば、このような検証を経ない定性的な特徴づけについては、基本的には仮説に過ぎず、ひとまずはその妥当性を留保する。冒頭で記した、「京都は空襲被害がなかったので、古い町並みが戦後も維持された」といった言説は、その典型である。

いうまでもないが、このようなアプローチで犠牲になるものは多い。そもそも、多くの日本人にとっての京都は、近代以前の歴史と文化の文脈の中で捉えられるが、本書はそのような京都に対して付け加えるものは皆無である。また、小著の主題である産業化にしても、その全てが社会経済的要因の蓄積と相互作用で説明できるわけではない。傑出した個人や組織が現れ、歴史の分岐点で重要な役割を果たすことは多い。産業化という側面に限定してもこのような要因を排除することで失われるものは少なくないだろう。数量データに固執するといっても、それを遡って利用できる範囲は限られる。例えば、近世都市から近代都市への移行で大きなテーマとなるのは人口の地理的・社会的移動であるが、地理的移動でさえ、一貫した数量把握が可能なのは1950年代以降にほぼ限定される。

私が知る限り、このようなアプローチを貫いて京都を含め、日本の都市の産業化の道筋を検証した類書は見当たらない。それはこのような限界故に誰も試みなかったに過ぎないのかも知れないが、試してみる価値はあるだろう。私見では、経済学の強みは「身も蓋もない」ことを敢えて露わにすることだから、歴史から多くのことを学びつつも歴史的偶然だけで片付けない姿勢を貫いてみたい。

本書の構成

そこで、本書の構成は以下のようになっている。

第一章のテーマは京都の経済地理である。ある地域の地層を調べることが、隆起、浸食、プレート移動、地震など過去の変動の累積を解きほぐす探求であるように、現在の経済地理には、室町時代に遡る古層が歪んで残る部分もあれば、外国人観光客急増の影響が露わな部分もあることがわかる。何が残り、何が消え去ったのか、それは京都が過去数百年の間に経験した社会的、経済的変動の累積的な結果である。第一章では、まず京都の近代化の歩みを概観し、その後、その歩みが現代の京都の経済地理から見た特徴にどのように反映されているかを見てゆく。どうして、京都はＪＲ京都駅あたりを境に南北の風景があれほど違うのか、なぜ都心部にはいまだに多くの町家が残るのか、そしてなぜ京都は産業都市として未完に終わったのか、そういった疑問が京都の近代の歩みと不可分に関わっていることを見てゆく。

続く第二章では、京都市民、歴史的にはその中核といってもよい、西陣・室町の絹織物に関わる職人や商人たちと町の成り立ちの相互連関に注目する。彼ら京都の町衆は、江戸中期から基本的にその姿や機能に大きな変化を経ることなく、戦後の高度成長期頃まで京都経済の中核であり続けた。１９６０年代に入っても市の中心部は、瓦屋根の町家が並びいわゆる「田の字」と呼ばれる碁盤目の町を形成し、1車線を確保するのがぎりぎりの通りで区切られていた。近代化以降の京都の地域社会は、上に述べたような室町の商業者、西陣に代表される職人たちを中核として発展した。京都は自営業者の町であった。彼らの優位が続いたことにより、京都は、東京や大阪に見られた産業都市への変貌を果たせないまま高度成長期を迎えたのである。

続く第三章では京都とその外側との人口移動や交流を中心に京都の変化、近代化を検証する。この章では、大正から昭和にかけての市域の拡張の歴史を振り返りながら、拡張以前の京都市民と新たに編入された地域との隔絶を、税制や学校区の設定のプロセスから見てゆく。市域拡張を繰り返す中で、拡張以前の地域とそれ以降に編入された地域の隔絶は次第に大きくなった。特に、桂川流域（右京区と西京区の一部）、中京区西部、南区、伏見区から形成される南西に広がる帯状の地域には、京都の成長の中心となる電機、機械、化学などの業種の立地が進み、旧市街とは全く異なった住工商の混在する町の姿になった。小著ではこれを南西回廊と呼んで、その都心との違いこそ、京都の産業化の特徴と限界を象徴することを示す。

以上の三つの章では、京都の近代化の道筋の歴史をまとめ、それを背景とした高度成長期頃までの京都の経済社会の特徴を抽出することに力点が置かれる。それに対し、第四章以降は、現代の京都の経済社会に焦点を当てることになる。

京都は現在でも中小企業や個人事業主が際立って多い町であるが、高度成長期の後半期を中心に、強い国際競争力を持つ製造企業が輩出した。これらの企業は現在においても、特定の製品分野で世界市場の中で中心的なプレイヤーとして活躍をしており、それに注目して京都における製造業の強さを賞賛する論調の記事は今も多い。他方、他の製造業と同じく、これらの京都出身の企業においても急成長の途上から生産事業所は内外に分散されていて、その際立った特徴は、京都から外に出ることで成長したことにある。

そこで、第四章では、京都で生まれた企業が成長するに従い京都を離れてゆくのは、実は特定企業の特徴ではなく、京都という町の特徴であることを示したい。新興企業が多く生まれる一方、成長するにつれて市外に発展の途を求めるような町を、ゆりかご都市（Nursery City）と呼ぶが、京都はその特徴を持つことが示される。この章の後半では、スタートアップ企業のサンプルを用いて、隣接する大阪・神戸と比較しながら、ゆりかご都市としての京都の特徴を詳しく検証する。

第五章では、住む町としての京都を考える。この章では、維新以降の京都の町の変化を隣接する大阪・神戸と比較することで、住む町としての京都を検証する。戦後以降の歴史の前半期で、日本の主要都市の住環境は大きく変貌した。郊外住宅地の建設、都心と郊外を結ぶ公共交通機関や高速道路・新幹線網の建設により、都心が働く場所として、郊外や衛星都市が住む町としてその機能分化が明確になった。その一方、この期間は京都にとっては、いわゆる革新府政の時期であり、京都は中央政府と様々な局面で対立をした。京都では他の都市のような都心のビルドアップと、それに並行した郊外都市の成長というプロセスは進行しなかった。それはなぜか、そしてその結果としての今日の京都の町の特徴を住む町としての視点から考えてみたい。

第六章では、訪れる町、観光の町としての京都を考える。ここでは二つの論点に焦点を絞ってみたい。第一に、成功しすぎた観光都市としての京都が、観光以外の産業を抑圧している可能性である。１９８０年代から90年代にかけて、英国やオランダ、フィンランドなど北海を囲む諸国は北海油田のブームを迎えた。その影響は特にオランダにおいて大きく、石油輸出の伸長と共にオランダ通貨は他の主要通貨に比べ大幅に切り上げられ、結果として石油以外の国内産業は大きな打撃を被った。このような一次産品の輸出の急増と通貨の切り上げによる他産業への負の影響は「オランダ病」（Dutch Disease）と呼ばれた。観光業の急成長は地価の高騰を通じてオランダ病と同じようなメカニズムによる他産業への負の影響をもたらすことを示す。もちろん京都にとって観光業は良い影響をもたらした側面を見逃してはならない。ここでは、和食を中心としたレストラン業界にもたらされた集積の利益を検証してみたい。

締めくくりの終章では、全体を振り返り京都という町が近代の歩みの中でどのように変貌し、今日の京都に至ったかをまとめたあと、著者自身がこうあってほしいと思う京都の将来と、それに向けての政策について考えてゆく。そして最後に、京都という町の近代化の道筋から見えた近世と近代の相克というテーマは、京都以外の都市にも重要かも知れない、そういう可能性を示唆しつつ本書は閉じている。

本書は、少なくとも著者の意図としては、京都という町の経済社会の特徴がどのような経緯と背景からもたらされたものかに興味を持つ読者に、可能な限り平易な表現で一つの見方を提供するものとして書かれている。そのため、多くの推論や分析の詳細は省かれている。しかし、本書の後半部分の主張や推論の多くは、既存の研究や資料で既に確立されたものではないため、著者としては、「経緯と背景」を、ある程度たちいった分析により示す必要があると考えた。そこで、紙幅の都合で割愛せざるを得なかった日本の都市の中での京都の位置づけを扱った1章と、詳細な参考文献リストに加え、これらの分析は全て付録としてまとめてウエブ上で公開することとした（巻末頁参照）。そこでは、後半の第四、五、六章の主要な主張を裏付け、その背景となる分析が収められている。

第一章　京都の経済地理

1939（昭和14）年京都市の人口は117万人を超え、戦前期では最大の人口規模に達した。その年の日本の人口は7138万人で、京都市の人口は日本全体の人口の1・64％である。明治期以降の京都市の人口が日本の総人口のどの位の比率を占めていたのか、その推移を示すのが図表1－1である。（以下図表に示されたデータや資料の詳細は特記ない限りウエブ付録にまとめた）

図には数か所不連続な上下動があるがその意味はこの後、おいおい説明することにして、とりあえずは、京都市の日本人口に占める比率が昭和10年代半ば（図の1939年の縦線）にピークに達したことに注目しよう。京都の人口は、日本が太平洋戦争へと突き進む直前の時期にそのピークを迎えたといえる。日本の総人口との比率で、京都がこのピークを上回ることは二度となかった。そして、1880年代からのグラフを眺めると、京都はこのピークに至るまでほぼ一貫して日本の総人口の増加ペースを上回る速度で成長を続けていたことが分かる。一言でいえば、京都は太平洋戦争に至るまで発展を続ける大都市であった。

少なくとも私にとって、図表1－1は大きな驚きであった。この本を書くことになったのも、この図が自分の想像していた京都が歩んだ近代の道筋とは全く異なるイメージを喚起するものであったからだ。どのように京都は明治維新以降大都市として発展したのだろうか？　また、その発展のトレンドは戦後には持ち越されることはなかったようだ。なぜ、そのトレンドは戦後には続かなかったのだろうか？

図表１－１は、京都が明治維新で首都の座を失って以降、古都として日本の社会と経済の発展から取り残された存在だったわけではないことを示しているように思える。京都が日本の近代を大都市として生き抜くことが出来た理由は何か、また、図から見る限り、京都は戦後にその地位を次第に失っていったように見える。それは正しいのか？　正しいとすれば、背景には何があったのか、この章では、その歩みを振り返り、現在の京都を経済地理の側面から捉えてみよう。

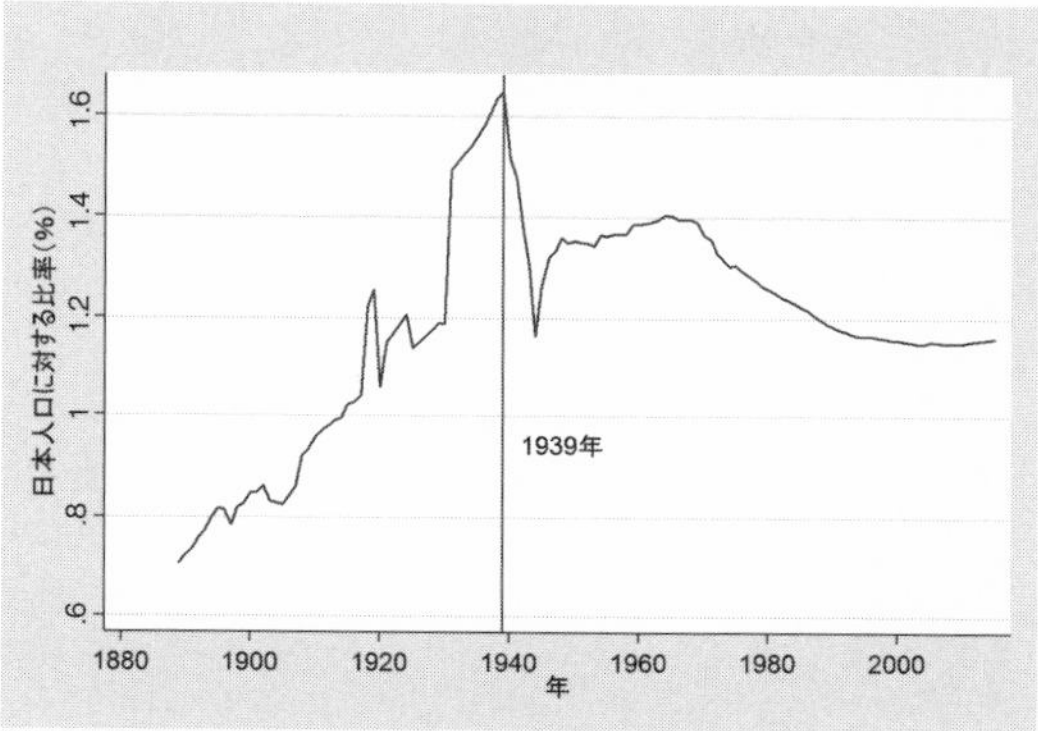

図表1-1　京都市の人口比率の推移

1　明治以前の京都

三都の人口

いうまでもないことだが、京都は１８６８年に明治新政府が成立し、天皇が東京に移るまでの１０００年以上の間、日本の首都であった。ここでは、ある程度信頼のおける人口推計が存在する江戸期以降の人口の推移を図表１－２に示す。

系統的な調査が存在しないため、この数値もあくまで推

	京	大坂	江戸
1650年	43万	22万	43万
1750年	37万	41万	122万
1850年	29万	33万	115万
1873年	24万	27万	60万
1886年	25万	36万	112万
1920年	59万	125万	217万

図表1-2　江戸期以降の三都の推定人口

定値に過ぎないが、京都も含め三都全体について確かなことは、17世紀前半、日本全体の人口成長と並行する形で三都への人口集中と増加が見られたこと。そして、18世紀中頃までをピークに、三都の人口は絶対数において頭打ちか漸減、総人口の比率でみれば漸減傾向にあったと思われる。

信長・秀吉の時代に京都は首都であるばかりか、日本で唯一の大都市であり、戦国の争乱が終わり、信長・秀吉により全国統一がほぼ完成するこの時期に、人口は凡そ30万人にのぼったと推定されている。17世紀初期に京都の人口は40万を超えてピークを迎えた。その後は江戸期を通じて漸減を続けたようだ。江戸時代に三都と呼ばれた江戸、大坂、京（都）は人口規模でも他の都市を圧倒する巨大都市であり続けたが、その全国人口に占める比率は京のみならず大坂でも減少を続けた。武家人口が50％を超える江戸においても、幕末から維新にかけて急速な人口減少が見られたことが知られている。ただ、江戸の武家人口の推移については、推計にも別途の課題があるようで、ここでは深く立ち入らない。

そこで、少なくとも京と大坂については、江戸期には人口が減少傾向にあったことは確かだと考えられるが、その背景を簡単におさらいしておく。最も重要なのは、いずれの都市においても、出生率が地方に比べて低く死亡率を下回り、人口規模を維持するためには地方からの人口流入が必要であったと推定されていることだ。これは日本の江戸時代の三都に限定されたものではなく、近代化以前のヨーロッパの主要都市においても同じような傾向が見出されている。近代化以前のヨーロッパの諸都市では、黒死病などの感染症死亡による数度の激減が主因とされることが多いが、日本の場合、出生率の低さに求めることが多い。出生率が低かった第一の理由は晩婚である。都市部における低出生率と晩婚の傾向は、明治維新以前から観察される傾向であることがわかる。

都市部において晩婚であったことの背景についても様々な仮説が唱えられている。その一つの有力な仮説によれば、都市部への流入人口の多くが「奉公人」として、商家や職人の家に住み込みで働いたので、それが続く限り事実上結婚は出来なかった。奉公人は、昇進して「通い」になる、独立して店を構える、あるいは年季明け（雇い止め）になるまで部屋住まいであった。つまり、このような奉公人の流入は一方で都市人口維持に貢献したが、他方で都市の出生力の低下の原因でもあったと、斎藤（2002）は大坂の人口減少を説明する。一方、江戸では流入人口の多くが、勤め先が事前に決まってから流入する「奉公人」ではなく、雑業人口に大きな比重があり、彼らはこのような雇用主と勤務先からの制約を受けず、晩婚少子化の傾向はみられなかったとする。

いずれにせよ、京都・大坂においても地方からの人口流入が続く限り、都市の人口を維持あるいは成長させることは可能であるが、実際そうならなかったのは、江戸中期以降、大坂と京都への人口流入が鈍化したからと推測される。その背景として有力な仮説が、三都以外の地方都市や農村における様々な手工業の発展である。三都以外では農林漁業以外の選択肢が極めて限定されていた江戸前期に比べて、地元であるいは近隣の城下町などでの就業機会が増えたため、京都・大坂への流入が減少したと考えられる。

手工業都市京都

京都は江戸時代を通じて職人の町であり、広汎な手工業製品の中心地であり続けた。しかも、西陣に代表されるように、京の手工業製品はその品質の高さで知られ、名産品として江戸は無論、国内市場全体で優位を保ち続けたことにも異論は少ない。例えば良く参照される『毛吹草』には全国1800余りの農産品・工芸品の名産が記されているが、437が山城産、うち約300が京の名産と記されている（脇田 1963）。

これらの手工業の趨勢を逐一検証することはとうてい不可能なので、代表格ともいえる西陣織を例にとる。西陣織とは、一口にいえば先染めされた様々の色合いの絹糸の織り込みで模様を作る絹地であり、呉服や帯となる絹織物である。これに対し、友禅に代表される後染めは、絹の白地に染付により模様を描くものであり、西陣と並んで京都の絹織物を代表する。西陣の盛衰をたどることで、京都の手工業が、一方で大坂の商品流通のハブとしての覇権の成立、他方で地方領国における手工業の発展にどのように対処したか、その方向性を見極めることが出来よう。絹織物は安土桃山期に中国の絹織物や絹糸・絹布の輸入代替として京都や長崎で発展した。西陣が絹織物産地として国内市場で優越的な地位を確保したのは、当初、中国からの絹糸・絹布の輸入割当で優位を持ったことに求められる。江戸中期以降、国内での蚕・絹糸の生産が本格化するにつれ、西陣職人の移動などを通じ、博多、桐生、丹後（京都）、長浜（滋賀）などでも生産が始まった。京都のこれら後発産地に対する優位は、西陣織や友禅などでの技術的優位と、天皇、公家、幕府諸藩主などの支配階級と富裕な商人などの有力者を固定客として持ったことにあった。有力顧客の確保の背景には、西陣の絹織物自体が優れていたことだけでなく、京都が幕府の直轄都市で、天皇・公家のみならず、幕閣や有力藩主がそれぞれ京都市内に呉服所を持ったことも重要である。呉服所は、呉服師とも呼ばれ、有力顧客に専属した呉服商で、桐村他（2009）によれば、江戸初期の『諸大名御屋敷所付』に既に131軒の呉服所が記されている。織豊時代から江戸初期の有力な呉服所は、単に呉服の売買だけでなく専属商人となり、呉服以外の商品の納入や大名貸として金融にも関与した。このような特権商人の多くが、西陣に近接する室町通の二条以北に集中し、次第に絹織物商が室町通沿いに集積することとなった。室町商人の中には両替商を兼務するものも多く、その中心は時代を経て同じ室町でも南に移った。室町商人の中でも雁金《かりがね》屋の屋号で知られる一族は、尾形光琳・乾山を生み、本阿弥光悦などとともに寛永期の華やかな文化の中心的な担い手でもあった。

株仲間を結成し、顧客が限定された高級絹織物に特化した西陣や友禅は、幕府の政策変化から極めて大きな影響を受けた。特に、質素倹約を訴えた天保の改革においては、絹織物全般の生産が禁止され、織元はやむを得ず綿織物への転業を図ったものの、多くが廃業し、禁令が解除された幕末においても、天保改革前の水準に戻ることはなかった。

特権的地位と技術水準の高さで有力顧客を確保するという傾向は、例えば和菓子においても見ることができる。明治維新後、天皇の東京への行幸に従い店を皇居近くに構えた「とらや（虎屋）」の創業者黒川家の資料によれば、「とらや」は後陽成天皇（在位1586～1611年）の時代に禁裏御用商人となったとされ、江戸時代を通じて、歴代御所の上菓子納品を続けた。そして「とらや」を筆頭に、禁裏御用商人として認められた数軒の和菓子匠により上菓子株仲間が結成されたが、その背景には和菓子の生産に不可欠の砂糖がほぼ全量輸入であり、輸入割当（割符）を受けることなくしては生産が不可能であることがあった。

京都の手工業の特徴を表すもう一つの例を挙げるならば、仏具、中でも仏壇は京都の手工業で重要な位置を占めた。多くの本山を抱える京都は地理的な優位は無論のこと、仏壇に用いられる装飾に木工・金工・漆工の専門技術が求められることも、幅広い手工業の分野で多くの職人を抱える京都に絶対的ともいえる優位をもたらした。

技術的優位と有力顧客、それらを保障する株仲間といった特性が、京都の手工業品の多くに見られる共通したものであるとすれば、市場経済の発展と領国経済への技術伝播により次第にその市場規模が縮小していったと想像することに無理はないだろう。その傾向は、西陣に限らず、醸造、製紙、陶磁器などの産業でも見られた（『京都の歴史』第6巻第3章）。京都の手工業に関するこの推測が正しいとすれば、京都が江戸前期をピークに人口を漸減させていった理由は自ずと明らかである。京都の人口を支える中核となる手工業の労働需要が江戸期を通じて緩やかな減少をたどり、その背景には三都以外での手工業の発展と、江戸地回り経済圏の発展、幕府藩主の税収（米）減、武家階級の購買力の低下があった。京都の人口減少の基本的な原因は市外からの純流入人口の低下にあったと推定できる。

今のべたような、江戸前期から幕末にかけての変化のうちいくつかは、大坂においてもほぼ該当する。むしろ、「都市の蟻地獄」や奉公人の晩婚といった、近世都市の人口動態や移動に関する定型化された推論は、大坂を焦点とした研究により積み上げられてきた。しかし、京都と大坂を比較すると、町人地の中でも長屋を中心とした借家の比率が大坂でより高く、京都では長屋形式の裏借家は少なかったといわれており（谷 1991）、また家持と借家人の比率で見ても大坂は借家人の比率が高かった（谷上掲論文）。更には、大坂には江戸期から多くの人足寄せ場があり、周辺には木賃宿が集まっていた。つまり、大坂と京都を比較する限り、雑業人口は大坂の方がより比率が高く、大《おお》店《だな》に住み込む流入人口の比率は京都でより高かったと推定できそうである。そうであるならば、流入人口の晩婚、低出生率という特徴は、住み込み奉公人の比率がより高いと推定される京都でこそより重要であった可能性がある。

更に他の側面でも京都と大坂には大きな違いがあった。江戸期の大坂は流通ネットワークの拠点として発展し、京都は手工業都市、大坂は商業の中心であったという基本的な違いだけでなく、大坂の手工業も京都とは異なる性格を持っていた。第一に、大坂の手工業の中心は泉州・河内での綿花生産を背景として綿糸、綿織物、さらには種油、酒・醤油醸造などで、京都の主製品の顧客層とは大きく異なっていた。もちろん水運を中心とするネットワークのハブであるから、舟運にかかわる産業も多く立地し、江戸を中心とする消費地と、領国の生産地を結ぶ問屋ネットワークは、近代の総合商社が果たした、仲介、金融、口利きといった多面的な機能を大坂の商人や手工業者に提供することが出来た。以下で詳しく見てゆくように、このような京都と大坂の違いは明治維新以降の2都市の発展と消長に大きな影響を与えることになった。

2　経済地理からみた近代京都の歴史

本書の前半部では京都の近代化・産業都市への途を辿ることになるが、その詳細やそれに伴う地域社会の変化については続く二つの章に譲り、ここでは、大まかにその道筋を辿る。

明治維新ショック

既に図表1－2で見たように、京都の人口は明治維新の前後で大きく減少した。維新後、天皇と皇族・公家は新都東京へ移住、実数は定かではないが、彼らに従属する少なからぬ人数が東京へ移住したものと思われる。しかし、およそ人口の半分を失うという激減は、皇室と公家の東京移住だけで説明できるものではない。京都の人口は明治維新によって一気に減少したのではなく、恐らく19世紀前半から数十年かけて起こったことを示唆している。濱野（2007）によれば、京都の人口減少は維新期の政治変化だけに原因を求めるべきではなく、幕末の政争により頻発した騒乱、中でも蛤御門の変（1864年）に伴う「どんどん焼け」の大火の影響により、維新以前の数年の間に京都の人口は既に減少傾向を加速しつつあった。

そうはいっても維新とそれに続く東京遷都の影響はやはり大きいものがあった。京都は天皇の東京移住、遷都によりその中心、その首都としてのアイデンティティを失ったといえる。また、皇室と公家の新都への移住により、京都から東京へ、その本拠を移す有力商人も多かった。三井本家は京都から東京へ移ったが、その後の三井財閥が占めた、太平洋戦争までの突出した財力と産業基盤の形成に果たした役割からすれば、その影響は小さくなかった。しかし、当時の京都で一大事件となったのは、生糸輸入商人から発展した小野組（井筒屋）を巡るものであった。小野組は京都から神戸、東京への転籍を申し入れたが、京都府が受理を拒んだため紛糾し、最終的に転籍が認められるまで4年の歳月を要した。京都は天皇と公家のみならず、多くの有力商人も失うことになった。

そのような京都に対して、新政府は、産業基立金などを利用して、「京都策」と呼ばれる一連の近代化政策に援助の手を差し延べた。具体的には、明治初年の国家規模で見ても最大プロジェクトの一つといえる琵琶湖疏水、それに伴う水力発電所の建設である。他方、京都市民も疏水建設の税負担に協力するだけでなく、全国初の小学校の建設に力を注いだ。後に、義務教育化され、国家事業となった小学校建設は、京都市では市民レベルの寄金と努力により実現したもので、当時の小学校通学地域（当時は番組と呼ばれた）は、現在でも元学区《もとがっく》と呼ばれ、京都の地域社会の基礎単位ともいえる役割を担う。番組小学校を中心とする京都の地域社会については第二、三章で改めて詳しく取り上げる。

維新に伴う近代化、西欧化の波は京都の産業にも及んだ。それは、西欧技術の導入と海外貿易の再開という二つの異なる影響を京都の産業にもたらし、その効果は産業により大きく異なるものとなった。西陣と清水は、ここで大きく異なる方向に動き出すことになった。西陣は一口でいえば、一定の技術導入により近代化への道を歩み始める一方、その産業組織や市場において維新以前と大きく異なることはなかった。それは江戸中期以降続いてきた、高級絹織物中心の家内制手工業、長く複雑な分業体制という基本的性格を維持しつつ、ジャカード織機などの先進技術を取り入れるものであった。一方、幕末の開港貿易開始により始まった生糸輸出は維新から明治初年にかけて、生糸の国内価格の高騰をもたらし、西陣は天保の改革に続く大きな痛手を負った。福井や桐生を中心とした羽二重や絹糸の輸出急増と対照的なものとなった。それには、洋服の下地など汎用性の高い羽二重などの白生地や半製品の絹糸に対し、先染め絹織物、とくに着物地や帯に対する海外需要がほとんどなく、他方、既存国内顧客の多くが公家や士族で、彼ら自身が維新によりその富を失うという、二重三重のマイナス要因が重なったためである。

それでも、西陣の国内市場、とくに高級絹織物での優位は揺るぎなく、友禅を中心とした染織と並び京都の産業の中核の地位を維持し続けた。そのため、西洋技術の導入は進んだ一方、西陣の高度に細分化された分業と家内制手工業という基本的性格は、戦後の高度成長期を通じても大きく変化することはなかった。近代化と大規模工場での量産の試みがなかったわけではない。１８８７（明治20）年京都織物株式会社は、取締役会長が渋沢栄一、資本金50万円で設立された。同社は戦後まで存続したが、西陣近代化の先鞭とはならず、綿紡績や織物の大規模工場生産は、大正期以降、新しく市域に編入された南西部に集中した。

対照的に京焼（清水焼）は幕末の開港と維新後の西欧技術の導入によりその姿を次第に変えていった。一方で「京薩摩」と呼ばれる装飾性の強い大型の花瓶など、輸出向け製品の急増があり（ただブームは長く続かなかった）、他方、碍子などの産業向け陶磁器というこれまでに全く存在しなかった製品群への進出をする企業が現れた。松風工業はその代表格である。

しかし、全体としてみれば維新後の京都の変化は、産業の近代化に大きな特徴があるものとはいえない。１８９７（明治30）年に行われた最初の産業調査によれば、農林水産業を除く京都府の主要産業の生産額の比率は、西陣織53・5％、丹後ちりめん16・7％、染色10％などとなっており、上に述べた近代化の道を歩み始めた陶磁器はわずか１・２％に過ぎない（『京都の歴史』第8巻第2章）。

明治末を基準に、京都の維新後の変化を展望すると、大阪、東京、あるいは急速に都市化を遂げつつあった神戸や横浜に比べてその近代化の速度は緩慢であった。幾つかある明治初年の推計人口によれば、京都の市街地の人口は維新直後には20万前後にまで減少していたと思われる。１８７９年で23万余り、それから10年経過した１８８９年でも約28万人である。20世紀初頭を迎えても京都市の人口は、江戸前期の水準をようやく取り戻した37万人程度、一方大阪市は１９０３年に１００万を突破、東京市は同じ１９０３年には１８８万人と、いずれも急速な成長途上にあった。琵琶湖疏水の建設に伴い、いち早く水力発電を始めた京都だったが、市内での電灯の普及は他の主要都市に後れをとっていた。明治末において京都の普及率は１００戸あたり13・8戸に過ぎず、5大都市で最低であり、最高の大阪は34・1戸に達していた。

明治中期までの京都の近代化を考える際に忘れてならないのは、近代化の歩みが基本的に中央政府及び京都府のイニシアティブによるものであったことである。これは、京都に限定されたものではないが、市が地方政府として自治能力を持つのは、１８８７年に至り市町村制が整備され、市会による推薦に従い市長が選出されるようになってからである。しかも、東京、大阪、京都の３市については市制特例が１８９８年まで適用され、市長は選出されず、府知事がその職務を行った。つまり、京都を含む３市が市長の下、独自政策を打ち出せるようになるのは19世紀末である。

斜陽都市京都と大阪の躍進

明治後期、京都では、京都遷都論が論議されていた。１８９７年、後に京都市長となる京大教授井上密《ひそか》は「京都の現状は後家の生活の如し」として、往時の名声と伝統のうえにあぐらをかいている現状を指摘し、「政治都市でもなく経済都市でもない明治の京都の中途半端さ」をなげき、「京都の再生は経済的都市に徹するにある」とした（『京都の歴史』第8巻第4章）。井上の大胆な経済都市転化論は必ずしも支配的ではなく、近代都市への転化の具体策として多くが提唱したのは京都遷都であった。それは、京都遷都による政治都市化と、それをばねとした近代工業都市への脱皮を構想するものであった。維新後の近代化の波に対し、京都は背を向けていたわけではなく、「京都策」に希望を見出し、近代工業都市を標榜していた。

他方、維新前後で同じように人口を激減させた大阪では近代化と工業化は速かった。明治から大正初期においてその発展の中核となったのは綿紡績を中心とした繊維工業である。その出発点は江戸後期から次第に全国でも主産地となった河内・和泉の綿花であり、これらを操綿、綿布加工する手工業が大阪で盛んとなった。高山（2018）によれば、明治末期において、大阪は綿紡績で全国生産の32％余り、メリヤスは62・1％を占め全国でトップの生産高、綿織物で12・4％と愛知についで2位であった。明治末期において綿紡績の主体は既に大規模工場になっており、従業員4000人近くの大阪紡績をはじめ、1000人以上の従業員を擁する3工場が市内に立地していた。これらの企業はいずれも明治20年代を中心に株式会社として設立されており、大正以降の化学・機械・造船などの製造業集積の出発点となった。東京と大阪は、ほぼ踵を接するように近代化の道を歩み、太平洋戦争に至るまで、所得水準も1位争いを続けた。

維新以降明治末までの半世紀近くの変化を大阪と比較するとき、京都の都市としての成長や産業化は大きく後れをとった。明治維新時点において京都は全国の手工業の中心にあったが、その相対的な停滞の原因を考えてみたい。無論、東京遷都に伴う人口減少の影響が大阪以上に厳しかったのは確かではあるが、長期的な趨勢を見れば、明治期は農村部の余剰労働力を成長する都市部が吸引してゆく段階にあり、維新期の人口減自体にその後の停滞の理由を求めることはできない。明治期の産業化を牽引したのが繊維であったことを考慮すれば、産業の中心が絹織物という最終製品にある京都にとって海外貿易の開始はマイナス要因であった。絹織物は輸出競争力を持たず、原料である生糸は輸出拡大により、国内価格が高騰した。他方、大阪の産業化の中心にあった綿紡績は維新直後こそ、綿花の国内生産に国際競争力がなく江戸期の綿紡績の発展要因を失う形になったものの、国内市場の成長と共に、急速に輸出市場で競争力を増した。

西陣以外の手工業の多くも、動力化した工場制への移行が容易ではなく、維新により顧客層が激減した業種も多かった。京都の多くの手工業は洗練された製品を生み出してはいたものの、その生産技術や製品特性はその後の産業化という視点から見れば、袋小路にあった。他方、農村部や地方都市で江戸後期に成長を見せた多くの手工業は、綿糸、綿織物を中心としており、動力化された工場への移行が西陣より遥かに容易であったことを見逃すわけにはいかない。

明治期において京都の近代化と産業化が後れをとった理由は、このような産業特性と市場条件だけでなく、京都の実業家の多くが江戸期以来の生業と経営形態に拘った点にあるのかもしれない。京都経済同友会のウエブサイト（2014）は、「実は、京都で永年にわたり事業を営んできた個人（または）同族が株式会社を設立し、経営形態を近代化するのは明治後期から大正にかけて」であり、「京都の老舗は製造業・商業を問わず、日本に資本主義体制・制度が根付き、安定するのを見極めてから、事業組織の改変を行ったわけです。これも京都の商工業者の生き残り術だったかもしれません」と記している（第二章5節）。それでも、大阪と軌を一にするように、明治20年代には多くの株式会社が京都でも設立された。上に触れたように京都織物が1887（明治20）年に設立されたほか、繊維、鉄道、発電、運輸など新しい会社の設立は決して少なくなかった。ただ、その多くが景況の変動に耐え切れず、途中で姿を消すことになった。

三大事業

産業化のための基盤となる交通・社会インフラの整備は、19世紀末初代、内貴《ないき》市長の時代から様々な構想が現れたが、それが具体化したのが、京都策の最後にあたる西郷菊次郎（隆盛の長男）市長による三大事業（第二琵琶湖疏水、道路・水道網、市電）である。構想から実現には長期を要したが、実際の工期は短く、起工式が1908年、竣工式が1912年で（但し市電網の建設は第一期完工の1913年以降も継続した）、京都は明治末年に至り、ようやく近代都市としての都市基盤を備えるに至った。それまで豊富ではあるが衛生上課題の多かった井戸水から第二琵琶湖疏水を利用した上水道に換わり、市電が敷設された骨格道路は、道路拡築により、現在の京都の骨格を形成する道路網が整備された。東西には北から今出川、丸太町、四条、七条、南北には東から烏丸、千本（三条以北）・大宮（四条以南）に現在の4車線に相当する道路が完成し、市電が中央の軌道を走ることになった。なお、京都では京都電気鉄道（京電）という民間企業による全国最初の路面電車が1895年に建設され営業を始めた。しかし、狭軌であるうえ、道路拡築以前に敷設されたため、広軌で拡築された主要街路に敷設された市電との相互乗り入れや共同開発が困難で、後に市電に吸収合併のうえ、その路線の多くは大正年間に廃止された。道路拡築は、家屋の立ち退きと土地収用が必要となるため、当初は困難が予想され、なかでも四条通は市内一の繁華街であり、拡築は通りに面する商家にとってはマイナスであるとの主張がなされ、反対運動も起こった。しかし、実際の土地収用は順調に進んだ。東京や大阪に比べて都市基盤の立ち遅れが問題になっていたが、三大事業の完成により、京都も東京・大阪に並ぶ上水道、道路、市電網を持つに至った。

明治末期になっても京都市は、近世以来の姿を大きく変えていたわけではない。市の輪郭を見ても、秀吉が建設した「御土居《おどい》」が依然としてほぼ市の境界線となっていた。当時、京都市は北部では愛宕郡《おたぎ》に、北西及び西部では葛野郡《かどの》に、南部では紀伊郡《きい》に接しており、隣接町村の市街化はまだ殆ど進んでいなかった。三大事業で形成された骨格道路は、ほぼ当時の市の全域をカバーするものであった。

大正・昭和前期の急成長

三大事業の完成を受けて、大正に入って京都の産業化が進み、現在でも京都を代表する幾つかの企業が誕生した。これまで京都にはなかった化学・機械工業が急速に発展し始め、市の周辺地域での立地もあり、周辺地域では特に人口流入が大きくなり、ようやく市の人口も成長を速めることになった。

京都は1918（大正7）年と1931（昭和6）年の二次の市域拡張により、周辺市町村を合併し、まもなく百万都市となった。編入された市域は南部と西部が中心で、既存市域と編入地域を統合する東大路、北大路、西大路、九条通などの外郭道路が建設され、道路沿いのベルト状の地域の区画整理事業も開始された（第三章）。図表1－3は、京都府の日本全体に対する人口比率を示すが、その比率は明治前期には低下を続けており、20世紀に入って急速に大きくなったことが確認できる。大まかな姿は京都市の人口比率を示した図表1－1と同じだが、明治前期の市の人口統計がないため、京都府全体の人口を利用して明治前期の動きを示した。どちらの図でも1910年代から1930年代半ばまで比率は増大を続けてピークに達している。京都府のシェアのピークは1935年、京都市は1939年である。

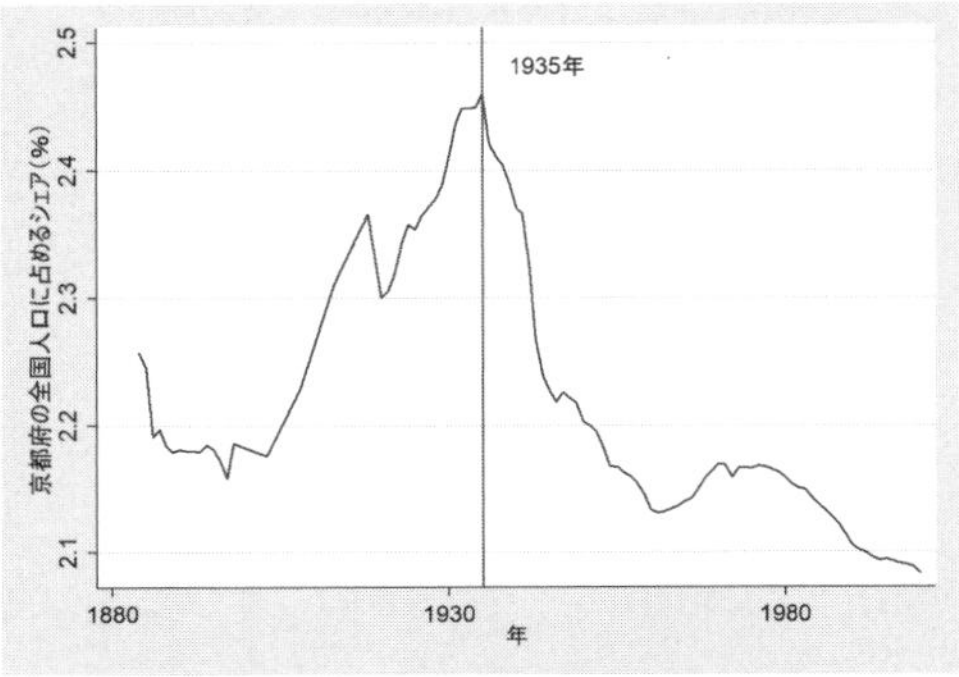

図表1-3　京都府の人口比率の推移

この二つの図がほぼ同じ形をしていることから、本章の最初に記した京都市の人口規模で見た相対的地位の変化が、市域の拡張（隣接町村の吸収合併）による見せかけの変化ではないことが確認できる。また、図表1－1に見られた不連続性の一因は、国勢調査と京都市の推計のずれである。その乖離の理由の一つは、寄留人口の取り扱いで、1952年施行の住民登録法以前は、戸籍簿住所から離れて住む際には寄留届を提出し、それをもとに市町村は現人口を計算した。しかし寄留届の提出は煩瑣で、しばしば無視され、現住人口の把握は自治体間で精粗やタイミングの差があった。もう一つの理由は、第三章で取り上げる、周辺地域との人口移動が市域拡張期の前後で特に大きかったためと考えられる。

急成長した京都の工業だが、それでも、『京都の歴史』によれば、1919（大正8）年においてさえ、西陣織物の生産額は京都市内の工業生産額の35%を占めた。染・織物や絹・綿糸などの繊維中心の産業構造が京都で大きく変化したわけではなかった。機械工業は大正初期には皆無であったが、1919年には生産額で全体の5%余りを占めるまでに成長した。三大事業により、第二琵琶湖疏水、道路拡築、電気軌道も順次完成し、京都はようやく、近代都市の姿を見せ始めた。昭和に入り、数度の不況を経験しながらもこのトレンドは継続し、繊維一辺倒の製造業の構成も、大阪、東京ほどではないにせよ機械や化学の比重が増加を見せた。1

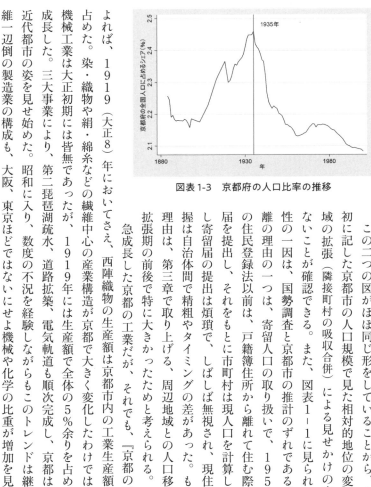

932年には下京・伏見・西南郡部などの水利の良い地域が工業地域の指定を受け、「現在に見る京都市西部及び南部の工業地域景観はこの時期に基礎が形成された」(『京都の歴史』9巻 129頁)。そして、日本全体の戦時体制への傾斜は、京都の工業化を更に進める方向に働いたことも否定できない。人口だけでなく、所得の面でみても、京都は大正に入って以降成長速度を高めた。東京府の人口一人当たりの粗付加価値を1とすると、京都府の一人当たり粗付加価値は1909(明治42)年には東京の凡そ3分の2であり、20年ほど前の1890年の相対比に比べ、東京との格差は広がっていた。しかし、1926(昭和元)年にはその比率は72・6%に上昇し、戦前を通じてほぼ同じ水準を維持した。

第三、五章で詳しく見るように、昭和を迎えた京都は上に述べた外郭道路の整備や私鉄網の開通により、既存の市電路線網と合わせて近代都市にふさわしい交通ネットワークが形成され、1932年には、東京、大阪に次いで全国で三番目に人口が百万を超える「大京都」となった。

戦時体制と「平和産業」の崩壊

1930年代後半に入り、日本が中国への侵略を本格化させるようになると国内経済にも大きな変化が現れる。戦時経済体制への移行は、国家総動員法の成立により重点産業への傾斜、産業報国会など統制色の強い経済団体の設立や企業の統廃合をもたらした。

それまで急速に進展しつつあった京都の産業化は、このうねりのなかで二つの大きな影響を受けることになった。まず、「七七禁令」(1940年)と呼ばれる奢侈品生産と流通を禁ずる政令により、西陣と友禅そして伏見の酒醸造は決定的な打撃を受け、これら業種の事業者の殆どが休・廃業となった。他方、大正期から勃興しつつあった機械化学工業は軍需転換を強いられながらも急速に成長し、西陣や伏見で職を失った労働者の受け皿となりながら南部・南西部に工業地帯を生み出し、市の中心部及び北部との対比はより鮮明になった。第二次世界大戦が始まると、市内の有力工場はほぼ全面的に軍需工場と化し、1944年には桂川流域に三菱重工業の大規模工場が建設され飛行機エンジンの製造を行った。ハン他（2003）によると、1942年には、京都の労働者の62％が軍工廠あるいは軍需工場に勤務していたという。

このような極端で急激な産業構造の変化の背景には京都の産業化の遅れと、この時期になってもなお絹織物や酒造などの伝統産業の比率が非常に高かったことがある。「七七禁令」に代表されるような、平時産業から軍需への強権的な転換は京都において最も影響が大きく、また南西部において、昭和初期から洛南工業地帯として区画整理が進行中であったことも大規模な転換を可能にしたといえる。更に太平洋戦争末期には沿岸諸都市に対する空爆も激しくなり、京都南部は数少ない軍需工場立地として急速な工業化が行われた。

京都の産業都市としての成長

このように、大正から昭和にかけての京都の軌跡をたどると、京都が都市として成長を続けることが出来たことに特別の要因が働いたという訳ではない。むしろ、交通インフラの整備、南西部を中心とした近代的な製造業の発達と都市化、等々、京都はこの時期他の先進工業地帯と大都市に若干遅れながらも、同じように産業都市としての成長を遂げたといえる。

ここで留意しておくべきことが2点ある。一つは、京都は日本全体、特に東京や大阪の急速な成長と所得水準の上昇から大きな恩恵を受けたと思われることである。一方で、京都は隣接する阪神工業地帯と結びつくことにより関連産業の立地が進んだ。これは既に何度も触れた南西部の成長の基本要因として見逃せない。他方、京都の伝統産業は先進地域の所得水準の上昇により、その市場を広げることが出来た。

留意すべき第二の点は、京都は、百万都市となったものの、独立した大都市としてその集積力を持つには不十分であったと考えられる点だ。製造業の付加価値で見ると、京都は1940年の時点でも東京の8分の1、大阪の5分の1の規模に過ぎず、愛知や兵庫、福岡に比べても3分の1程度である。しかも、京都は地域の中心都市ではなく、周辺での人口集積も小規模であった。1940年時点で、横浜市の人口は97万であったが、神奈川県全体では217万に達していた。大阪市の人口は320万であったが、大阪府全体では472万と500万人に近づいていた。それに対し、京都市は人口109万に達していたものの、京都府の人口は全体でも170万に過ぎず、しかも京都市以外の人口の大半が、丹波・丹後など京都市の経済圏からかけ離れた地域にあった。1935年の国勢調査によれば、京都市に隣接する愛宕、葛野、乙訓《おとくに》、宇治各郡の人口を合計しても5万人に満たない。第三章で詳述するように、大正から昭和にかけて京都は隣接市町村を吸収して百万都市となったが、その反面、残った府下の周辺地域は小さく、南西方向の阪神経済圏との連結を強めない限り、都市集積の成長を見込むことは難しい状況にあったといえる。

高度成長期

戦後の復興においても京都は他の主要都市に後れをとることになった。戦災が比較的軽微であっ

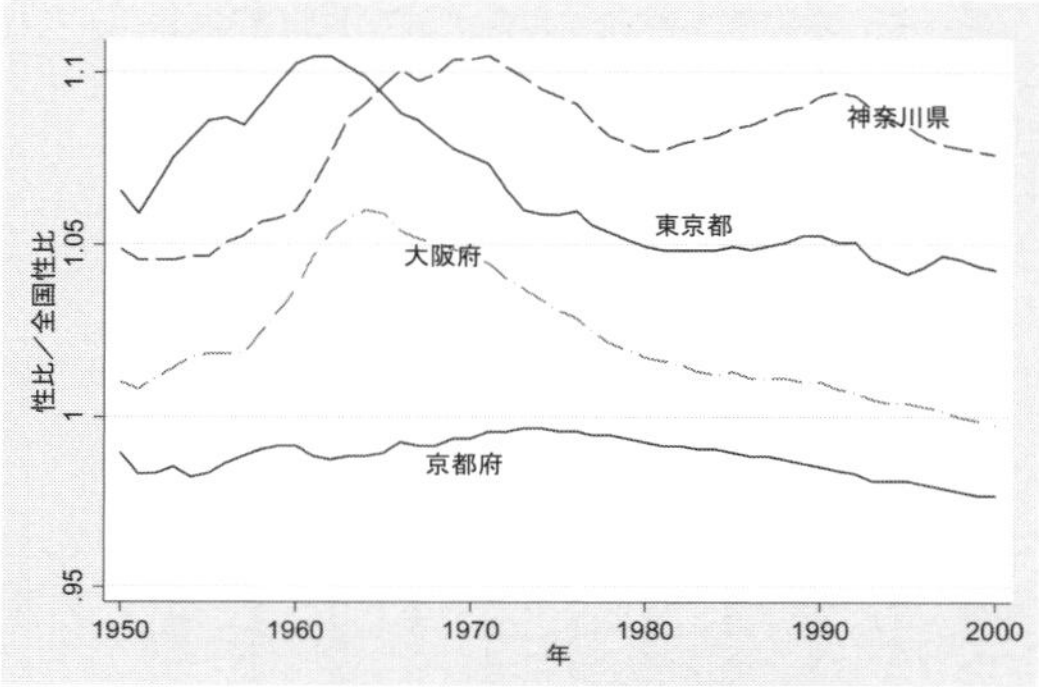

図表1-4　4都府県の性比／全国性比

た京都は戦災復興計画が策定されず、戦中からの急激な人口減などの影響もあり市は財政難に苦しみ、1956年から1962年までは財政再建団体に指定されていた。市の人口でみると、戦前のピークであった1939年の人口規模を回復するのは1954年であり、京都の経済が成長期に入るのは1960年代半ば以降である。

この遅れを示す指標の一つとして人口の性比をとってみよう。男女の人口比（性比）は、産業化の途上では製造業集積に男子の労働力が集中するため、人口集中と産業集積の代理変数として便利な指標である。

図表1－4は、東京、神奈川、大阪、京都の4都府県について全国平均の性比との比率をとったものであるが、東京と大阪では1950年代以降、高度成長と共に急速に性比が高まり、いずれも1960年代半ばにはピークを迎えそれ以降緩やかに下降している。神奈川ではピークはやや遅れ1970年前後で、以降は東京・大阪とよく似た漸減傾向を示す。それに対し、京都府では高度成長期の大きな山は観察されず、むしろ60年代後半以降緩やかな上昇が70年代半ばまで続いている。京都の戦前の成長と、戦後の高度成長期の立ち遅れは人口移動からも確認できる。京都府は戦前の1920~35年の間、東京、大阪に次いで全国で3番目の人口流入率を記録したが、高度成長期では、人口流入率はほぼゼロで、首都圏や愛知、

大阪、兵庫などとの格差が広がった。京都市の人口移動を見ると、終戦後は1960年代半ばまで人口流入が続いたが、1960年代後半以降は純流出に転じ、それ以降人口流出は2010年頃まで続いた（第三章図表3－6）。

遅れてきた京都の成長の背景には、戦後の京都経済の牽引車ともなった、多くの電気精密機器メーカーの勃興が1960年代以降に集中していることがあげられよう。それは、高度成長期の前半で中心的な役割を担った鉄鋼、石油化学といった業種は京都には立地せず、後半の牽引車である機械、電機において京都には新たな成長企業が群生したからである。これらの企業を中心とした成長は、二つの特徴を持っていた。第一に、これらの企業は戦前の南部中心の産業化のトレンドを引き継ぐ形でいずれも南部及び南西部に本社機能を備え、市中心部との隔絶という状況をむしろより際立たせる効果を持ったこと。第二に、1990年代以降これらの企業はいずれも自社工場を持たない、いわゆるファブレス化に向かうが、それに先立つ急成長期において、生産施設の拡張を殆ど京都市外に求めたこと。そのため、雇用拡張効果は京都市内ではなく府下南部や、特に隣接する滋賀県に立地した工場群により拡散することになった。

その効果は滋賀県と京都府の性比の推移を比べると最も鮮明に表れる（図表1－5）。1960年代半ば以降、滋賀県の性比は急速に上昇するが、これは東海道新幹線や名神高速道路といったインフラの完成により京阪神地区の主要製造業の新設工場が滋賀県に集中したことを示す。中でも、京セラや村田製作所といった京都の成長企業の多くが新設工場を滋賀に立地させた。京都の新興企業の成長はむしろ滋賀の急速な製造業の成長に貢献することになった。ちなみに、現在でも滋賀県は県内総生産に占める製造業比率が43・6％と全国第1位である。

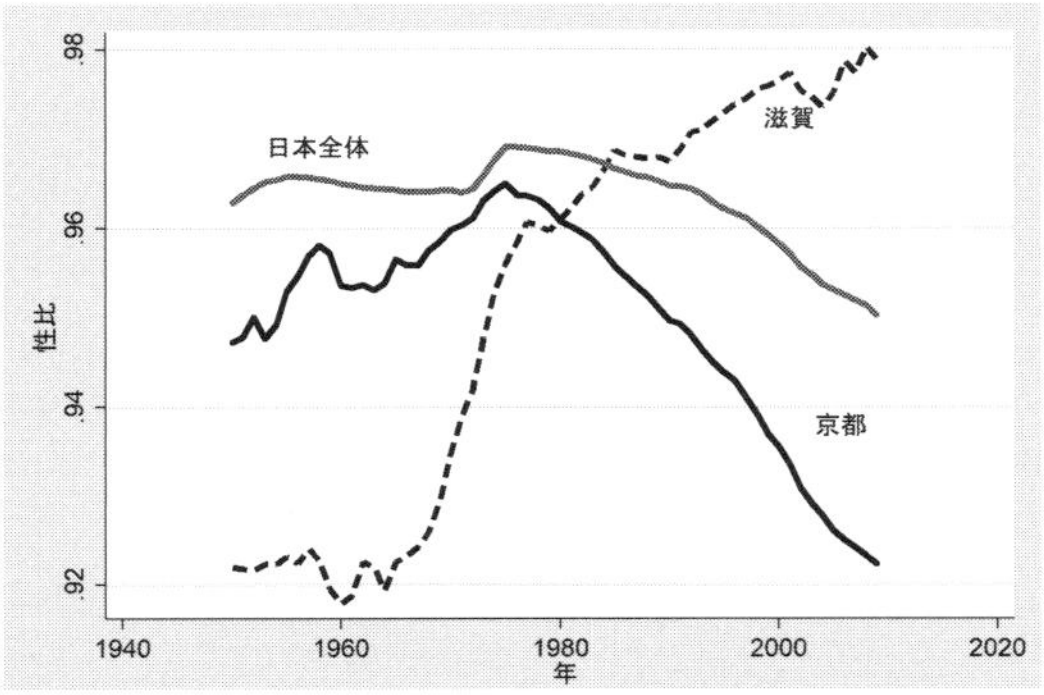

図表1-5　京都と滋賀の性比

高度成長期以降の京都の成長の中心は、地理的にも経済的な連関でも都心と離れたところにあり、そのため中心部はこの期間を通じて大規模で長期にわたる人口減少を経験することになった。東京や大阪でも高度成長期は都心部の人口減少を伴うものであったが、それは都心部の高層化・ビルドアップを伴う、あるいはそれが先行するものであったのに対し、京都ではこのようなオフィス街のビルドアップは見られず、郊外への人口流出が起こった。中心部の都市機能が減衰を続ける一方、関西の広域交通インフラは更に充実を見せ、主要高速道に沿った産業集積が更に進んだ。

結果、京都市南部は南西の大阪郊外、北東の琵琶湖東岸との一体化がより鮮明になった。そこで、以下ではこの地域を**南西回廊**と呼ぶことにする。南西回廊はおおまかにいえば、中京区の西部、右京区南部、南区、伏見区、桂川沿岸を中心とする西京区の一部、そして市外の宇治市西部、向日《むこう》市、長岡京市、八幡市、城陽市、久御山《くみやま》町を含む南山城平野一帯を示し、京都市中心部を南西方向から囲み、緩いL字型の帯を形成している。

3　京都の経済地理：現況

未完の産業化

これまで京都の都市経済の姿の変遷を駆け足で見てきたが、一言でいえば明治維新以降、京都は何度かあった産業化の契機を十分に利用することが出来ず、未完のまま終わったといえる。

最初の契機は維新以降の明治初期にあった。京都は東京・大阪と並び維新により大きな人口減少を被ったが、その後の近代化の波に乗ることは出来なかった。その最大の理由は幕末期までの手工業生産の比較優位が、開国と近代化の中で却って不利に働いたことにある。京都の比較優位は、明治初期の日本経済の方向性とは相いれないものであった。日本の貿易における比較優位は生糸や綿紡績に代表される繊維を中心とした半製品や原材料加工にあったが、京都の手工業の優位は国内市場向けの高品質の最終製品にあった。京都経済の成長と都市化の進展は国内市場の成長に依存していた。

第二の契機は大正から昭和初期にかけての日本全体での製造業の動力化・大規模工場の成長の波に乗るもので、京都にも紡績だけでなく、機械や化学工業の立地が進んだ。この間京都の人口は成長を続け、性比も上昇し、女性人口を100とすると1930年代には110近くまでになった。この産業化の趨勢がストップしたのは、戦時経済体制への移行という、京都にとっては全く外的で対応が不可能なもので、特に平和産業の代表格ともいえる西陣織や伏見の醸造に対しては壊滅的な打撃となった。戦争末期には、急造の大規模軍需工場が桂川河川域や南部郊外に建設されたが、これらがそのまま戦後再興されたわけではない。他方、空襲被害の殆どなかった都心部や西陣では、戦後、疎開から人が戻るにつれ、戦前の西陣や友禅、そして室町の活況が戻った。京都にとっての戦後とは何よりも戦前の旧に復することであった。

最後の契機はいうまでもなく高度成長期である。京都は高度成長期に幾つかの重要な企業を輩出しつつ、市自体が高度の産業集積を実現することはなかった。京都は、戦前期には東京・大阪に次ぐ人口流入を経験したものの、東京や大阪で1960〜70年代前半に見られる大きな人口集中と性比の上昇の波は京都では観察されない。生産事業所の集積は高速道のネットワークの発達により京都の中心部を素通りして琵琶湖沿岸や大阪湾岸の泉南地区に拡大したのである。京都は南西回廊に電機や機械を中心とする多くの企業群が集積する一方、都心と西陣ではその産業基盤は次第に劣化した。しかし、その劣化が眼に見えて町の姿と人の生活に影響を与えるのは更に20年以上経ったバブル崩壊後の1990年代である。

まだら模様の京都の経済地理

特定の時点でどのような経済の姿を観察しても、その中には、最新の産業集積もあれば、より古い時代の経済活動の痕跡や歴史を現在も引きずっているものもある。京都という都市では、何層にも重なった過去の集積が何度もの拡大・縮小・変化を遂げて残っている。このようなまだら模様は単一の企業の中でも見ることができる。

例えば、1904(明治37)年創業の國枝商店は、舞台化粧の紅《べに》や白粉《おしろい》を扱う行商人で、当時の日活太秦撮映所などに商品を大八車で届けていたが、その後新京極に店を構え、歯ブラシの製造販売を始めた。1921(大正10)年に、化粧落としのあぶらとり紙を手のひらサイズで販売しはじめた。このあぶらとり紙を取り扱う店を祇園に開いた頃から次第に観光客に注目されるようになり、近年急速に多店舗展開を進め、化粧品雑貨へと商品の範囲も広げている。「よーじや」という現在の社名は、歯ブラシを当時「楊枝」と呼んでいたためである。

しかし、このようなケースはあくまで例外であり、殆どの自営業者にとって、戦争、戦後の混乱と高度成長がもたらした消費行動と生活スタイルの大きな変化は、そのままでは適応不可能なものであり、生き残るためには根本的な業態、取り扱い製品の変更が必要だった。しかも、西陣のように高度で長い分業経路を抱えた業種では、全体としての姿を温存したままでの根本的な変革は不可能であったし、それ以外の業種においてもごく一部の企業が少なくとも名前だけは残して生き残れたに過ぎない。良く知られているように、任天堂は元々トランプや花札を主力製品とする玩具メーカーであり、ワコールの創業者塚本幸一は、アクセサリーの行商として出発した。

結果として、我々が現在見ることが出来る京都の経済の姿は奇妙で理解が難しい。その最大の理由は、企業の成長がひとえに外的要因と個別企業の企業努力に依存しており、そこに都市全体として共通する成長の源泉を見つけることが難しいためである。つまり、このまだら模様は、京都の産業集積の限界を示すともいえよう。京都の中心部に点在する伝統的手工業はいずれも孤立して、広い分野や業種に散在している。他方、京都の主要製造企業の生産リンクはグローバル化して、主要生産設備を京都市内に残す企業は殆どなく、市内には本社機能と研究開発拠点のみを残す。

京都の主要企業はいずれも主要な企業系列に属さないが、これはとりもなおさず、これらの企業の成長が業種の中でも比較的孤立した存在であることを象徴している。それは、企業グループが系列化を進めた高度成長期に京都という都市が重視されていなかったことを反映しているだろう。

城山三郎の『毎日が日曜日』(1976)の主人公は、大手商社に勤めるベテラン社員だが、京都支店長を命ぜられ、お荷物状態になっている京都支店を盛り返すべく奮闘を続ける。高度成長期末期、海外賓客向けの奥座敷のようにしか使われない京都支店はやがて廃止となる。実際、企業系列グループの総合商社はいずれも京都に主たる支店を持たない。福岡支店のない総合商社を見つけることが難しいのと対照的である。

要するに京都を経済地理の視点から見た場合理解が難しいのは、都心機能と産業集積が連携して経済活動を担うという都市経済の標準的な姿から程遠く、生産技術のリンケージから発展した高度成長期の北九州や川崎のような都市でもないからである。

4　京都の産業集積と町の姿

希薄な都市型集積

ここまで、京都の経済地理を標準的な都市型産業集積の視点から理解するのは難しいと述べた。そこで都市型の産業集積とはどんなものか簡単におさらいしておこう。都市経済学では産業集積について特化型と都市型集積という類型を利用することが多い。例えば、新潟県燕市に見られる洋食器や福井県鯖江市の眼鏡フレームなどは典型的な特化型であり、特定財の生産に従事する多くの事業所が集積する。他方、都市型集積においては特定財やセクターに集中が見られるのではなく、多様な異業種の事業所が密集して立地する。その典型は東京や大阪の全国規模の大都市、あるいは札幌、福岡などに代表される嘗ての「支店都市」であろう。これらの都市型集積の目立った特徴は本社機能や営業拠点あるいは研究開発拠点など、ホワイトカラー中心の事業所の集積である。カギとなるのは、このようなセクターのコアに企業向けサービスセクターの様々な業種と企業があること、そしてこれらサービスセクターの企業が強い集積の利益を持っている点である。

京都は同規模の他の都市に比べて、このような企業向けサービスを核とするオフィス集積を呼び込む誘因に乏しいし、実際の立地にも欠ける。企業向けサービスの分野では、立地する事業所が、企業向けサービスを提供すると同時に、他の企業向けサービスの需要者としても存在するという双方向の市場リンクが決定的な役割を果たす。京都にはこのような都市型集積が決定的に不足している。また、京都は地域労働市場の「厚み」にも欠ける。日本で随一の大学都市でありながら、京都の大学を卒業した学生の大半が京都を去るのが何よりもその強い証拠である（第三章）。但し、京都には他の地方都市には見られない「厚み」のある分野が点在し、その多くが工芸や伝統技能にかかわるものである（第五、終章）。高度成長期とは戦前からあった京浜や阪神の製造業集積が、都心から郊外、そして近隣府県へと分散する過程であり（Mano and Otsuka 2000）、その中で東京や大阪は次第に本社・営業・研究開発といった機能に特化したオフィス都市に変化していった。京都では都心部のこの機能純化というプロセスが進行することのないまま、それ以前の手工業中心の集積と飲食店や宿泊施設が中心部で大きなシェアを占め、限られた企業の本社機能は南西回廊に点在して、近代以前とポスト工業化が併存する独特の姿となったといえる。

経済地理と京都の景観

京都は街路や建築物の姿から見ても他の主要都市には見られない特徴を持っている。明治末期から昭和初期に完成した主要街路が現在でも市の道路網の骨格を形成している。市の中心部では、これらの主要街路を除くと、道路はその殆どが1車線の一方通行である。街路が狭隘であるのは、それだけ低層の家屋やビルが密集しているのと裏腹であり、主要都市の中では最も厳しい容積率限度に比べても、実際の容積率は中心部で規制上限の50％程度に過ぎない。また寺社地の比率が高く、中心部にも住居が密集し、且つホテル、旅館、レストランなどの施設比率が高いため、京都市の中心部でのオフィスビルの占有率は異常に小さくなっている。バブル崩壊後のマンション建設、近年のホテルブームに押されて賃貸オフィスビルの新築は市の中心部では殆どなく、結果的に京都は他都市に例を見ないほど、オフィススペースの不足が常態化している（第五、六章）。

一口でいえば、京都は都心部の高度化を促す産業集積が他の同規模都市に比べても未発達で、相対的に飲食店や宿泊施設の比率が高い。高度化を促す第一の要因はオフィス需要であるが、上に述べたような背景もあって、都心にオフィスを構える需要が京都の産業には大きくなく、阪神経済圏がすぐ近くにあるため、福岡や札幌のような支店オフィス需要も小さい。高層ビルの少ない京都では、前面の通りからセットバックされたビルが少なく、歩道部分が狭く、高層ビルが目立たないにもかかわらず、道路とビルに挟まれて圧迫感が強い。京都は単に歴史的な建造物や町家が多く残るだけでなく、上のような経緯を背景として、高度成長期に建設された多くのビルの建て替えも進まないという両面で、「古びた」町という印象を与えることになっている。

京都は周辺部を東山、北山、西山に囲まれ、その裾野部分が殆ど風致地区に指定されている。そのため、市街化部の景観がどう変化するかは、縦横の街路で区切られた矩形の町並みから成る中心部がどのように変化を遂げるかに大きく依存するといえる。京都の景観を巡る様々な係争や議論が、市内中心部、いわゆる「田の字」地区に集中したのは、この地区がブロック単位で再開発や建て替えなどを行うことが極めて困難であったことが要因の一つである。ちなみに「田の字」地区とは、北を御池、南を五条、東を河原町、西を堀川の通りで囲まれた地域を指す。烏丸通と四条通が矩形の中心を貫き「田」の字をかたどるのでこう呼ばれる。短冊状の一筆単位で建て直されるために、多くのペンシルビルや、歯抜け状になった多くのコインパーキングの存在が目立つ。その背景には田の字地区の大半が都心であるにもかかわらず、個人所有の住居から構成されるという京都固有の状況がある。更に重要なのは、この田の字地区の住民こそ京の町衆の代表であり、京都の政治・社会の動向に決定的な影響を与えてきた人々である。

京都の景観保護政策の厳しさは全国一であり、景観保護の努力に敬意が払われることが多い。それでも、特段の工夫をすることなく、田の字地区では現存の町家を取り壊し、建築基準・規制に従い、4〜5階建て15m程度の共用住宅あるいはオフィスビルを建設することで、個人にとっては巨額ともいえるキャピタルゲインが発生する。主要道路に面する土地と合筆して建築することが出来れば、31mの高さまで許容されるから、そのキャピタルゲインは更に大きい。市内中心部がまとまりなく雑然とした印象を与えてしまうとすれば、その少なからぬ部分はこのような建築基準や規制の変遷と個々人の利害の複合的な結果でもある。都心部の再開発と景観保護のバランスを取ることの難しさについては第六章でもう一度改めて考えることにする。

南西回廊の形成

京都が現在でも古都としての景観を持ち続けているのは、東山、北山そして西山というなだらかな山容とその麓に広がる多くの寺社地が風致地区に指定され、その町並みが保存されていることが大きな要因であろう。洛西に広がる嵐山嵯峨野地区も山裾の大半は風致地区指定により景観は維持されており、これらのエリアこそ観光の中心となっている。

他方、南に広がる南山城平野の町並みは、これらのいずれとも全く異なる。それを端的に示すのは、ＪＲ京都駅の南北を比べた時の景観の対照である。京都駅の南を遠望すれば京都で最も高層のビルである、村田製作所、ニデック、そして京セラの本社ビルが聳えているのが遠くに見える。また、名神、新名神、京滋バイパス、第二京阪（一部は京都高速）、京都縦貫の高速（自動車専用）道路網、ＪＲ、阪急、近鉄、京阪の路線網も南西に向けて続くのが遠望できる。京都駅の北側を見れば、東山と北山の山稜を背に古都の名にふさわしい景観が広がる。この南北の対照的な景観こそ、近代以前とポスト工業化が併存する京都の経済地理を象徴するといえよう。

昭和初期から埋め立てられた巨椋《おぐら》池を南限とすれば、東側の伏見の中心部や山科の一部、更には宇治市東部にかけては洛中とは異なるが古い家並みが残るものの、南面に見えるそれ以外の地域は、首都圏や阪神間の郊外の町並みと区別をすることが難しい。田の字地区のような街路や区画の形状とは異なり、幾つかの主要路線沿いに全国どこにでも見られるロードサイドの大型店舗やショッピングセンターが散在し、京都の製造業の中心をなす企業群の多くが本社や開発拠点を展開する。

京都の都市計画で、これら南部・南西部は、その核となるべき都市集積を生み出さないまま外延的な発展と変化を遂げてきた。旧巨椋池干拓地は大部分が農地となっているが、道路や鉄道など交通インフラを建設するには最適の地であるため、上に述べたように、阪神方面と琵琶湖東岸から名古屋方面を繋ぐ交通の要衝となっている。これらの主要道路と鉄道路線が阪神間から琵琶湖東岸を結ぶ地域は、京都の主要企業の本社・開発拠点に加えて数多くの物流拠点を擁して、本書で「南西回廊」と呼ぶ大規模な物流と人流の大きなベルトを形成している。図表1－6は明治後期と

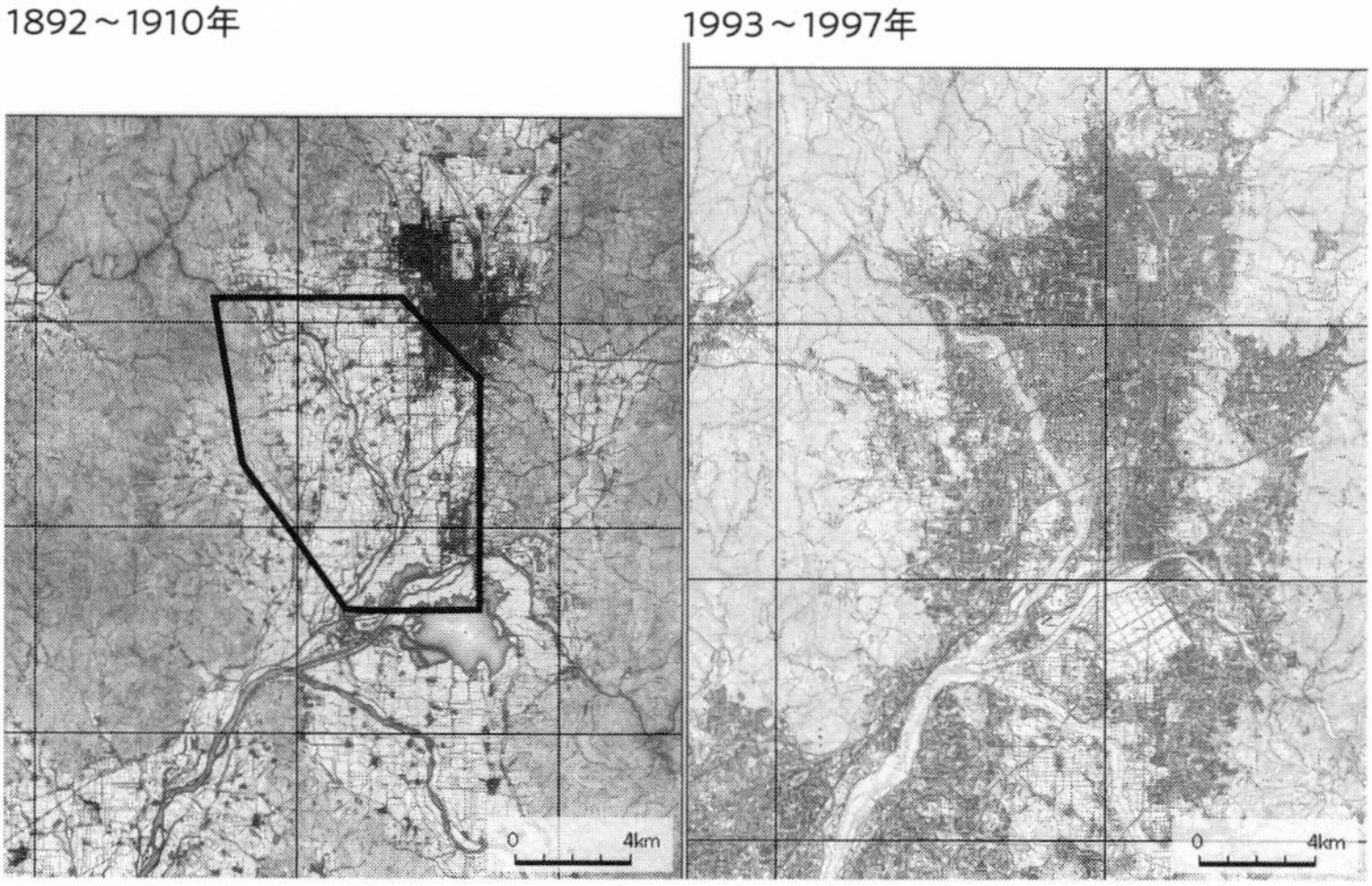

図表1-6　南西回廊（凡その領域を左図に示した／左は明治後期、右は1990年代）
『今昔マップ3』（http://ktgis.net/kjmap/）の地図データより著者作成

1990年代の京都市街の地図を並べているが、市街の拡大が特に南西部で大きいことが分かる。左図では旧市街の遥か南に巨椋池が見えるがそのすぐ上（北）が伏見の市街であり、旧市街と伏見以外の南西回廊は殆ど農地で、街道沿いに点々と集落が見える。右図では、桂川の沿岸の空白部分と旧巨椋池干拓地を除くと完全に市街化した南西回廊がひろがる。

5　まとめ

京都は明治維新によりその首都の地位を失い、急速な人口減少に見舞われた。維新政府は大規模な公共事業を集中させ、京都の近代化を促したが産業革命には出遅れた。いわゆる三大事業が完成した、明治末年から大正にかけてようやく産業化のうねりが町に訪れた。それは昭和初期の急成長をもたらしたが、江戸期以来の中心産業であった西陣と友禅の2大繊維産業の近代化には結びつかず、15年戦争を通じて、京都はこれら平和産業の多くを失い、急速に軍需産業都市に変貌していった。

この頃京都の人口は日本全体との比率においてピークを迎え、「大京都」となった。戦後の京都は、15年戦争によって失われたものを取り戻す復旧を果たしたが、高度成長により成長の中心が南西回廊に移ることにより、都心は空洞化した。このような曲折を経て、京都は東山・北山・嵯峨野といった周縁部の景観を維持する一方、都心部の田の字地区の町並みも高度成長期を通じて大きくその姿を変えることはなかったが、バブル崩壊により西陣と室町の衰退が決定的になると、町家の家並みは急速にマンションやペンシルビルにより失われた。他方、高度成長期以降京都の経済を牽引した南西回廊は阪神間から琵琶湖沿岸に続く巨大な産業集積の一環を形成し、以北の京都の都心や北東部の町並みとは全く異質で、阪神間の周辺地域とさほど違わない都市景観を作り出した。京都の特徴ある景観はこのような集積の変遷と成長、景観保護政策の歴史の痕跡ともいえる。

第二章　京都の町と社会

1　町衆と山鉾巡行

京都を代表する祭りである祇園祭は八坂神社の祭礼であるが、7月一杯をかけて行われる数多くの行事の中で、山鉾《やまぼこ》巡行は最も有名な行事となっている。京都市民以外の日本人が持つ一般的なイメージでいえば、祇園祭とはこの山鉾巡行とそれに先立つ宵山に他ならない。

しかし、山鉾巡行は八坂神社自体の祭礼ではない。厳密には、山鉾巡行とは祇園祭山鉾連合会が主催する、八坂神社本来の神事である神幸祭と還幸祭に前後する「清めの行事」で、前祭《さき》りの巡行は、神幸祭で四条通にある御旅所《おたびしょ》に（八坂神社からの）神を迎えるための「準備作業」といえるものであり、後祭りは、還幸祭で神が御旅所を出て八坂神社に戻った後に行われる「後片付け」ともいえる行事である。実際、前祭りの山鉾巡行は、7月14日午前中に終了するが、神幸祭の神輿はその時点でまだ八坂神社を出発もしていないし、還幸祭が終了してから後祭りの山鉾巡行が行われる。

祇園祭は祇園御霊会として9世紀に始まったといわれるが、八坂神社が現在の地に移って以降、本来は祇園社の神輿渡御を中心とするものであった。従って、山鉾巡行は、それを迎える町衆の祭りとして自然発生的に生じたものと考えられる。応仁の乱による中断後の1533年には、祇園社の祭礼が中止に追い込まれたが、町衆は「神事これ無くとも山鉾渡したし（神社の行事がなくても、山鉾巡行だけは行いたい）」という声明を出したといわれる。山や鉾は鉾町と呼ばれる町単位で準備され巡行されるもので、鉾町は新町通と室町通（いずれも南北の通り）を中心とした、多くの富裕な町衆、特に商人たちによって継承されてきた。

そういう意味で山鉾巡行は、日本で行われる祭礼の中でも特殊な地位を占めている。例えば、大阪天神祭、東京神田祭では、いずれもそれぞれの神社の神が、氏子の地域に渡るのを祝うという形式は、祇園祭と同じである。しかし、天神祭の船渡御、あるいは神田明神の神幸祭のいずれにおいても、それぞれの本社を出発して、船や神輿が氏子町内を巡行することが祭りの中心である。日本全国の神社の殆どの祭礼が、そもそも神輿が御旅所へ向けて氏子町内を練り歩く行事であり、それが祭礼の中心行事となっている。

それを迎えるためのみそぎ自体が本体の神輿の巡行を凌駕するのは、祇園祭以外には例を知らない。山鉾巡行を京都の町衆の祭りで誇りであるとするのは、この意味においてであり、その消長は京都の町衆の消長をそのまま反映したものといえよう。その中心が山と鉾であり、それぞれを担う鉾町があくまで主体である限り、京都の町衆といっても、極めて限定された鉾町の周辺地区の消長を反映するといえよう。そして、巡行に先立つ宵山の賑わいから分かるように、鉾町が集中するのは、八坂神社から1km以上西に離れた四条烏丸の交差点から西に連なる、室町と新町という二つの南北の通り沿いの地域である。それは、御旅所の位置が関係する。脇田（2016）によれば、八坂神社の御旅所はもともと神託により高辻東洞院に設けられ、大政所《おおまんどころ》と名付けられ（10世紀後半）、現在でも大政所町（四条烏丸下ル）に御旅所の跡は残る。現在の四条通南面（寺町と新京極の間）に御旅所が移ったのは、秀吉の時代である。大政所町に戦国末期まで御旅所があり、当時、神輿渡御は鉾町の東端まで来ていた。

山鉾巡行の盛衰はきれいに室町を中心とした京都の商業、特に西陣や友禅の織物・染め物商人たちの盛衰を反映する。秀吉により始められたという「寄町」制度は、鉾町の近隣の町が鉾や山の維持や巡行に協力するしくみであるが、それが江戸時代を通じ数度の大火により焼失した鉾や山の再建を可能にした。維新以降寄町制度が廃止された近代に入っても、巡行は数度の存続の危機を迎えた。戦後は観光資源としての山鉾巡行がより重要な地位を占めるに至って鉾町の姿は大きく変貌した。特に１９９０年代以降は、住民構成も大きく変化して、室町商人の多くが市外に転出し、鉾町の多くは町家の跡地に建設されたマンション住民が大半を占める。それでもなお、鉾町を中心としたいわゆる「田の字」地区は京都の中心であり、京都という町の在り方を代表するものとされる。

2　元学区って何？

１９８０年代初め、私が米国から帰国し、就職・結婚を経て京都市内で生活を始めたのは御所のすぐ西、室町通沿いの新しい賃貸マンションであった。京都で家探しを始めて戸惑ったことの一つは、京都市内では、地域を表すのに「元学区」という呼称が日常的に使われていることである。「元」学区というから現在の学区ではないだろう。実際現在の市内各小学校の学区と、元学区は一致しないことが多いので、どうして現行の学区ではなく「元学区」がこれほど幅を利かせているのか良く分からない。元学区は現在でも市民の間で地域呼称として利用されており、実際、賃貸物件の案内をする多くのサイトで、町名を入れると、どの元学区に属するかが分かるようになっている。例えば、私が住むことになった賃貸マンションの住所、「上京区室町通今出川下ル北小路室町」は、

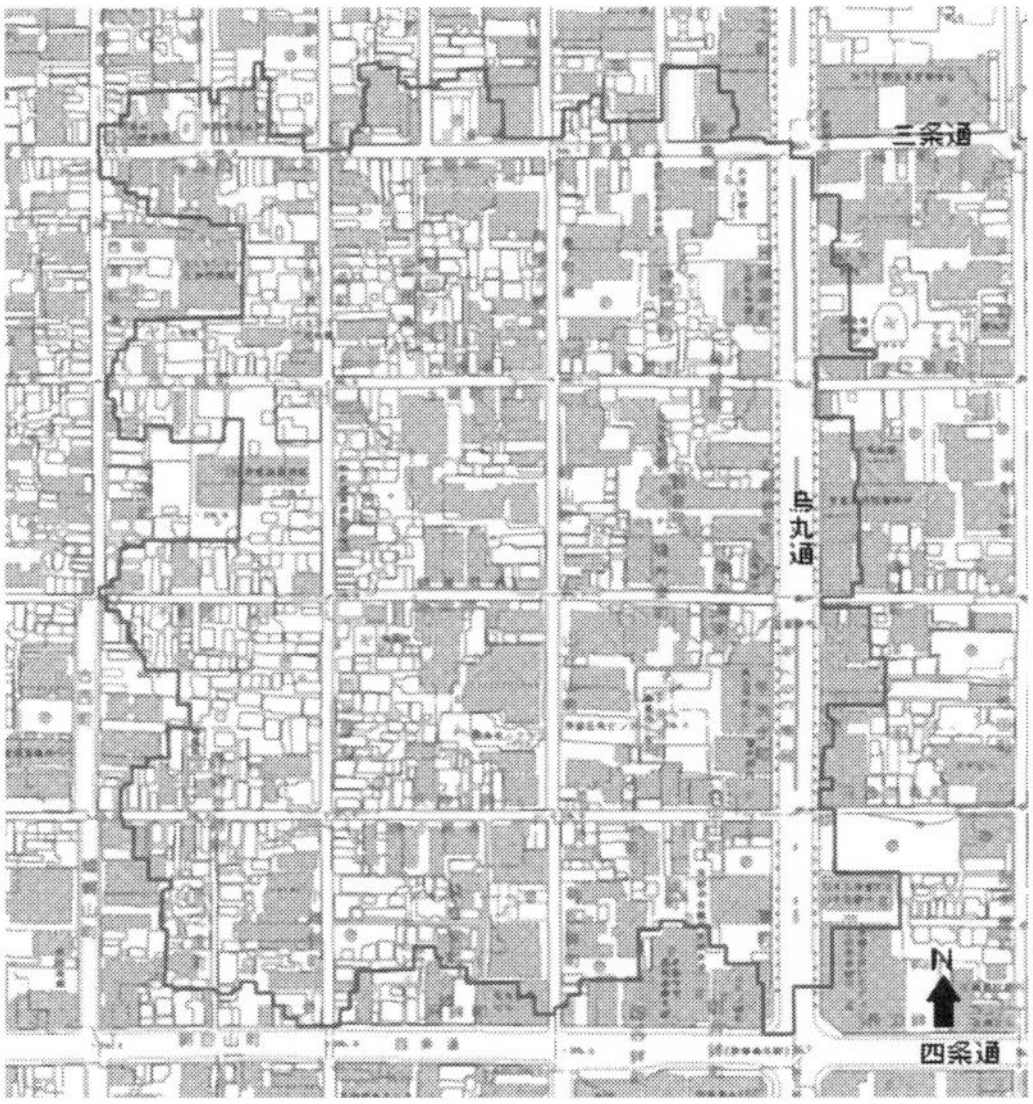

図表 2-1　明倫元学区

小川元学区に属することが分かる。

元学区は、明治維新後に京都で創立されたいわゆる番組小学校の校区に基づいている。各小学校は、学区（番組）単位で創設され、京都府が各番組に拠出した資金と学区内の住民の寄付により建設された。一つの番組は凡そ27程度の町から成り、上京、下京それぞれ30余り、計65の番組小学校を建設した。これらの学区は、共同して寄付（というより税であり、実際「竈金《かまどきん》」「戸別税」と呼ばれた）を集め自前で学校を建設できるだけの地域としてのまとまりがあった町であるといえる。その地域としての結びつきが今も継続していることを象徴するのが元学区の頻用である。

図表２－１は、そのような元学区の一つ、明倫元学区の地域を示す地図であるが、この地図は公開されている京都市の地域まちづくり地区計画を集めたサイトで閲覧できる。この学区は四条烏丸の交差点から北西に広がる凡そ矩形の地域で、全体で22ヘクタール余りとされ、大まかにいえば南北が６００ｍ、東西が４００ｍくらいの大きさである。京都市の統計によれば、この地域の総人口

は約3000人、世帯数は1700余りである。地域まちづくり地区計画にはこの地区は「中京区饅頭屋町、…菊水鉾町、…橋弁慶町、…一蓮社町及び元法然寺町並びに下京区郭巨山町、月鉾町及び函谷鉾町の一部」計39町が含まれるとある。

この説明で驚くのは、この狭い地域に39もの町があり、しかも京都市の地域都市計画であるにもかかわらず、この中には中京区と下京区にまたがる地域が設定されていることだ(中京区は1929年に上京及び下京区から分区されたので、それ以前はこの地域は全て下京区であった)。菊水鉾町、郭巨山町、月鉾町、函谷鉾町などの町名から明らかであるが、この明倫元学区は、いわゆる鉾町を多く含み、祇園祭の山鉾巡行の中心地ともいえ、京都の都心を代表する町衆の本拠でもある。四条通と室町通の交差点は「鉾の辻」と呼ばれ、宵山には東西南北いずれの方向にも鉾が並ぶ。上の地図でもわかるようにこの地域には、東から烏丸、室町、新町、そして境界のすぐ西側に西洞院と、計4本の南北の通りがあり、なかでも室町通と新町通は、通りに面して絹織物を中心とする繊維問屋の大店が並ぶ京都の商業の中心であった地域といえる。

明倫元学区の地図を見て気づくもう一つの点は、この地域の区割り、境界線がギザギザで、複雑で小さなレゴブロックを敷き詰めたような形をしていることだろう。これは、町が街路や街路の交差点で区切られず、交差点から対角線方向に境界が設けられているためである。京都の町の人はこれを「菱形町」と呼び、京都の中心部の町が、特定の通りに面する町家から形成されていることを示している。このように、通りを挟んだ両側の家屋で形成された町を両側町と呼ぶが、この図に見える菱形町は両側町の代表的なものといえる。碁盤の目と呼ばれるように、中心部は東西と南北の通りが規則的に並ぶが、この碁盤に対角線を書き入れると多くの菱形でこの碁盤の目を埋め尽くすことが出来る。このように出来た菱形が、京都の町割りの基本単位になっている。図表2－2は図表2－1の明倫元学区の一部を拡大したものであるが菱形町がびっしりと連なる様子が鮮明である。図表2－3は中京区全体の元学区を示すもので、それぞれの元学区がほぼそれぞれの番組小学校に対応している。

この図を見ると、千本通の東西に「朱雀第一、第二…」という元学区が並ぶが、これらが、それより東（右）側の堀川と烏丸の間に並ぶ元学区と形状が違い（境界線がギザギザではない）、しかも

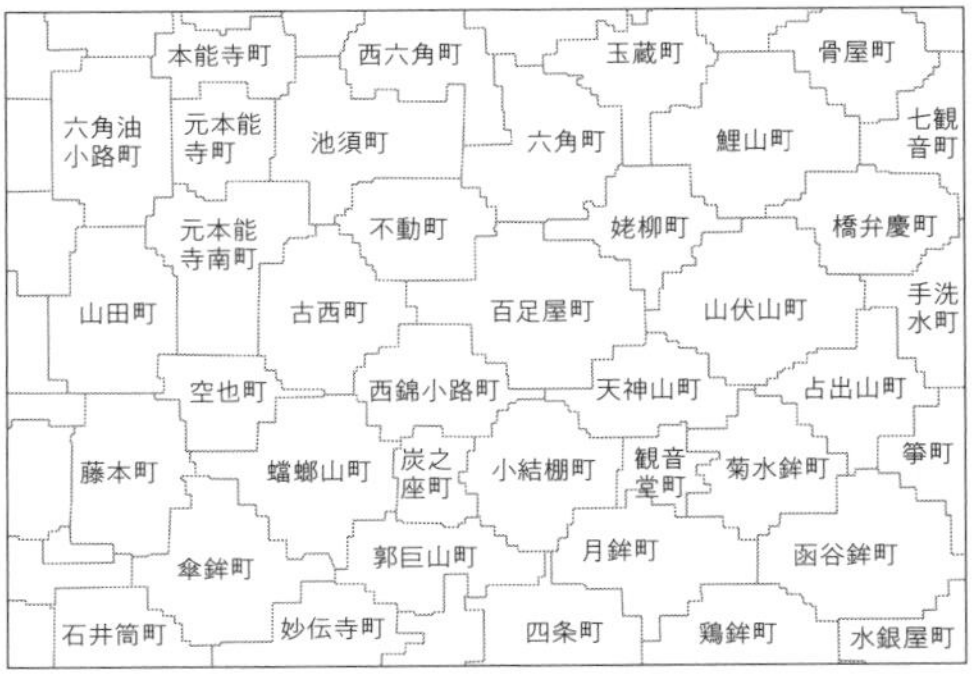

図表 2-2　明倫元学区南東部分の町割り

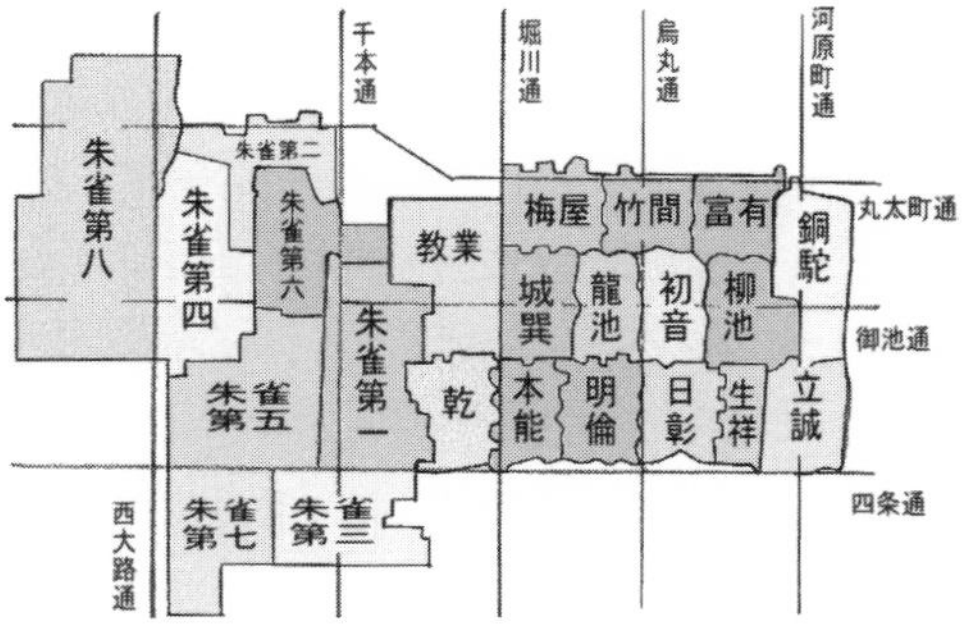

図表 2-3　中京区の元学区（中京区ウエブサイト）

面積が大きいことに気づく。それは、朱雀地区が、葛野郡朱雀野村が大正期に入ってから京都市に編入されたもので、明治初年の番組の形成時には京都市外であったことによる。

　もうおわかりであろうが、両側町がおわり、矩形の街区が始まる境界こそ、江戸期以来の旧市街地から大正、昭和にかけて京都市域が大規模に拡張される以前と以後の境界をほぼ正確に示すものになっている。例えば、図表2－3の中央下にある「乾」元学区とそのすぐ西隣の「朱雀第一」元学区の形状を比較すると、乾は旧市街だが、朱雀第一は明治初頭には市外であったことが分かる。

　図表2－4は山間地域を除いた京都市内の中央部分とその周辺の町字の輪郭線を示すが、両側町でびっしりと埋められ色が濃くなっている地域こそ、大正期以降の市域拡張以前の京都市のエリアをほぼ正確に示すものとなっている。図表2－4の中央に南北に長い長方形の空白部があるが、これが御所であり、そこから西（左）に眼を転ずると、右京区と、中京、北区の境界が見える。まえがきで触れた、都心部の市民からすれば「嵯峨は洛外の田舎」という井上章一の指摘は、両側町の終焉と洛中と洛外の境界が対応することから見直すと、少し異なるニュアンスが現れる。実際次章で改めて知るように、1918年市域に編入された旧愛宕郡の一部が現在の右京区に該当しており、単に行政的な区画の境界ではなく、町の成り立ちから見ても、編入地域と既存市街地の間には大きな格差が存在していた。少なくとも市に編入された直後では、その違いは家並みや道路を比較すれば明白なものであったに違いない。

　また、嘗て京都市外であった地域の町名は、合併前の町村名を頭に配し、旧町名を繋げるスタイルになっていることにも注目したい。朱雀地区は上に記したように合併前には葛野郡朱雀野村であったが、村には聚楽廻《じゅらくまわり》、西ノ京、壬生といった大字があったので、現在の地名は、聚楽廻を冠する

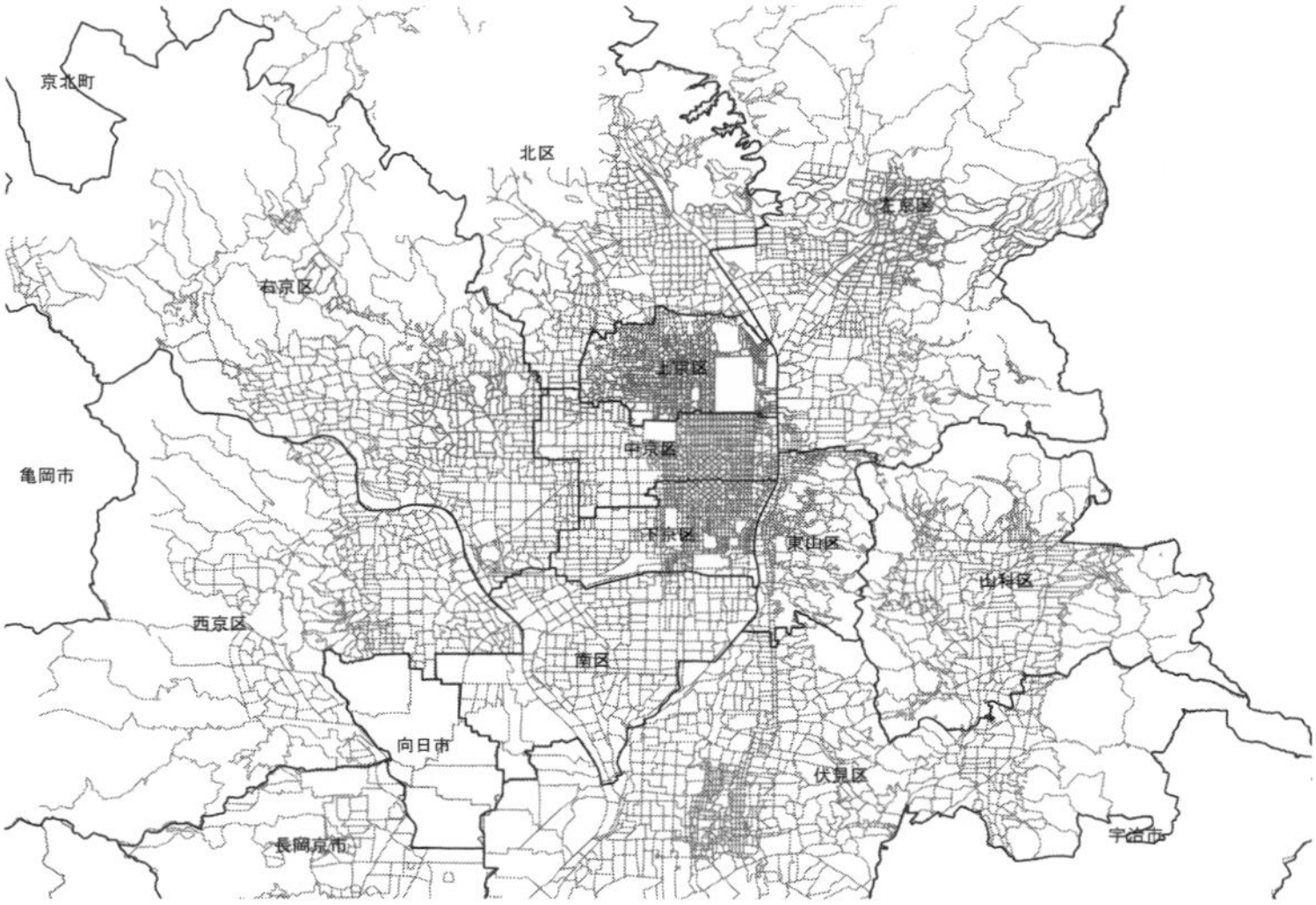

図表 2-4　両側町の密集が示す旧市街

もの5町、西ノ京を冠するもの62町などとなっている。合併前の村や大字の名称を冠として、町名を続けるという手法は、1918年以降数次にわたり実施された市域拡張の度に繰り返され、現在でも明治期以前の旧市街と区別が容易にできるようになっている。例えば、下鴨神社を南端とし高野川と賀茂川に挟まれた三角形の地域には、下鴨北園町、下鴨蓼倉《たでくら》町、下鴨梅ノ木町、等々、下鴨を冠する町名が続くが、いずれも合併前の愛宕郡下鴨村の地名を引き継いだものであることを示す（このような京都市固有ともいえる地名表記と町の成り立ちの関係については今尾［2004］が詳しい）。ちなみに、このような地籍上の地名をそのまま住所として用いているのは政令指定都市の中では京都だけである。

いずれにしても、これらの元学区を形成する菱形の「町」が、日常生活の基本単位であることは、「かどはき」と呼ばれる今日まで続く風習からも確認できる。「かどはき」とは要するに、毎朝、家の前の街路の自分の家に近いほうの半分を、道路に沿って、家の幅を少し越えるくらいまで掃除し、打ち水をしてきれいに保つことをいう。この矩形を大きく越えて外側まできれいにすることは隣家やお向かいの家の領域に踏み込むことで（その家は掃除を怠っていると暗に示すようで）失礼にあたるとされる。京都の中心部はこのような両側町から形成されている。町家が狭い街路に接して稠密に分布していて、隣家を無視して生活することは難しい。各家庭が隣家と日常的に交流をしつつも、互いにプライバシーにあまり深入りせず、一定の距離を確保しておくことが重要だというある種の生活の知恵のようなものが「かどはき」のルールに表れている。両側町を最小単位とする地域社会のつながりの強さは近代の京都の町の変遷を跡付ける場合にカギとなる。それを以下で見てゆこう。

3　町の形成：上京と下京

こういう稠密な京都の町はどのように形成されてきたのだろうか？　簡単にその歴史を振り返ることにしよう。といっても、まえがきでも書いたように、この本の焦点は明治以降であり、せいぜい江戸期の京都あたりを出発点にしたい。

良く知られているように、京都は中世以降何度も戦乱や大火により、町は大きな被害を受け、人口も増減を繰り返した。応仁の乱で、町の大半が焼失した後には人口は数万人まで激減したとされ、室町幕府と御所を中心とした上京と庶民の暮らす下京が離れて位置し、両地区を結ぶ唯一の通りが既に地図で紹介した室町通であった。脇田修が「浮島構造」と呼んだ戦国時代の京都の町は、室町通を中心とする下京も、御所を中心とする上京も、点在する集落や武家屋敷の集合の間には野原が広がり、それぞれの町が自立的な「浮島」であったという。上京下京、それぞれ5の町組が成立し自治権を持ち、町組は周りに「構え」という土堀を作って自衛した（脇田修・晴子 2008）。

京都市の中心部が上京と下京から形成されるのはこのような経緯からであり、戦乱が終息後、上京、下京が外延的に市街化地域を広げる形で、次第に元のように南北一体となった市街地が形成された。都市の凡その外郭は、秀吉の「御土居」の建設により確定したが、主要な寺社地、二条城、御所など重要な建築物の位置が定まり、市内の大まかな姿が確定するのは江戸前期になってからである。東西本願寺が現在の場所に本山を設けたのは家康の介入があったからで、それ以前には秀吉が中心地にあった寺社を寺町に移築させた。

町組から番組へ

京都の町の姿は江戸前期以降、明治維新までほぼ変化することなく続いた。当時の市域は現在の上京区と堀川以東の中京・下京（と東山の一部）区にほぼ該当し、現在の左京・右京・東山区の一部、北区（そして言うまでもなくそれ以外の全ての区）の大半は市外であった。また伏見は、京都とは全く独立した町であり、大坂と京を結ぶ舟運のハブとして発展した。

現在の二条通あたりを凡その境界として北側が上京、南側が下京であり、北側では御所や公家屋敷、大寺院の敷地が大きな比率を占め、下京では町人の家屋や商家が中心となった。江戸のように、武家と町人の住まいに明確な区分けがあるわけではなかったが、明治以降の番組の元になった町組では、町人居住区と寺社や公家は分離されてそれぞれが町組を形成した。明治維新後、町組は再編成され、26~27の町を一単位として、上京は33、下京は32の番組に再編成された。この番組がほぼそのまま学制発布後の小学校区となり、番組小学校が建設されたが、この番組こそ京都の町の自治の最小単位を構成するものとなった。

1889(明治22)年市制施行により上京区と下京区の2区役所が開設されるまで、番組を基本単位とする戸籍事務などを担当する戸長制度が、末端の自治組織として機能した。江戸期の町年寄りに該当するが、1874年以降4~6町を1戸長が管轄するように統合され、平均すれば番組ごとに6人程度の戸長が置かれた。更に1879年郡区町村編制法の施行に伴い、それまで「区」と呼ばれた学区を「組」と改称すると共に、戸長も各番組に1名とした(小林 2006)。この制度は1889年市制施行で上京・下京区役所が設置されるまで存続した。番組小学校が建設されると、戸長業務は当然小学校内に設置された戸長の部屋で行われるようになった。「学区が戸籍・徴税・警察・消防・衛生などの行政事務単位となり、小学校がいわば総合庁舎としての機能を果たしていた」(松下 2006)。区役所が設置されると、番組から教育以外の業務が移管されたが、実際は番組が教育以外にもさまざまな活動を行う単位として機能してゆくことになった。しかも、ここで留意すべきは、教育といっても、単に小学校が教育の場であったということではなく、番組は小学校運営、教員採用、そして最も重要な機能として小学校の財政も番組単位で行われた。「学区は、起債権も認められた法人団体」(松下上掲論文)であった。

このような制度は基本的に中央政府が法令施行により推進した施策であり、郡部と市部での違いはあるが、市部においては京都が特別であったわけではない。江戸期には、幕府直轄であった三都や長崎などでは、町奉行の下に、町年寄りの総代がいて、町方を代表し、総代の下、京都と同じような町組が敷かれ、同じように行政事務を司った。維新後も、市制施行までは、町組が行政の最末端を担った。違いがあったとすれば、このような番組を基礎単位とする町の自治機能が、１８８９年の市制施行以降も高度に維持され続けた点であろう。そして、この京都の独自性は次章で詳述する、大正から昭和初期に至る市域拡張の時期になって初めて重要な政治課題として浮上する。

4　町衆

次に、維新以降も町の中心を占めた町衆について見てゆこう。序章でも述べたように、町衆こそ京都の町の体現者であり、町の近代化の道筋を決めるなかでも決定的な役割を果たした。町衆とは基本的に自営業者であると序章で記した。そこで出発点は自営業者の重要性である。

自営業・繊維産業の重要性

京都では高度成長期を終えてもブルーカラー、ホワイトカラーの職種の比率が低く、自営業者が多い職業構成が維持されてきた。町衆は１９８０年代に入っても町の中心的地位を維持したのである。自営業者と家族従業員の合計は、１９７９（昭和54）年でも全就業者の30％を占めていた。

また、京都は様々な伝統技能や宗教関係の教育施設や各種学校が多い。自動車教習所やインターナショナルスクールなど、主要都市のどこにもある学校に加えて芸能、刺繍、和裁、華道、更には仏教各宗派の学校もある。京都工芸繊維大学や幾つかの美術系大学なども加えると、伝統工芸や技能に関わる教育機関の多さが、他の都市には見られない特徴である。上に見たような自営業者の多さを反映するものといえよう。町衆の中でも特に繊維産業と繊維関係の卸・小売商業者の比率が高く、これも京都の中での西陣と室町の重要性を象徴するものであった。

図表2－5は製造業全体に占める繊維工業のシェアの推移を示す。戦前は一橋大学の長期経済統計による都道府県別、産業の付加価値シェア、戦後は工業統計の生産額シェアである。大阪、兵庫に比べて京都の製造業に占める繊維の重要性は突出しており、その状況は1970年代に入っても大きく変わったものではなかった。繊維産業がその重要性を失うのはバブル崩壊後であり、これは第六章で検証する京都の都心部のバブル崩壊後の変貌と軌を一にする。

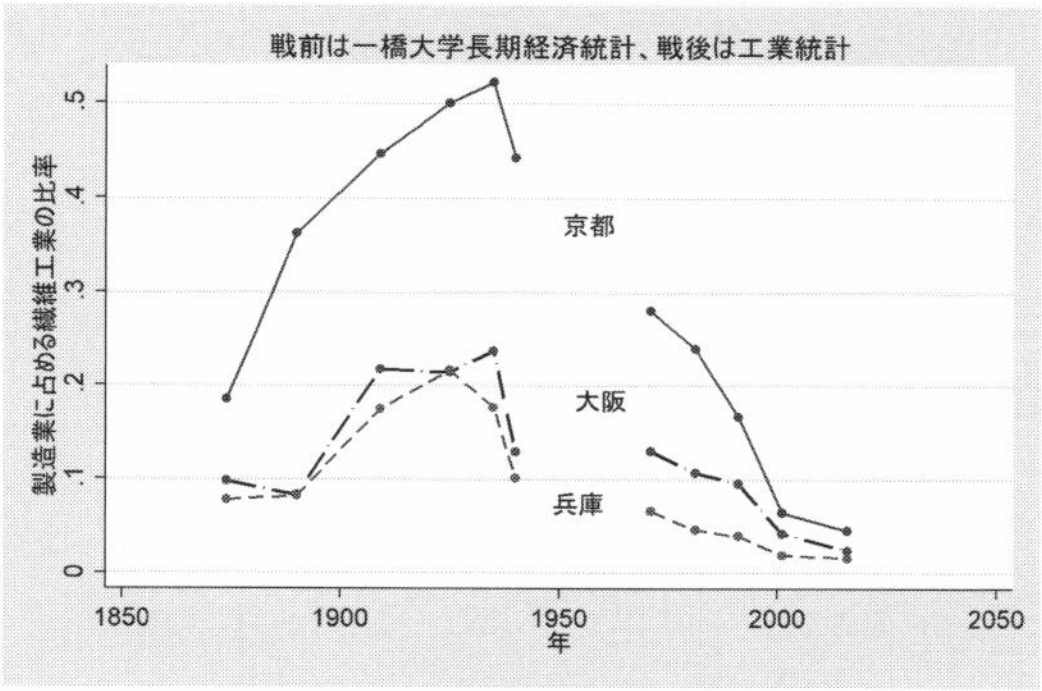

図表2-5　繊維工業の重要性

町衆と町並みの近代化

江戸期以来の町組を単位とする自治の中心はこのような自営業者、いわゆる町衆であった。明治維新以降、皇族と公家が京都を去ると、町衆は中央政府が任命する府知事と府や市の官僚組織と時には対峙し、時には協力しあい、京都の近代化のプロセスの中心にあった。町衆は基本的には自営業者であると序章で述べたが、町と社会の構造の中で町衆を考えるとき、あと一つ重要な特徴があり、それは町衆が家持、つまり殆どの場合所有する土地の上に建つ、家族と奉公人が住まう家の所有者でもある点だ。町衆は、生業を営み、奉公人を住まわせ、家族と共に生活を営んだ。ちなみに、三都の中では東京（江戸）では借地・持ち家の形態が広く見られ、都心部での大地主による土地所有が一般的であったが、京都と大阪では持ち家の大半は自家所有の土地の上に建ち、土地所有は細分化されていた。

一口でいえば、日本の都市の近代化とは、このような職住一体の経営・生活のスタイルが次第に解体され、都市機能が純化してゆくプロセスに体現される。これを大阪で見てみよう。大阪都心部の土地所有と利用形態の変遷については名武（1999, 2006, 2007）による一連の論文があり、大阪中心部、北船場《せんば》の明治中期から高度成長期に至る地籍の変遷をまとめている。分析の起点である１９１１（明治44）年は御堂筋の拡幅と地下鉄御堂筋線の建設に先立つ、第一次世界大戦以前であり、北船場の大阪都心部においても、江戸期以来の大店が広汎に残存しており、富裕な個人商店が奉公人を抱える店舗形態の家屋が一般的であった。しかし、１９２０年代に入ると、都心の中でも中心を占めた当時の東区の人口は減少を始めており、江戸期以来の住み込み奉公人から次第に通勤する従業員へと変化してゆく様子が見て取れる。それに対応して、近世以来の町人系の土地所有者は次第に大企業によって取って替られており、残った町人系の土地所有者も自身が株式会社化することで、家族の居住地を郊外に移す、奉公人居住区をなくして企業専用の建物にするといった変化が見られる。

つまり、出発点では京都の町衆と同じように、居住地で生業を営み、奉公人を抱え、家族も同居する形態から、⑴住居と店舗の分離、⑵奉公人から通勤従業員へという道筋をとることで、大店の家屋であったものが、株式会社化された事業専用となるビルの建設という道筋を辿るものであった。また、相当分の地籍は、財閥系の大企業によって買い取られ、オフィスビルに変貌していった。ただ、このプロセスが加速するためには、御堂筋の拡幅、地下鉄の建設という都心高度化のためのインフラが必要であり、昭和10年代に至り、ようやく条件が整った。そして個人商店の職住一体型の家屋が都心部から消滅するのは戦争末期の空襲と戦後復興を経てのことである。

京都ではこの自営業の解体プロセスは遅滞し、また幾つかの局面で変質した。第一章で概観したように、京都の市街が近代的な街路と市電交通網を持つに至ったのは三大事業の完工(1912年)以降であり、明治末年から大正にあたる時期である。それ以前は、公共交通は事実上存在せず、西陣や室町を中心とした繊維と繊維卸を核とする京都の産業は、維新以前と大きく変わらず、生業を営む町衆の家に奉公人が住み、あるいは近隣の借家に従業員が住み、徒歩で通勤する形で営まれていたのであろう。奉公人を抱える町家のスタイルに変化が現れたのは大正期以降で、大阪と同じく市電や他の鉄道・路面電車を利用した通勤が普及し始めてからだと考えられる。

しかし、その変化の影響は主に住み込みの大店から借家経営への変化、更には借家から分筆による小規模家屋の建設であった。宮城(1990)は、中京区の3街区、下京区の2街区の地籍の変遷を追ったところ、1888(明治21)年から1988(昭和63)年までの期間に、163件の合筆・分筆が行われたが、うち111件が分筆であった。そして時期的には終戦後の昭和20年代に52件(うち分筆が30件)と変化が集中している。宮城は明治前期以降の土地所有と地籍の変更の大勢は、次のように理解できるとする。すなわち、この間、地籍の変更は主に一筆を占めた町家の敷地内に借家を建てる動き、そしてその後、特に戦後には借家部分を分筆して売却するという趨勢として理解できる。また水島(2002)は、1912(大正元)年の「京都市及接続町地籍図」を利用して、西陣地区の土地所有と利用形態を詳しく調べている。それによれば、土地利用の形態としては、持ち家での居住以外は、借家経営と地場産業経営が中心であり、概して大規模所有の比率は小さく、細分化された地籍の大半は持ち家あるいは小規模借家であった。一方、渡邊（2019）は明治末から大正期前半にかけての、中心部（三条通）の地籍の変化と所有利用形態の変化を追っているが、(1)現住の商工業者に大きな変化は認められず、同時にこの間、相当数の銀行・会社の進出が見られたが、(2)これによって最も大きな影響を受けたのが借家の減少であったとする。また同論文は、この期間の人口・世帯の変動についても調べているが、1918年の市域拡張以前の旧市街区でも編入地域と同規模の人口増加が認められるものの、増加は旧市街でも周辺地域に集中しており、旧市街地の中心部では人口減少が認められる学区も多く、また宮城論文と同様、土地の細分化が観察されるという。

三大事業の完工と大正期に入っての新規鉄道開通により、京都の都市インフラの近代化は大きく進展したが、それに伴う町並みの変貌は大規模では起こらず、職住共存の町並みを根底から変える都心の高度化は実現しなかった。都心の縦長に細分された地籍は、借家化、更には借家の分譲により更に細分化された。それには幾つもの要因が寄与している。第一に、都心の高度化の根本要因である、オフィス需要が東京や大阪のようには成長しなかった。京都は次章でも見るように、三大事業の完工後、遅まきながらも本格的な産業化への道をたどり始めたが、その中心は都心部ではなく南西回廊であり、西陣や室町が近代産業へと成長したわけではなかった。かといって、西陣や室町が衰退産業として、その比重を下げたわけではない。図表2-5で見たように、大阪では高度成長期に繊維産業の重要性は劇的に低下、機械・電機のシェアが増加するが、京都では繊維と機械・電機のシェア逆転は1980年代に入りようやく実現した。

土地利用の側面から見ても、都心の高度化には幾つかの阻害要因があった。大阪と同様、京都は維新以前から町人地の比率が高く、大規模所有は寺社地が中心であったため、広汎な武家地が明治以降大規模な単位で取引された東京に比べて、大規模な都市開発が難しい環境にあった。このように京都と大阪は東京に比べて大規模な地籍が少ないハンディキャップを持っていた。それでも大阪の場合は、昭和初期の御堂筋の拡幅、地下鉄の開業などを契機に、個人商店を構える地主が土地を売却、あるいは自ら企業化して、建物も近代化して自社ビルへと変貌させるケースが相次いだ。しかし、大阪の商人層のような郊外への家族移住は、京都の町衆では起こらず、職住一体となった町家は依然として中心部の大半を占めることとなった（第五章）。京都で戦前期から一定のオフィスビルの集積が起こったのは、四条烏丸を中心とする烏丸通に沿ったエリアと四条通沿いの一部に限定されており、その大半が財閥系の銀行や企業の支店によって占められた。自営業者が店舗兼自宅に住まい、家族と数人の従業員で生業を営むという形態は高度成長期に入っても維持されたのである。

5　希少レントの優越

京都の町と社会を特徴づけるもう一つの要素は、職業分布である。江戸期の京都を手工業都市として位置付けるならば、明治以降、近代化の道筋でそれはどのように変化を遂げたのか、それを見てゆこう。

京都市の職業分布

最初に現在の京都市の職業分布の特徴を見るために、それぞれの職種について全国シェアを計算した。全体では京都は日本の就業人口の1・13％を占めるので、２４０の小分類職種について、京都市シェアが1・13％を標準偏差の2倍以上上回るものをリストアップすると以下のような職種が並ぶ。大学教員（4・07％）、バーテンダー（3・86％）、物品一時預かり人（3・57％）、人文・社会科学系等研究者（3・13％）、紡績・衣服・繊維製品製造（3・07％）、印刷・製本検査従事者（2・87％）、彫刻家、画家、工芸美術家（2・74％）（以上カッコ内は該当職種の京都市シェア）、その他宗教家や家事手伝いなど。予想されるように、大学教員や研究者の比率が高い他、宗教家、工芸美術家、更には紡織・衣服・繊維製品製造従事者などは西陣、友禅の伝統を引き継ぐもので、京都は大きなシェアを持つことが分かる。また、バーテンダーや物品一時預かり人は観光都市としての特徴も反映しているといえよう。自営業者の目立つ京都の町、職種から見た町の特徴を以下ではもう少し掘り下げて見てゆこう。

江戸期の京都手工業

京都に目立つ職種の特徴は、取り扱う財そのもの、あるいはその製造や販売に関わる技術あるいはネットワークの希少性が競争力と生産性の基盤になっている点だろう。江戸期、学芸の分野の中でも京都が得意としたのは少数の選ばれた顧客あるいはパトロンに優れた技芸あるいはその成果を提供するスタイルであり、不特定多数の顧客を対象とする分野では、江戸はいうまでもなく大坂にも遠く及ばなかった。例えば、琳派を始め京都は絵画においても多くの画家を輩出した。江戸初期の光琳、宗達、中期以降では、円山応挙、伊藤若冲、曾我蕭白《しょうはく》、と枚挙に暇がない。他方、著名な浮世絵師は全て江戸であり、京都にはなじまなかった。大衆向けの文学においても、西鶴、近松といった元禄のスターは大坂、江戸中期以降は、全て江戸に集中した。京の技芸の顧客は公家社会と武家、それに富裕な町衆であり、少数の顧客に限られた場所で提供されるというスタイルから外れることはなかったといえる。

前章でも記したように、結果として京都の手工業は二つの際立った特徴を持つことになった。一つは、農村工業の発展により有力な競争相手が出現すると例外なく、高級品中心へのシフトを見せたことである。これを裏打ち補強するために、彼らは様々な形で幕府による優越的地位の公認を求めることになった。それは、地方製品との差別化の徹底、可能であれば地方製品の排除を目指すものであり、この傾向は、茶道、華道、書道などの学芸においては、家元制度を骨格とするヒエラルキーの頂点に京都が立つことで有力顧客を占有するという最も極端な形態をとることになった。

このように、経済的基盤が希少性にあり、それを保障するために公権力や制度・慣習に依存する様々な競争抑圧的行動を「レントシーキング」と呼ぶが、京都の手工業も含めた多くの自営業や専門職の際立った特徴が、レントシーキングの重要性、経済的利益を上回るレント（希少地代）の優越である。江戸期において、レントの優越に事業の軸を置くことは京都の町衆にとっては残された選択肢として止むを得ないものだったともいえる。「天下の台所」たる大坂は、廻船航路の確立と専業化された問屋の集積で、開かれた市場の主催者としての利益が根底にある市場経済の覇者であった。一方では地方の手工業者との競争に晒され、他方では自前の市場を持たない京都は、技術的優位と限られた取引ネットワークに依拠した。開かれた市場での競争を出来る限り避け、技術優位にある品目や顧客を囲い込むことが生業を守る最善の戦略であった。明治維新と第二次世界大戦という二度の大きな変革において、京都は他都市とはこのような異なった与件のため、特異な適応と進化を見せることになった。

西陣の近代

このような名声と評判の頂点、レントの源泉ともいうべきものが、皇室御用達であり、五摂家を始めとする在京公家からのお墨付きである。明治維新後の東京遷都は、皇室ブランドの喪失のみならず、皇室を含む公家社会とそのとりまき、という顧客そのものの喪失も意味した。そのため、一方では「顧客に沿う」戦略が、他方では「技術に沿う」戦略がとられた。顧客に沿う戦略は、無論一部では顧客と共に東京に本拠を移すという場合もあるが、維新直後の西陣に見られたように、顧客の変化に合わせて洋装の織物に生産をシフトしたりした。しかし、明治中期以降になると、西陣を中心とする京都の産業の重要顧客であった公家（華族）層の重要性そのものが低下することで、次第に「技術に沿う」方向に転換することになったと考えられる。

いずれの戦略をとるにせよ、競争力を維持する根幹には独自の技術あるいは製品があり、優越する技術の堅持が、家業の継続のために最も重要と考えられた。京都で家内制手工業の形態が極めて広汎かつ長期にわたり存続した背景には、このような経営姿勢があったと思われる。そのため、西陣の有力織元においてさえ株式会社化と経営形態の近代化は大きく後れをとることになった。それでも維新以降、西陣を始め多くの伝統産業で、大規模な工場を新設の株式会社により運営しようとする試みは何度も繰り返された。

西陣では、幾度か共同で株式会社設立が試みられた。前章でも触れた、渋沢栄一や大倉喜八郎が中心となって1887（明治20）年に設立された京都織物は、西陣が鹿鳴館に象徴される洋服の普及から洋式織物の需要を見込んだ事業であった。鴨川東岸の荒神口川端の御料牧場跡地に大規模工場が建設され（建物の一部は京都大学東南アジア研究所として現存）、蒸気を動力とする織機300台、手織り機100台を擁し撚糸・染色・織物を一貫生産する、日本で初めての近代的な生産システムを持った。しかし、鹿鳴館に象徴される西欧文化や様式への追随に批判が次第に高まり、洋服の流行から一転和服への回帰が起こると需要は激減、1891年には経営不振に陥り京都側の重役は総退陣、外国人技術者も解雇され大規模なリストラの断行により初めて業績を回復した。他方、西陣本体でも力織機の導入など西洋技術の導入や機械化は一定程度進捗したものの、江戸期以来の織元を中心とする複雑な分業体制と家内制手工業のネットワークという生産組織と流通関係は大きな変革なく存続した。

京焼でも、舎密局（明治維新期における化学技術の研究・教育、および勧業のために作られた官営機関）の指導もあり、同じように西洋技術の導入や外国人技師の招聘などにより近代化の試みがなされた。中でも1887年設立の京都陶器会社はフランスのリモージュの製陶機械を輸入し、深草村に大工場を建設し、量産体制を目指したものの、機械操作に不慣れな職人が多く、原材料の原土の移入コストが高いなど問題が山積し、1899年には解散した。京焼は、やがて京焼本来の姿に戻り、技巧と芸術性に依拠するものと、他方で理化学実験用の蒸発皿、るつぼ、乳鉢などの生産にシフトする流れもあり、やがては電力導入に沿って需要が急増した碍子の生産を始めた松風工業（1906年創業）に繋がることになった。

第一章でも見たように、京都の手工業は維新後の西欧技術の導入で後れをとったわけではなかった。西陣も全国に先駆けてジャカード織機を導入したのを初め、リヨンへの伝習生の派遣など近代化の努力もなされた。しかし、西陣の製品主力が高級品である限り、技術導入は様々な側面で制約を持つことになった。第一に、手織りの帯を中心とした製品が力織機では同じ品質を保つことが困難で、西陣は桐生や後発の福井などに比べて大幅に後れをとることになった。京都織物のような例外はあったものの、西陣の生産体制は賃機を中心とするもので、各織機は下請けをする職人の自宅に貸し出され、家内制工業の性格は戦後も続いた。そのため、急速に力織機の導入と工場化が進捗した福井の羽二重生産などに比べ、物的労働生産性の伸びは鈍かった（橋野 2019）。これらの技術や生産組織の選択は、高級先染め絹織物という製品を主力とする限り必然的なもので、事実、1930年代、西陣が苦境を迎えたのは、日本全体が戦争への道を歩み始め全体主義的な統制経済に組み込まれてゆく過程の中であり、西陣が国内の他産地に競争で敗れたからではない。

先染め絹織物という製品からの多角化も様々な形で試みられた。京都織物の設立自体が、鹿鳴館に象徴される明治前半期の洋装化の風潮に応じて、華族や資産階級向けの洋装に新たな市場を開拓しようとするものであったが、洋装化の波が急速に衰えたことで頓挫した。天保の改革や七七禁令の際には綿織物へ、戦後復興の短い期間にはウール着物への転換も試みられた。しかし、そもそも市場自体が一過性のものであったり、綿織物のように西陣には競争力のない製品群であったりして、いずれも西陣の基本的な特徴を変革するには至らなかった。

老舗の存続

京都織物や京都陶器などはいずれも当時においては屈指の大規模投資であり、京阪のみならず中央財界からも投資を受けたものであった。しかし、これらの大規模投資はいずれも失敗に終わり、江戸期以来の手工業の伝統を引き継ぐ業種の中で、現在も存続する企業は陶器の松風などごくわずかである。それに対し、自営業として株式会社化せず家業の継続を選んだ「老舗」が京都に目立って多いのはいうまでもない。家内制手工業の段階で蓄積された技術や生産手法が大規模生産への移行を難しくしたことで、家業を守り抜くことを目的とした保守的な経営方針を後押しすることになった。しかし、単に保守的な経営姿勢を堅持するだけで実際家業が永続するわけではないから、京都の老舗の多さは確かに作り出されるものの品質の高さと独創性に裏打ちされたものであろう。

レントの優越は直系相続あるいはその擬制としての茶道、華道、和歌などに見られる一子相伝が象徴する、関係依存的契約が優越する社会の象徴でもある。それに対し非人格的な契約社会と開かれた市場はこのような制度を突き崩してゆく。それは、一方では社会階層間の移動や市場内競争により情報や技術が伝播・拡散し、レントが消滅することによって。また他方では、移動や拡散による新たな市場機会がもたらされることによって。明治初期に見られた西洋技術の導入が京都の伝統産業の多くで短期間のうちに頓挫したのは、二つの側面があった。一つは上の京都陶器に見られるような導入技術の未消化現象であるが、もう一つの側面は導入技術の目指す工場制工業による量産体制という方向が、根本的なところで西陣や友禅に見られた複雑な分業体制、また京焼にも共通する徒弟制度や相対取引の伝統と矛盾したことも見逃せない。

西陣で今日まで存続する近代的な大企業が事実上ゼロに等しいのは、近世の都市社会と産業革命以降の都市社会の隔絶の象徴である。それは、地縁血縁により担保された商取引や雇用関係が次第に「流れ者」を受け入れ、非人格的で arm's length な市場を経由する取引に変質する過程で、京都の町が十全に適応してゆくことを選ばなかった、あるいは選ぼうとしても既存の取引関係との桎梏でうまく機能しなかったことの結果である。その一つの象徴ともいえるのが京都における銀行業の勃興と衰退である。

銀行業の停滞

現在、京都に本店を置く地方銀行は京都銀行1行のみ（第二地銀はなし）である。京都銀行は１９４１年丹和銀行として創立され、当時は福知山に本店があったことから類推できるように、京都市内に本拠があった銀行ではない。１９１６（大正5）年京都商工銀行が当時の第一銀行（みずほ銀行の前身）に吸収合併されてから、１９５３年に京都銀行が本店を京都市内に移すまで、京都市には市内に本店を置く商業銀行は存在しなかった。京都経済同友会による「京都再発見」（ウエブページ）によれば、「京都に本店を構える銀行は一時（日清戦争後の銀行設立ブームの頃）、19行を数えましたが、その後の恐慌や、東京・大阪を本拠とする大手銀行の支店の大攻勢に遭遇したうえ、有力な貸出先となる地場産業企業群が育たなかったことで地元銀行成長の基盤が整わず、次々と姿を消していきました」とあり、明治20年代から相次いだ株式会社設立ブームの中で、多くの商業銀行が京都で設立されたにもかかわらず、いずれも比較的短期間のうちに廃業あるいは他行に吸収されることとなった。

その背景には京都経済同友会の記述のように、京都で地場産業群が明治中期以降も育たなかったことがあることに間違いはないであろう。しかし、それ以上に重要なのは、京都経済の中核にある西陣や友禅の染織業者が市場取引に慎重で、長期の取引関係に基づく相対取引に重心があり、その関係のもとでの商業信用に依存して、銀行を媒介とする商取引を避けた傾向が強かったことではないか。西陣では織元が室町や関東・大阪の問屋（仲買）に商品を捌くのが商流の根幹になっているが、織元は一方では糸屋から原材料購入に際して売掛信用を得て、他方仲買との決済は大半が相対取引で決済が滞りがちであった（買掛信用の賦与）。1885（明治18）年に設立された西陣織物市場では、商決済のルールを定め、西陣織物市場と銀行が取引に関与することにより決済手順やルールの順守を担保しようとした。具体的には定期に開く市場にて締結する取引は記録され、買い手は締結時点で取扱銀行に代金の2割を入金、残金相当分の約束手形を発行する。しかし、このような公開市場での取引は必ずしも歓迎されず、市場を経由しない相対取引が復活、早くも1887年には西陣織物市場は休業状態となったという（『京都の歴史』第8巻第2章）。明治期の京都は、西欧技術の導入や第一章で見たような近代化事業により近代化への道を歩み始めたものの、町と経済社会の構造においては近代の市場の論理に抵抗を続けたといえよう。

開かれた市場による取引や社会契約に基づく第三者との関わりは京都の地域社会の中核に及ぶことはなかった。多くの株式会社の失敗は、それが原因であるか結果であるかは判然としないが、銀行融資より商業信用を優先する傾向は続き、明治期の京都における近世的な経済構造の優位を象徴するものであった。

6　室町商人の帰趨

もうひとつ忘れてならないのは江戸期以降、西陣の発展と共に京の町衆の一大勢力となった室町商人の近代化以降の歩みである。

江戸前期に西陣が勃興し、友禅を始めとする後染めも急速に成長するに従い、室町や新町通沿いにはこれらの絹織物を扱う卸商が集積した。江戸期を通じて室町商人は変化を続け、絹織物の集散地卸から両替へ事業を拡げていった三井家や小野家のようなケースもあれば、三都をカバーする商流ネットワークを利用して取扱品を広げていったケースも多い。しかし、室町商人の大半はやはり絹織物を中心とする繊維卸であったことに違いはない。

江戸期の室町については二つの大きな特徴が挙げられる。第一は、西陣・友禅という京都産の絹織物が中心であったとはいえ、丹後・丹波や北陸のちりめん、桐生など関東もの、また太物と呼ばれる綿・麻織物など、京都産に限定されず、また絹以外の製品を扱う卸も多数存在していた。またもう一つの特徴として、多くの卸が西陣や染織業者を取り込んで製造卸（アパレルメーカー）の性格も持っており、中でも室町を代表するような大店、例えば、千總《ちそう》、千切屋《ちきりや》などは、事実上独自ブランドを持つ製造卸の性格を強く持っていた。しかし、「腫物《でんぼ》と織元は大きくなればつぶれる」とよく言われたように、西陣や室町の大店も決してその地位が安泰であったわけではなく、消長の激しさは近代に入っても続いたのである。松方デフレの不況期を経て立ち直っていく明治10年代後半から、室町では新興商人の成長が目立ち、江戸期以来の大店の多くが廃業していった。

中村（1989）は明治末と昭和10年代の室町商人のリストの比較検討を行うことで、この間の変化を次のようにまとめている。明治末の室町は専業問屋が中心であり、細分化された品目を扱う卸が大勢を占めていた。当時の室町は、西陣と友禅の京絹織物中心とはいえ、木綿や関東織物の卸商も決して少なくなく、特にこの2種に大規模店が集中していることを示している。また明治末年時の室町卸商の創業時期を見ると確認可能な70軒では明治10年代に集中があり（21軒）、明治以前に遡るものは33軒と、半分に満たない。このリストと同様の昭和期の人名録を比較することで、明治末から昭和前期に至る時期にどの程度の変化があったかを検証している。それによれば、明治末の営業規模上位122軒のうち、1937（昭和12）年までには半数近い57軒が姿を消した。この間消滅した問屋で目立つのは、16軒の木綿問屋であり、上記のように明治末年には特に大店の木綿問屋が多かったが、その多くは姿を消した。

その背景には繊維・衣服の商取引の中心が大阪に移ったことがある。明治初期の綿紡績から出発した繊維産業は大阪では有力な繊維商社を生み出し、戦後これらの商社の多くが高度成長期の総合商社に脱皮していった。この間、室町では京都産絹織物以外の製品に特化していた多くの卸商が姿を消し、室町は本来の京都の染織物により特化していったことが分かる。そして中村はもう一つの変化として、複数業種を扱う卸がこの間増加し、絹織物総合卸へ変化したものが目立つこと、代表的なものとして、丸紅（京都支店）、吉田忠、市田などが挙げられている。そして、この京呉服総合問屋の多くが、洋服のアパレルメーカーのように、自ら意匠・柄行《がらゆき》を選定する「染潰し」に重心を持つものと、仕上げ品の分散機能に重点を置く二つのタイプが見られるという。

室町の次の大きな転機は、いうまでもなく七七禁令に象徴される戦時経済体制への移行とそれに伴う整理統合であり、数次にわたる強制的な整理統合により室町は西陣・友禅と並び壊滅的な打撃

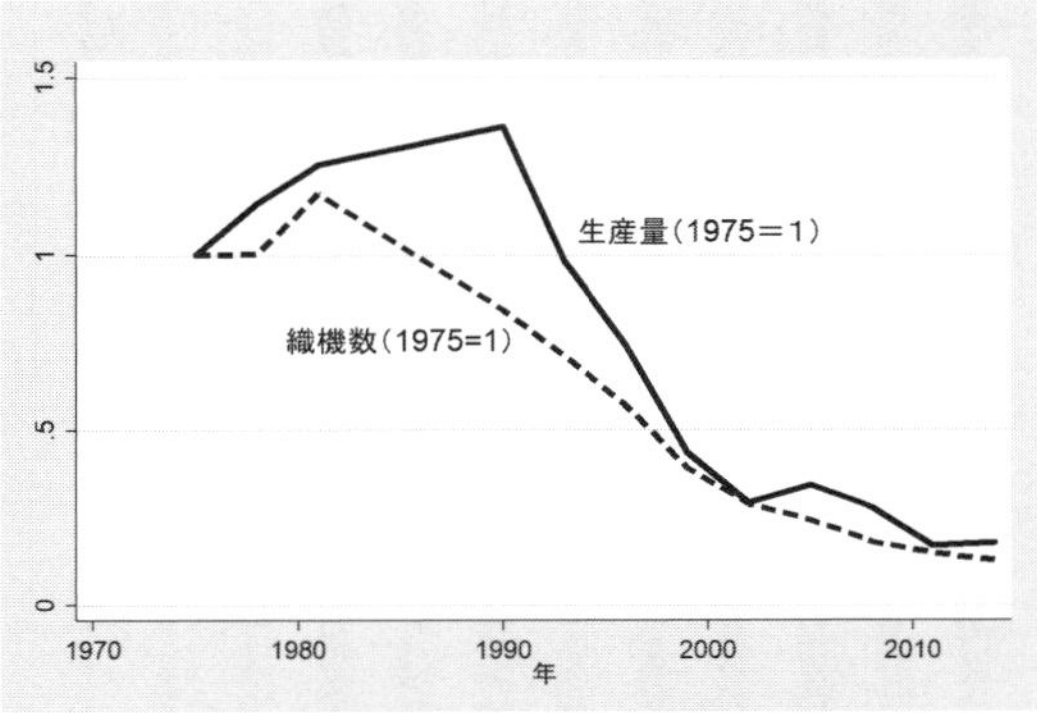

図表 2-6　西陣絹織物の生産量と織機数の推移

を被り、２５００を数えた室町の卸売業者は１９４３年の企業整備により、わずか21店が日本織物統制会社の業務代行店として存続が許された。戦後、西陣は急速な復興を遂げたが、戦前とは幾つかの面で異なったものとなった。一つは、復興の中で急速に洋装化が進み、また高度成長期に至るまでは所得水準も低く、西陣は洋装と対抗でき且つ安価な製品で市場を開拓せねばならなかった。特に、韓国からの輸入品や関東の銘仙などが成長をする中、次第に絹以外の和装、特にウール着物が急成長することとなった。しかし、その時代は長く続かず、西陣は再び高級化路線に戻る。１９７０年代に入る頃から和装は、日常の服装としては完全に市場を失い、特別な用途、結婚式、成人式、葬儀といった際の礼装としてのみ命脈を保つこととなった。皮肉にも西陣の路線はその意味では間違いではなく、和装の最高級品としての市場を確固たるものにした。実際、和装が日本の日常生活の中から姿を消す１９７０年代以降も西陣の生産高は成長を続け、バブル崩壊までその成長は続いた（図表２－６）。

しかし、１９９０年代以降は急激で回復の見込みのない減少が続き、１９９０年のピークに比べて生産高は2割未満にまで激減している。絹織物は、西陣・友禅共に、名実ともに伝統産業となり、産業の表舞台から消えようとしている。

室町にとっても戦後は厳しいものとなった。卸商としての流通機能は昭和に入ってから次第にその重心を百貨店との取引に移していたが、戦後その流れは決定的となった。しかし、80年代以降百貨店での小売りも頭打ちとなり、次第に和服は小売りではなく、レンタル商品として流通することとなった。戦前既に繊維全般の卸業から絹織物呉服の卸に専業化していた室町の問屋の多くは、戦後さらに「つぶし問屋」あるいは「染加工問屋」として、呉服のプロデューサーとしての機能を強め、白生地に染色し、「前売り問屋」に販売、前売り問屋が（場合によっては需要地問屋を経由して）百貨店や専門呉服店などに販売する、という経路が主流となった。高級化路線で販売数量が激減する中、販売額は横ばいあるいは増加したのは、単位価格が上昇を続けたためだが、それと並行して、卸・小売りの流通マージンは高騰を続け、メーカー出荷額の5〜10倍で小売りされるという異常なマージンが常態化した。マージンが大きいことは、販売活動への異常な投資インセンティブとなり、着付け教室のように、事実上無料のサービスで顧客を囲い込む商法も目立つようになった。１９９0年代以降、室町は廃業や転業が一気に加速し、町としての室町や新町通の景観にも目に見える変化をもたらすこととなった。これについては第五章で詳しく取り上げることにしよう。

再び閉じられた市場

明治維新以降、京都の町衆は町と社会の近代化の過程の中で多くの変化に対処し生き抜いたが、その根源には生業を守り抜くという強い決意があったことは確かであろう。しかし、町衆が守勢一方であったわけではない。実際、上にも記したように明治20年代以降には、東京や大阪に後れはとったものの、数多くの株式会社が設立され、京都以外の資本の流入もあった。それでもその多くは長続きせず、京都の都心は依然として西陣と友禅、そしてそれらを商う室町商人が中心の社会であり続けた。あくまで憶測でしかないが、明治中期の株式会社組織の多くが失敗に終わったことが、結果的に彼らの伝統産業への回帰と、開かれた市場取引の回避をもたらしたのではないだろうか？

もちろん全てが明治以前に戻ったわけではない。明治末年までには、市内にも大規模工場が出現した。鐘紡京都工場が左京区高野に、同じく左京区川端には京都織物が、山陰線のそば四条通には、京都綿ネル（後の辻紡績）と京都紡績の紡績工場があり、多くの女工が働いた。京都に本店を置く銀行がなくなっても、烏丸通には多くの商業銀行の支店が立ち並んだ。それでも、西陣を核とする繊維中心の産業構造は昭和初期まで続いた。しかも上の大規模工場の例のように、明治中期以降に市内に設立された工場の多くは綿紡績であり、その下流は大阪を中心とした綿製品、肌着（メリヤス）、綿布、服地などの加工業であった。商流は室町経由ではなく直接大阪を中心とした加工業者、更には繊維商社へと流れた。都心の商業の中心は依然として西陣織と友禅であり、この傾向は昭和初期以降、南西回廊での機械や電機の製造業立地が進むとより加速して、明確な形で商取引の大部分が京都の都心を素通りするようになった。

明治中期以降、室町と西陣を中心とする京都の産業界は何度か近代化を試みたが、繊維だけに限定しても全国的な市場としての地位を確立することはなく、次第に京都固有の西陣や友禅の産地市場としての性格を強めていったように思える。室町は絹織物以外ではその全国的な集散地としての機能を次第に失い、綿紡績を核とする近代的な繊維産業とその商流は大阪と東京に集約されていった。

7　南西回廊に点在する異業種

高度成長期に入ろうとする1955年には京都市の人口は120万を超え、戦前のピークを超えることになった。第一章で概説したように、高度成長期後半には現在の京都の製造業を代表する多くの企業が急成長を遂げた。京セラ、村田製作所、島津製作所、立石電機（現オムロン）、堀場製作所など電機、機械を中心とする企業群である。島津製作所を唯一の例外として、これらの企業はいずれも戦後に設立された新興企業で、技術的な連鎖を京焼や西陣の繊維機械に求めることは不可能ではないが、戦前の京都の経済や産業と強い関わりを持たないものであった。地理的に見ても、これらの企業は都心を離れた南西部あるいは京都市外に位置し、人的、資金的な側面で見ても、都心の室町とのかかわりも皆無に等しい。

一方、これらの企業が勃興したのには幾つかの背景要因がある。第一章でふれたように、大正から昭和にかけて、京都は南西部に新しい製造業の集積が起こりつつあった。太平洋戦争の終結によりこれらの多くは解体されたが、高度成長期の交通ネットワークの発達により、南西回廊は製造業立地に適した地域としての発展可能性を持っていた。また、高度成長期には大阪東部に、多くの家電メーカーと関連企業が集積し、電気・電子部品に対する大きな需要がすぐ近くにあったことも見逃せない。その後の自動車メーカーが多くの部品産業を育成したように、家電メーカーの集積は電気・電子部品産業を周囲に族生させる原動力となった。

既に多くの文献が指摘するように、これらの新興企業の際立った特徴の一つが、特定の製品や製造プロセスに独自の技術を持っており、それまで存在しなかった製品や技術に対する需要が爆発的に増加したことで急成長を遂げた点である。例えば、堀場製作所は、1964年に自動車排ガス測定装置開発に成功したが、自動車の急増による排ガス汚染が社会問題化していた時期にぴったりと重なる。京セラは、セラミックのICパッケージを集積回路が爆発的な進化を始めた1970年代初期に開発した。従って、いずれの企業も同一の事業分野の中でも他企業との密接な取引関係を持たず、いわば無人の荒野を行くような形で事業を発展させた。結果としてみれば、これらの新興企業は、電子や電気機械及びその部品といった分野に集中したが、それはとりもなおさずこれらの分野での製造業の成長が最も高く、新製品、新製造技術に対する潜在需要が大きかったことを反映すると考えられる。これらの企業は、既存の企業や生産技術の空隙に進出したため、それぞれが孤立した、しかし強い競争力を持つ企業体として成長した。

このように考えると、これらの南西回廊の新興企業が、京都の都心の経済と強い関わりを持たず、むしろ阪神工業地帯との近接性と交通アクセスの良さにより立地がなされていることに気づく。結果として、京都の中心部の産業や経済は南西回廊の急成長から恩恵を受けることはなく、高度成長期においてさえ産業構造の大きな転換は起こらなかった。第一章でも見たように、新興企業が続々と工場を新設したのは京都市内ではなく、名神高速と新幹線の経路となった琵琶湖沿岸や北陸、九州などであった。1980年代に入っても、京都はその雇用の3割近くが自営業とその家族従事者によって占められていたことが何よりもそれを雄弁に語る。

8 まとめ：空虚な都心

江戸期以来、京都は家内制手工業の中心地であり、その製品販路を確保するものとして、室町商人に代表されるような商家が上京に集中し、卸、為替、両替といった仲介機能を担った。しかし、次第にこれらの大店は為替や両替に関しては本拠を大坂に移し、室町が金融の中心として発展することはなかった。それでも西陣と友禅という二つの核となる産業を持つ京都は、その市場が江戸・大坂のみならず、諸藩の呉服所（呉服御用、公家、幕府、藩などの専属呉服商）を通じて全国に広がっていた。それをサポートする商業集積が室町を中心とする地域であった。

しかし、京都の手工業の卓越した技術は次第に地方に伝播し、京都はより技術水準の高い高級品に特化するようになった。江戸期にはこのような戦略は一方では株仲間の形成や維持によりサポートされたものの、他方では地方都市や農村での製造業の発展により、次第にその市場規模は低下した。それは、京都の製品の需要が支配階級や富裕な町商人に集中していたからである。室町はまた現代の日本経済にも登場する多くの企業群を輩出した。江戸期の呉服店から百貨店に成長した三越（三井）、大丸、高島屋を初め、枚挙にいとまがない。しかし、室町の本山ともいえる絹織物や染織の卸商として戦後まで生き残ったものは少なく、卸商として大企業に成長したものは事実上ゼロに等しい。京都の町衆の中心ともいうべき室町や新町の商人たちは明治以降の産業の近代化の過程で次第にその全国的な地位を蚕食され、京呉服の取り扱い卸に特化してゆく。

レントの優越は今日まで続く京都の経済の特徴である。技術水準の優位を背景に高度に差別化された製品で顧客を開拓・確保し、可能な限りオープンな競争を回避する傾向は、少なくとも結果だけ見れば、南西回廊で戦後勃興した企業にも受け継がれた。京都の町は、その強い団結力と自治能力と裏腹に、異分子の流入や存続に強い拒否感と抵抗を示すことになった。三井本家が維新を機に東京へ移ったことは既に述べたが、江戸期においても三井本家は、規模を拡張するにつれて次第に本家のある町組と軋轢を繰り返すことになった。西坂（2019）によれば、その軋轢は、本家の家並みが町の単位を超えて拡張することを町が禁じたことにある。

町の自治組織は、あくまで家持の町衆により組織されるものであり、その利害と対立する組織や企業体には強い抵抗を示した。普通選挙が施行される直前まで、借家人は町の自治組織の会員とは認められなかったのも、その表れであろう（次章）。京都の町社会は、一方では町に比べて巨大に過ぎる近代的企業組織を拒否し、他方では、町衆たる資産と生業に欠ける流入民を正規のメンバーとして迎えることもなかった。

京都は明治維新以降何度かこのような特殊性から脱却して、本来の産業都市を目指した。その基盤は、明治後期に行われた三大事業による。第二琵琶湖疏水、骨格となる街路の形成、市外電車網の完成により、京都は近代的な都市インフラを備えるに至った。昭和初期には、数次の隣接市町村の編入を経て人口は１００万を超えた。しかしその成長の中心は都心部にはなく、南西回廊であり、西陣や染織とは異なる生産物と流通経路を持つものであった。西陣あっての室町、繊維卸としての室町という性格は戦後も続いた。京都の都心に東京や大阪のオフィス街のようなビルドアップが起こらなかったのは都心の景観保護のためではない。南西回廊に勃興した多くの製造業は都心に本社を設けることはなかった。

京都の都心は、大正以降京都の南西回廊が産業都市化するのと逆行するかのように、これらの新興企業をサポートする都心としての機能を失っていったのである。

第三章　京都の町の変容と人口移動

1 「在日」の歩んだ道

映画「パッチギ！」は、1960年代後半の京都を舞台にして府立高校と朝鮮高校の生徒たちのいさかい、交流、そして恋愛などを巡って展開するが、府立高校のサッカー部員が練習試合を申し込むために、日ごろからけんかの絶えない朝鮮高校を訪ねることが話の発端になっている。映画の舞台は京都でも在日韓国・朝鮮人の人口が多い、東九条地域であるといわれる。すぐそばに住み、学びながら、在日の人々の生活や地域社会について殆ど知るところがない主人公は、朝鮮高校で見かけたフルートを練習する少女に一目ぼれする。何とか彼女に接近したい主人公は、ハングルを学び、在日の人々の暮らしに分け入る。この映画の劇中曲としてうたわれる「イムジン河」は、もともと北朝鮮の作曲家により1957年に発表されたものであるが、日本では、ザ・フォーク・クルセダーズが、松山猛からメンバーに伝えられたものを作譜して日本語歌詞を加えたものである。また映画の筋書きも、松山自身の中学生時代の経験の一部がもとになっている（朝鮮高校に練習試合を申し込むエピソードなど）。

日本の都市社会の差別や分断の歴史の中で、被差別部落や朝鮮・韓国系の人々は特に重要な意味合いを持つ。その中でも、京都など関西の諸都市では彼らの人口比率は目立って高く、歴史も長い。事実、映画の舞台となった東九条は京都駅の東南、鴨川に接する地域だが、そのすぐ北側には、関西最大と言われた被差別部落があった崇仁《すうじん》地域があり、現在は再開発が行われ京都市立芸術大学が移転予定である。

明治末期から大正にかけて京都の近代化に伴う諸事業が始まり、近代的な工場が次第に設置されると、そこで働く労働者や日雇いの労務者など多くの低所得階層の人々が京都に流入するようになった。かれらの出身地域や出自について詳しい研究は管見では極めて乏しいが、被差別部落の同和事業や、朝鮮半島出身者の流入そして定住については比較的多くの研究があり、そのような研究から、彼らを含む京都への流入民の姿や下層労働者の実態をある程度推定することが可能である。新たな住民の流入の契機は大きく二つに分けられる。第一は、工場労働者としての流入である。西陣・友禅でも一部の職種では朝鮮半島出身の労働者の流入が目立ったといわれ、特に染色業では、蒸・水洗過程を専業とする企業には彼らが経営するものが多数存在した（高野 2020）。また加美（2016）によれば、戦前屈指の大工場であった、鐘紡京都工場（左京区高野など4工場）でも多くの朝鮮半島出身者が勤務したといわれる。しかし、最も彼らの流入が目立つのは、三大事業を皮切りに盛んになった多くの土木建築事業に従事した日雇い労働者層である。土木関連事業の大半が新規編入地域とその周辺に集中したため、自然と流入人口の居住地も周辺地域に集中することとなった。

１９３７年に実施された京都市の調査によれば、旧朱雀野村地域が５０００人余の朝鮮半島出身者を抱え最大、次いで陶化学区（東九条）地域に２０００人余など顕著な集中が見られ、市全体で当時の人口の３％弱、３万１０００人程度であったという（高野上掲論文）。最大の集中をみせた朱雀地区の工業化の皮切りは辻紡績の設立で、１９２０年代にその最盛期を迎え、１９００人の女工（うち３００人が朝鮮半島出身）を抱えたといわれる。この工場は１９３０年代には次第に生産を縮少し、1937年には島津製作所に買収された。

市域に編入された西部地域の骨格となるのが千本通とその更に西に位置する西大路であるが、いずれの道路も新規あるいは拡築工事が進められ、また市電の路線敷設工事が並行した。これらの土木工事には多くの朝鮮半島出身者と被差別部落の住民が人夫請負業者により雇用された。例えば1931年右京区に編入された旧西院村の人口は1935年版『京都市統計書』によれば1万2600人余り、性比が126と極端に男性人口比率が高い。また人口の11・4%が内地外の出生者で、その大半が朝鮮半島出身と推定され、市内出生者は人口の5分の1程度である。同統計によれば男子有業者の50%以上が工業に従事していた。南西回廊の西北端に位置する旧西院村には、西大路や新京阪の建設労働者、更には急速に立地が進んだ工場労働者として、朝鮮半島や他府県からの流入が目立ったのである。

1930年代初めには100万を超える人口を抱えるに至った京都は、当然のことながらその急増の大半が市外からの流入者によって占められていたと推測される。朝鮮半島からの流入に見られるように、近代化と産業化の道筋で必然的に生じた市外からの人口流入は、南西回廊と西陣の一部に集中していた。この流入人口の増加により、京都はどのように変化したのか、それを追うのがこの章の目標である。

京都は明治維新直後にはその人口をピーク時の6割程度まで減少させ、その本格的な回復は20世紀を迎えてからになる。産業都市としての発展は東京・大阪に大きく後れをとることになった。京都が大きくその姿を変えるのは、明治後期以降であり、それには三大事業の完工とそれに続く京都の市域拡大、それに伴う新しい住民の参入があった。それに伴う地域社会の葛藤と変化を次節でみてゆこう。

2　地域社会の変容：隣接町村の編入

番組小学校と地域社会

元学区（当時の番組）が、1872（明治5）年の学制発布に伴い形成された小学校区に対応し、番組小学校を建設する制度の根幹にあったことは前章でも触れたが、校区毎に地域住民の負担により小学校を建設運営するという方針はこの学制に沿ったものである。実際どの程度それが実現されたかは、地域ごとに違いがあったが、制度そのものは全国共通であった。学校区単位で小学校を建設運営し、その税負担も学区単位とするという制度は、幾度かの変更を経て、1900（明治33）年の第3次小学校令により完全に廃止された。市町村を基本的な単位として建設維持運営を行う制度に移行、更には順次国庫負担の比率も増やすことで、義務教育化が進行した。

しかし、京都においては学区単位の小学校制度は、このような国の制度変更にもかかわらず存続した。ここには、三つの互いに関連する京都の地域社会固有ともいえる問題があった。第一に、番組小学校をその淵源とする各学区の小学校は、番組を形成する町内の所得や社会階層を反映して学区間に大きな格差が見られた。例えば、1869年、全国最初の小学校として上京第二十七番組小学校（柳池小学校）が開校したが、この小学校を含む市内4校は、京都府からの下賜金（800円）を全て辞退し、番組内の寄付により建設資金の全額を賄った（『京都の歴史』第7巻第6章）。中央政府や京都府は義務教育の担い手としての小学校にこのような格差が存続することに危機感を抱き、教育内容やその負担の均等化の大方針に従い、様々な手段で学区単位の小学校運営を改めようとした。しかし抵抗は強く、京都市内では実現していなかった。当然であるが、より裕福な学区では、立派な校舎が建設され、教員も充実し、彼らの給与水準も高かった。現在でも市内に残る多くの小学校校舎が文化財としての保護を受けるのは決して偶然ではない。その多くは日本の近代建築を代表するような優れたもので、小学校廃校後は、様々な形で再利用され現在もその姿をとどめている。

このような番組小学校は地域の誇りであり、小学校区は、単なる学校区ではなく、現在の行政区に該当するような地方自治機能を有するものであった。実際、府が提示した小学校の建築模式図では、番組の自治会組織が利用するための「町役溜まり」の部屋も明示されており、小学校は番組の自治会事務所も兼務するものであった。江戸期の京都で、町組毎に町代が置かれ、奉行所との折衝や事務に当たったことは前章で述べたが、番組の自治組織としての機能は、その経緯を背景とするものであった。そうであれば、番組内の有力者にとって、彼らの税収が他学区の教育予算に充当されることは我慢がならないのと同時に、府・市による教育内容への介入についても根強い反対意見があったのは、ある意味当然といえた。市議会議員の多くはそれぞれの学区代表としての性格を持ち、学区こそ彼らの政治力の源であったから、学区住民の意見は市議会の方向性に決定的な影響力を持っていた。番組を中心とする自治会組織は、京都の市制発足後、1897年には公同組合という行政末端の組織として再編されたが、その実態に大きな変化はなく、家持人を構成員とする自治組織という基本的特徴は、維持された。

戸別税と家屋税

第二に税制の問題である。松下（2006）によれば、1918（大正7）年の第一次の大規模市域拡張に先立つ論議において大きな焦点になったのは、学区毎に徴収される戸別税制度の存続を巡るものであり、京都府からも戸別税から家屋税（固定資産税の前身）への変更を促されていた。松下によれば、当時戸別税は市税収入の約4分の1を占め、各学区の小学校運営財源の根幹をなしていた。戸別税は、貧富、持ち家・借家人に関わらずすべての住民を対象とするものであり、その税負担は相対的には低所得層に大きくなっていた。

また、戸別税は基本的に全ての住民に課税するものであるが、都市部の流動人口の捕捉は容易ではなく、多くの住民が税逃れのため頻繁に住所を変えているといわれた。実際、1918年に京都市に編入される朱雀野村などでは、市内からの流入人口の増加もあり、急速に人口規模が拡大、編入直前には3万人に迫っていた。彼らの多くは市内に勤務する工員や職工であり、隣接する朱雀野村などに居住することで、戸別税負担を逃れていたといわれる。というのは京都市以外の市町村では既に家屋税が適用されており、持ち家の住民のみに直接税負担が及び、急増人口の殆どが借家人であることから直接の税負担を逃れていた。戸別税から家屋税への移行は、市内の持ち家層にとっては大きな税負担増となった。当時の（被）選挙権は納付税額により決められていたから、市議会の議員の大半が家屋税への移行に反対であった。

市域拡張

小学校区単位の教育、自治と税負担という問題は、第三の市域拡張という政治課題によってより鮮明に利害対立となって現れた。1918年に実現する隣接市域の編入は、東西南北、京都市域のほぼ全方向で隣接し、その多くが既に市街化していた町村（の一部）を市域に編入するもので、その時点で隣接町村は殆んど全てが家屋税に移行していた。

編入町村の中でも紀伊郡の柳原町、上鳥羽村、深草村、東九条村、葛野郡の衣笠村、花園村、西院村、七条村、大内村、朱雀野村はその殆どが既に市街化が進み、特に朱雀野村は人口2万8000人を抱え急速な人口増の途上にあった（京都日出新聞1917年6〜7月）。また、これら南部・西部の隣接町村は、比較的地価や家賃が低いうえ、戸別税負担がないことで、市内からの流出人口も多く抱えていたといわれる。編入にあたり、これらの区域で戸別税を復活させることは府の方針から不可能であり、編入実施には京都市の家屋税への移行が不可避であった。更に、編入に際し、学区制度の内実についても、市内既存学区との統合を含む編入地域の学区の再編成、学区単位での学校運営と財政についても見直しを迫られることとなった。

結果的には市域拡張という目標の下に、家屋税への移行が決定される一方、学区ごとの小学校運営は一定の妥協のもとに残されることとなった。小学校区を単位とする極めて自立性の高い地域社会という京都の町の最大の特徴は、隣接地域の編入によっても大きな変更を加えることなく存続したのである。新たに編入された町村の新設学区は殆どが新編入地区住民のみで構成され、市内の既存学区への編入は東北部の数か所に限定された。第二章でみた、中京区の番組の区割り（図表2-3）を見ると、朱雀野村を吸収合併した編入地区がそれぞれ新たな番組を編成し、旧市内の番組との統合が行われなかったことを示している。

隣接市町村の編入は1931（昭和6）年に更に大規模に実施され、京都市は人口90万に達し市域は全国一の広さとなる。図表３－１では１９１８年の市域の大規模拡大前の市域が濃いグレーで示されている。この図は１９４２年時点での主要な工場の立地を示すが、１９１８年の編入対象となった隣接区域に工場が集中していることが分かる。

１９１８年以前の市域は、市に必要だが市内での設置が嫌がられる施設（例えば火葬場や屠畜場）、さらに被差別部落が集中する区域を境界線の外におくものであったが、それは決して偶然ではないし、京都に限定されるものではない。市域の拡大はこのような京の外にあった区域を市域に編入することを強いるものであり、既存市内の住民にとって、編入区域を既存の市域と区別したい心象風景は明らかであろう。このような明白な差別意識を措いても、編入区域の住民が概して低所得層であり、多くが農民か新設工場に勤める工員や女工であり、社会階層から見ても市内の住民は彼らとは一線を画したいと思ったのではないか？

それだけではない。第二章で見たように、三大事業が完了した20世紀初めの京都市内は、ほぼ全域が中心部の田の字地区を模倣する形で街路と町が形成され、町の単位も両側町であったが、二度の大規模編入により京都市となった地域は、当然のことながら田の字地区とは異なる市街が形成されていた。例えば、北部北東部の編入エリアは隣接農村部であったため、多くの集落は街道沿いに成り立ち、農道と集落内の細く曲がりくねった街路から成っていた。京都市は１９１８年の市域編入地域を旧市内と一体化させる外郭道路の建設計画を発表したが、北大路、東大路、西大路、九条通、白川通など15幹線を含む大規模なものであった。さらに、１９２６年にはこれらの新たに編入された外周道路沿いの地域の土地区画整理事業を決定、１９３０年代に入りこれらの計画の実施が進んだ。図表３－１で薄いグレーで示された旧市街を取り囲むコの字エリアが、この事業対象区域である。また、それとは別に民間による宅地開発も進んだ。中でも良く知られた例として北白川小倉町では１９２５年から37年の４次に分けた分譲で約７万㎡の宅地が提供されることとなった。北白川小倉町の街区は当初の民間開発から、上記の市の区画整理事業も参入することで、市内中心部とほぼ相似形の縦長の区画から形成されるようになった。それでも、分譲地を購入し住んだ住民の多くが大学関係者や銀行マンなどのホワイトカラーであったことも反映して、旧市街の町並みとは異なる景観を持つ地域が形成された。

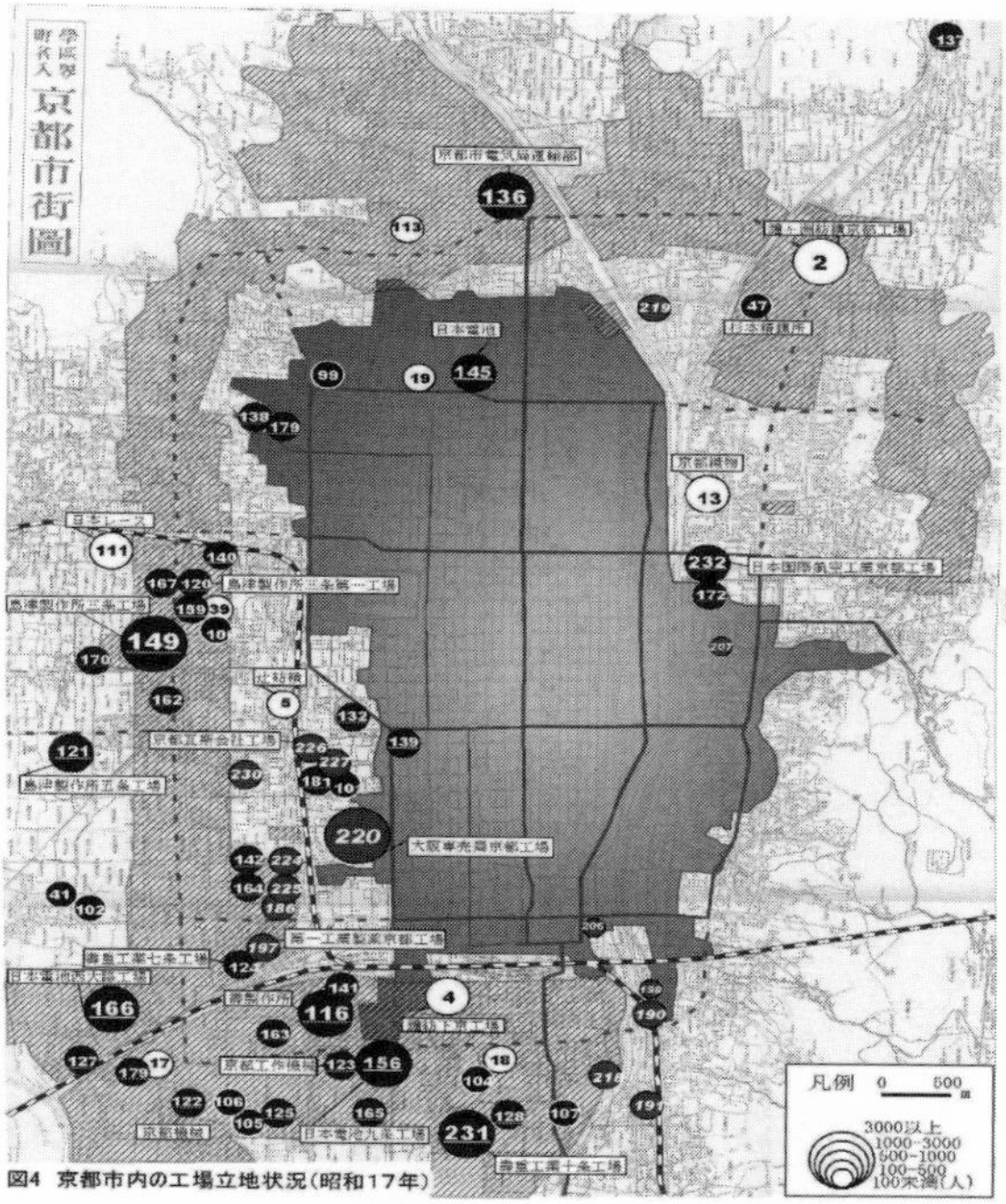

図表3-1　ハン他（2003）の図4の複製

　他方、市域に編入された西部の南北を貫く西大路（図表３－１ではＪＲ山陰線の左側、南北に点線で示されている）沿いの南西部では市街地化が進行し、地権者の多さから区画整理事業組合は意見の統一に苦難した。多くの地区で市の代執行で区画整理が行われ、区画整理執行後は、「工場、商店、住宅の混在する地域へと変貌した」（上野 2019）。一方1931年の大規模拡大により京都市に編入された南東部の伏見はそもそも独立した市であり、歴史的にも京都とは独立したエリアである。

結果として、近代化と成長の中で京都市に新たに編入された地域は、いずれも田の字地区とは異なった姿をしていた。北白川のように現在でも模範とされるような分譲住宅地も出来上がったが、それでも都心の両側町ではなく、街区は道路で区切られた。同じような分譲地は北部の編入地域にも見られたが、南部・西部では、農地も残りながら住宅、商店、工場の混在する地域となっていった。

3 京の内と外

第二章の鉾町の担い手に関する記述からも窺えるように、明治期の京都の中心部における住民意識には、だれが「町衆」であるか、明確な境界がある。町衆は自営して生業を持ち、持ち家に住み、奉公人や下女を雇う家族である。その代表は室町商人や西陣の織元であるが、それ以外にも様々な卸小売商、製造販売を行う手工業者、町医者や様々な稽古事を営む者も含まれる。住み込みで働く奉公人や下女が町衆に含まれないのはいうまでもないが、借家の住民も少なくとも鉾町で祇園祭の構成員にはなれないという位置づけからは、町衆ではない。京都では、というか、より正確には上京・下京の中心地では、本来の京都市民は「町衆」であるという意識は極めて強いものであったことが分かる。そして、上京、下京、その二つから分離独立した中京の3区こそが京都の中心であり、そこに自営で家業を営むものが京都市民を代表するという強い意識が形成されたのではないか。

このような京の内と外の意識が形成された背景には幾つかの要因が考えられるが、京都の市域の拡張が東京や大阪に比べて遅れたことも要因の一つとして見逃せない。前節で見たように、上京と下京以外の現在の京都市域が京都市に編入されたのは昭和に入ってからであり、それ以前は左京区のかなりの部分も市外であった（東山区と中京区は1929年上京、下京から分離された）。１９３１年には伏見市、右京区が京都市に編入され、漸く現在の京都の市街として一般的にイメージされる区域全体が京都市となった。京都市民以外の者にとって、嵯峨野の寺社や嵐山は京都のイメージそのものであるが、京都市に編入されたのは１９３１年、明治維新から60年以上の後である。伏見に至っては、そもそも全く別の町であり、１９３１年に編入されるまで、独立した市（１９２９～31年）であった。どのような町であっても「本来の」市民と、流入してきた住民の間にはある種の緊張関係があり、「本来の」市民は新入りを区別しようとする。しかし、このような意識は市が拡張と成長を続け、中心地が長い年月の間に移動することにより次第に消失しないまでも変質する。

京都の場合、上に述べたように明治後期以降、東京や大阪には遅れながらも市域の拡張と人口増加が続いた。更に、昭和に入り市域は大きく拡大し、周辺町村の吸収合併も進んだ。新しい住民の流入も進んだ。第一章で見たように、この時期京都は漸く本格的な産業化の時代を迎え、大規模工場の設立も南西部を中心に急速に進んだ。しかし、京都の場合、このような新興市域と上京・下京の中心地では、住民構成も大きく異なっていた。現在の右京区や南区の大半は農地であり、拡大する市域と人口の増加に対応した近郊農業、蔬菜を中心とした生産が行われていた。一方、農地から転換された土地の多くは工場用地となり、次第に西部及び南部を京都の工業地帯と位置付けることが、市の方針として確立されていった。東京や大阪では周辺地域がいわゆる郊外都市化していったのに対し、京都では昭和50年代の洛西ニュータウンの町びらきに至るまで本格的な郊外住宅地の発展は見られず、周辺部は「貧民層が市内から移り住む地域」という認識があった（第五章）。

旧市街から市周辺部への移住がどの程度の規模であったのか確かめることは出来ないが、移住の中心が中流以上の所得層の郊外移住でなかったことは確かであり、急速に発展しつつある工場制工業の働き手を中心とする低所得階層であったとすれば、市の発展は市中心部と周辺部の階層格差を一層際立たせることになったと考えられる。京都の町の近代化は市中ではなく、市外から始まったともいえる。

4　近世の町から近代の街へ

残された近世の町並みと町衆

京都では大正から昭和初期にかけて市域の拡張と人口増加が続いたが、その背景の一つには急速な工業化があった。そのため流入人口の多くが職工であり、京都は人口増だけでなく、人口の流動化も進んだ。1918（大正7）年の市域拡張の経緯でも触れたように、流入人口の増加と流動化は江戸期以来の家持による町の自治という体制に大きな変更を強いるものとなった。

奥田（2010）は1919年に起こった「六角町の紛擾」に注目して家持による町の自治という「旧弊」が改革されてゆく様子を詳述している。六角町は、第二章の冒頭で取り上げた明倫学区の中にあり、北観音山を祇園祭で巡行させる鉾町の一つで、京都でも屈指の大店の町家が櫛比《しっぴ》する町である。奥田論文によれば、「六角町の紛擾」では、町運営（2節で触れた町の公同組合）が家持によって一方的に行われ、家持のみが公同組合役員の選挙権・被選挙権を持ちながら、同時に借家人も含む全町人が様々な賦課金を負担していることに異議を唱えられた。結果的に、この訴えにより公同組合の役員は借家人を含む全戸主による互選体制に変化してゆく。論文は、このような変化が実は六角町だけでなく、京都の市中全体に及んだこと、その背景には家持中心の町運営だけでなく、町という自治組織が京都では多くの事業や共同負担を含むもので、様々な機会に寄付が求められるものであったことも記している。また別論文、奥田（2006）では、大阪朝日新聞が（京都）「町内の悪習」という連載記事を掲載（1911年）したことを紹介し、京都の町内会（公同組合）が各種の賦課金を徴収すること、それが借家人など貧民にとっては、無視できない負担であることを記したとしている。

六角町の事件の背景には大正デモクラシーの世相、1925年の普通選挙法の成立があり、家持のみによる自治に対する社会的反感が広がったこともあったが、同時に京都が都市として成長してゆくにつれ流入人口、その多くを占める低所得者層が市外から流入したことも見逃せない。また、この後述べるように、住み込みの奉公人を抱える大店でも、市電の開通などを背景に、住み込みの奉公人から通勤の従業員への変化があったと推測される。

六角町の事件の根底にはもう一つ忘れてならない京都の町の特殊性がある。それは、本来であれば市や行政区が地方自治の一環として行うべき行政事務や事業が、京都では大正の末期になっても町単位の自治行為として事実上委任されており、町内会組織が、他の大都市には見られない社会的な重要性を持っていたことである。その意味では、六角町の事件の発端が、町の祇園祭の神事の一つに関わるものであったことも象徴的ではある。第二章で取り上げたように、維新以降も京都では番組（元学区）を形成する町は、自治組織として広汎な行政事務の補助や町単位の事業を行うもので、それは１８９７（明治20）年に公同組合として再組織された後も大きな変化を経ることなく続いていた。三倉（2009）によれば、このような町や番組組織の果たした地域行政や自治機能を背景に、明治末年になっても町は町式目を制定し、町内の土地取引に介入した。西陣や鉾町の式目を検証しながら、三倉論文は町の許可なしに土地取引が禁じられていることや、土地購入者に対する課金（町への寄付）が明文化されていることを記す。更に１９１１年の新聞記事を引用して、借家契約にも町は介入し、借家人が町の先住者と同じ職業である場合それを認めない町もあったことを記す。法制度上本来は認められない町の介入は、土地取引や借家契約に及んだ。町式目が制定されていたことは、内証での相対取引が実際は多くあったことを推測させはするものの、近世以来の町組織の強固さを示すものといえよう。

しかし、２度にわたる市域の大規模拡張を続けることで、家屋税への転換も含めて京都の町の自治は大きな転換点を迎えた。この変化は、都心部においては、借家住まいの住民の増加となって現れた。これは第二章で土地所有と地籍の変化から見た借家、更には借家部分の分筆の増加と符合する。

図表３－２は上・中・下京と左京区について、一世帯当たり人数の推移を示している。四つの区のいずれも、１９４０年代に入ると急速な減少をみるが、それ以前では、１９１８年の第一次市域拡張から１９３０年代初めの間に急激な世帯人数の低下が見られる。より詳細にこの間の変化を調べると、まず、１９１８年の市域拡張時に旧朱雀野村など隣接町村が上京・下京区に編入されたことの影響がある。旧市街に比べて新規に編入されたこれらの隣村では大世帯が少なかったことを反

映する。次に1931年には、第二次市域拡張と共に郊外化の傾向が強く見られた左京区が上京区から分離されると上京区の世帯当たり人数が上昇、一方同時に、両区の中でも特に町衆の中心であった部分が中京区として独立すると、中京区の世帯当たり人数がとびぬけて大きく現れることが分かる。要するに、図表3－2は、大正から昭和初期にかけて上京と下京には一定程度の借家人層が流入し世帯当たりの人数が低下したことを示しているが、1931年の中京区発足時の一世帯当たり人数は5・2～5・3人と明治末期の上京・下京の平均値と大きく違わず、中心部では依然として町衆が生業を営み、住み込みの従業員も抱える大世帯を形成していたことが窺える。それに比べて郊外住宅地としての性格をより強くしていた左京区は、中京区に比べて世帯当たり人数が4人強と中京区より0・8人程度も少なかった。1931年発足当時の右京、東山両区の一世帯当たり人数はそれぞれ、4・6人と4・2人であり、周辺部に比べて中心部の大世帯ぶりが明らかである。

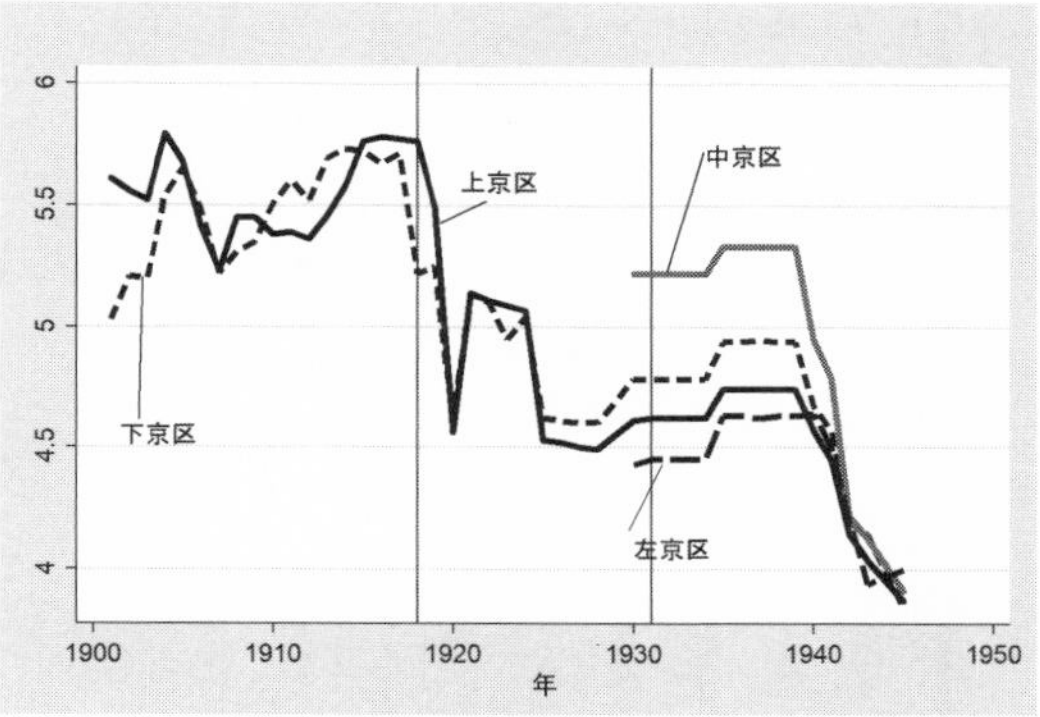

図表3-2　戦前期の一世帯当たり人数推移

京都の中心部は、昭和に入っても東京や大阪のような近代的な街に変化することはなかった。依然として、田の字地区は、狭い通りの両側に町家が並ぶ江戸期以来の姿を大きく変えてはいなかったし、オフィス街と呼ぶにふさわしい高層ビルの立ち上がりは、戦後の烏丸通まで待たねばならなかった。むしろ変化は、都心を離れた南西回廊や、鴨川以東の北白川や現在の北区の一部に現れた。南西回廊では新しい工場群が、北白川には郊外住宅が現れ、京都はまだら模様の近代化へと進んだ。京都はこのような変化を経た後も、中心部では依然として町衆が自治の主役である町がその核を形成しており、それは、戦後の高度成長期に入っても続いた。

その根底には、町衆が住む都心部に、新しい職種を持ち高所得で社会階層の高い住民が流入しなかった事実がある。東京や大阪では、江戸期以来の大商人は駆逐されるか、自らが産業資本家や株式会社化した卸商に転化した。京都の都心では高度成長期が終了しても主役は依然として祇園祭の山や鉾に象徴される、室町商人を中心とする町衆であった。

大大阪

市域拡張の歴史を比べると、京都と大阪の違いは明確である。大阪では１８９７年の第一次市域拡張に続き、１９２５（大正14）年に第二次の市域拡張が行われ、大阪市はほぼ現在の市域を確定することになった。１９２５年時点での市域は凡そ１８９㎢であり、現在の２２５㎢余りと大きな違いはない。急速な人口の増加と市域の拡大により、人口重心も大きく変化した。

特に工業化の著しかった20世紀初頭以降は港湾地区での人口増加が目立ち、１９３０年時点での港区の人口は36万人あまりと大阪の区で最大であった。港湾地区の人口増加は、大規模な人口流入を反映するもので、沖縄や九州からの流入者が特に目立ち、その多くが工場労働者として大阪に流入することとなった。現在でも大正区には、沖縄出身者が多く、沖縄料理や物産を扱う店の集積も見られることからも、大正期の大阪の急成長と人口流入の歴史を確認することが出来る。流入したのは沖縄出身者だけではもちろんない。朝鮮半島出身者は、京都以上に第一次世界大戦の好景気を背景に急増し、1930年代初期には市内在住の朝鮮半島出身者は10万人を超えた（佐賀 2012）。1930年の工場労働者の出身地に関する統計では、大阪府の工場労働者全体で、大阪府内出身者は30％に過ぎず、鹿児島7・9％、朝鮮6・4％、兵庫4・8％、次いで沖縄3・8％であったという。

朝鮮や沖縄、九州からの流入人口の大半が1925年の市域拡張で編入された区域に流入した。港区・大正区や此花区といった港湾エリアには、九州・沖縄出身者が目立った。一方、現在はコリアタウンで知られるJR環状線鶴橋駅近辺から東に広がるエリアは猪飼野《いかいの》と呼ばれ、東成区として市域に編入された頃にはゴム工業などの中小製造業が凝集するエリアとして急速に発展しており、済州島を中心とする多くの朝鮮半島出身者が流入した。松下幸之助が、自宅で電球ソケットの生産を始めたのもこの地域である（その後現在の福島区大開に工場を設立）。ちなみに当時、著者の母の生家もこの地域でメリヤス製造を営んでおり、母は生年が同じ幸之助の長女と共に夕陽丘女学校に通ったと聞く。

大阪への人口流入の増加は京都より20年程度早く、1880年代から本格的な人口成長が始まった。江戸期以来、流入人口の受け皿となった、木賃宿や人足寄せ場は、日本橋筋《にっぽんばし》（市部堺筋の延長で、難波から新世界に続く）に集中していたが、流入人口増加により、やがて、彼らの居住地域の中心は東成区や釜ヶ崎（西成区）など、新しく市域に編入された地域と港湾エリアに集中した。流入人口の中でもこのような都市最貧困層を構成した者は定職を持たず、その多くが木賃宿、戦後はいわゆるバラックなどに住んだ。

定職と居住地を欠く人口の存在は、大阪だけでなく、日本の大都市に等しく見られたが、その最大の例外が京都であった。京都では大正から昭和にかけて被差別部落や朝鮮半島出身者の多くが日雇い労働に従事したが、釜ヶ崎や山谷のような人足寄せ場は出来ず、「生活の本拠を有しない者は本市（京都市）には全くない」（山本 2007）。「流れ者」を嫌う京都は、少なくとも流入者の定着には腐心したといえる。そして、市内に点在する被差別部落は江戸期以降、近隣から完全に途絶し、外側の成長や人口移動から切り離されていた。そして、流入した朝鮮半島出身のかなりの者が、これら被差別部落あるいはそれに隣接した地域に居住した（山本上掲論文）。

話を大阪に戻すと、全国初の市電、地下鉄や御堂筋の開通、更には梅田が次第にターミナルとして発展することで中心部の姿も変貌した。神戸港に圧倒される以前の大阪港は、大阪市の産業貿易発展のカギでもあった。そのため、最初の市電は花園橋（現在の九条新道交差点）と築港桟橋を結ぶ路線で、凡そ中心部とはいえない町の西の端である。大阪市は自らを大大阪、東洋のマンチェスターと呼び、工場からもくもくと昇る煙突の煙も大阪の発展の象徴として誇らしげに記した。大阪は外を取り込みながら文字通り「大大阪」を誇ったのである。大正期に出現した「大大阪」は移民の町であり、変貌と拡張を続ける町でもあった。

そして、都心では、港区や此花区、大正区に勃興した多くの製造業の本社ビルが御堂筋に沿って建設されていった。例えば、大阪ガスは現在大阪ドームのある西区千代崎が創業の地であり、そこで石炭を原料に都市ガスを生産したが、１９３３年には御堂筋沿いの平野町に大阪瓦斯ビルヂングを竣工、本社機能を集中させた。住友グループの多くの事業会社をはじめ、大阪湾岸地区に建設された事業所の多くや、戦後は総合商社となる大規模繊維卸商が本社機能を都心に持ち、一方製品在庫を持つ倉庫や工場は臨海地域に移転した。大阪の都心は本社機能とそれをサポートする企業向けサービスの事業所が集積することで、大きな発展を遂げた。第二章で見たように、都心のビルドアップが急速に進むことで、船場や島之内に住居兼店舗を構える多くの自営業者とその家族は、新たに宅地開発が進んだ阪神間に居宅を構えることになった。

京都では、流入人口の増加に対し、近世以来の町の姿を守る町衆は都心に居住を続け、流入人口の社会が都心部へ浸透するのを防ごうとした。それに対し大阪では、流入人口の拡大は都心の商人層を郊外へと押し出したといえる（第五章）。

大京都

京都にも昭和初期において同じような「大京都」を目指す動きがあったことは既に述べたが、それには、京阪電鉄（1910年大阪天満橋―京都五条間開通）と新京阪鉄道（現在の阪急電鉄京都線、当時は京阪電鉄の子会社）による大阪と京都を結ぶ新線の建設（1928年）の他、市内と郊外や大津を結ぶ京阪の新路線の開通（1925年）が一つの契機となった。

「大京都」の構想には二つの側面があった。一つは、ようやく整備されてきた市内、郊外及び阪神間との連結を可能にする鉄道・市電網の整備により、京都の名刹や嵐山などの観光が、本格的に産業として成長してきたことによる、観光都市京都としての姿である。1921年の「京都都市計画」で使われた「遊覧都市」京都というキャッチコピーは、図らずも、主な観光地が洛外の幾つかの箇所に分散していることを表すものでもあった。もう一つは、南西回廊を中心に本格化した工業都市としての姿であり、「大京都」とは、この両面を合わせて持つ百万都市という京都の姿を示す理想像を象徴した。

百万都市としての京都は、昭和初期に一応の完成を見たといってよいだろう。都心には繊維関係を中心とした有力な卸問屋が町衆の中心となり、西陣と友禅の大きな職人層の産物を捌くネットワークを形成した。上京区や左京区には大学が集中し、北白川や紫野には郊外住宅地が形成された。西部・南西部には多くの新設工場群が流入してきた労働者を雇用し、彼らは勤務先に近いこれら周辺地域に住んだ。町は地域により明確な所得階層と職業により色分けされた。

拡張と分断

昭和初期の京都市の町の姿を東京や大阪に比べると幾つかの特徴が見て取れる。もちろん、周辺地域も含めた人口や製造業集積の規模の違いが最も重要であるが、町の成り立ちに注目すれば、東京や大阪では、急速に流入人口が社会に浸透し同化していったのに対し、京都では地域毎にその歴史的背景、住民の社会階層に際立った違いがあったように思える。残念ながら、戦前の京都を含め日本の大都市での社会階層間の流動性や、居住地域と社会階層の関連について数量的な知見を与えるようなデータがなく、客観的な比較は難しい。それでも、京都には社会的流動性や流入人口の同化を阻む多くの阻害要因があったことは記しておくべきであろう。

その一は、市外からの流入人口と人口増加が都心以外の地域に集中したと推定できる点である。既に述べたように、1918年の第一次市域拡張は、既に市街化し、急速に人口が増加していた朱雀野村や柳原町、東九条村などの周辺町村を吸収したもので、大正から昭和にかけての人口増加はその大半がこれらの新規編入地域に集中したものと思われる。中川（1988）は、当時の「京都市統計書」を利用して、１９１８年の第一次市域拡張から１９２４年までの7年間の人口変化を拡張以前の旧市域と新規編入地域に分けて示し、旧市域では殆ど人口は停滞したのに対し、新規編入地域ではこの間70%以上の増加を見たことを示している。１９２９年には、都心3区の人口は56万余りで、京都市全人口76万余の75%を占めていたが、京都市の人口がピークを迎えた１９３９年には京都市総人口は１１７万余り、都心3区の人口シェアは62%にまで低下している。この間都心3区の人口増は16万余りであったのに対し、京都市全体では40万以上の人口増が見られたのである。京都、特にその都心部は昭和期に入っても流動性に乏しい地域であった。第二に、新規編入地域には、被差別部落や、東九条のような低所得者層が集中する地域があり、編入後も既存市街地住民とは隔絶があったことは改めていうまでもない。周辺町村と旧市街の断絶は編入後も社会階層、税制、自治組織等々の様々な側面に存続した。既に記したように、編入地域と既存市街は殆どの場合それぞれが独自の学区を形成した。

都心部では自営業者、周辺区では工員や建設労働者や農民という社会階層による色分けは、東京や大阪では既に重要な存在となっていた都市中間層の薄さの反映でもあった。桐村（2019）は、１９３０年代の電話番号簿を利用して、京都と東京の居住地を分析している。京都では、下鴨と伏見に「会社員」の比率が高い地域が見られるが、それでも、１００世帯当たりで2～3世帯に過ぎず、東京山の手の比率の高い地域では20%以上に達するのと大きな違いを見せている。桐村論文は１９６５年の国勢調査の結果を用いて、同様の分析を行い、「事務関係従事者」の居住地分布を調査し、この時点でも、京都における都市中間層の居住地は左京区と北区を中心とする北東部と伏見区に偏在し、都心部は戦前と変わらない、自営業者中心の町であったことを明らかにしている。

5　戦間期から高度成長期までの変化

大京都へと成長した昭和の京都の姿を振り返れば、その決め手となる観光も工業開発も市の中心部とは無縁であることに気づく。観光は主に東山から北東の地域と嵯峨野を中心としたいずれも洛外に、一方工業立地は本書で南西回廊と名付けた、旧朱雀野村の中京区西部から始まり、南西部桂川沿いへ、更に南部竹田街道沿いに立地した。京都においても維新以降多くの近代的な大規模工場があらわれたが、当初から市の中心部の既成街区には適地がなく、周辺部が選ばれた。例えば、明治末期建設の鐘紡京都工場（絹糸、のち綿糸も）は当時京都市外であった、現在の左京区高野に建設されたし、竹田街道沿いにはその南に第16師団の根拠地が建設されたこともあり、関連工場の多くが建設された。それでも当時の京都にとって最大の産業であった西陣の絹織物と染色は、市内の北西部に位置していたが、図表３－１から明らかなように、西陣エリアには大規模工場は殆どない。１９４２年の段階でさえ、従業員５００人を超える事業所はただ一つ、現在は同志社大学の新町キャンパスになっている日本電池（現ＧＳユアサ）の蓄電池工場のみであった。

昭和初期（１９２０年代後半）から太平洋戦争の開始までの10数年間、京都は本格的な工業化の途上にあった。人口は集積の始まった周辺部、特に南部において増加が著しく、南区が下京区から分区された１９５５年には中心３（上・中・下京）区の人口は昭和初期の60％強から４割を切るまでその比率を落としていた。高度成長の始まりである１９６０年には都心３区の人口比率は36％弱、洛北・洛東が34％、南部が19％、洛西が11％、高度成長が終了した１９８１年では、都心３区の比率は22％まで減少、南部の人口比率は34％にまで増大し、洛西も20％を超え、旧市街の比率は50％を切った。現在の京都市の人口は140万強で、都心3区と洛北・洛東で全体の約4割、御土居で囲まれた京都の市街から構成される部分は更に小さく、京都市の人口の3割を切る。都心3区は1990年代後半を底に、幾分か人口比率を戻したが、洛北・洛東の比率減少は現在も続いている。

革新府政

京都は戦後政治の中でも特異な地位を占めている。その最も重要なものは蜷川京都府知事の7期28年に及ぶ「革新府政」である。蜷川は、京大教授の後、中小企業庁の初代長官を務めたが、1950年に府知事に初当選、それ以来1978年まで府知事を務めた。当初、蜷川の政治基盤は当時の社会党と自民党の一部を取り込んだものであったが、同和政策などを巡り社会党との対立が深まるにつれ次第に共産党との連携が強くなった。

蜷川は単に社会・共産という当時の2大野党勢力のバックアップを受けたに留まらない広汎な支持勢力を持った。第一に西陣などの中小企業は、蜷川の当初からの中小企業の支援や保護策を背景に一貫して強力な支持母体となった。特に共産党が中心として組織した民商は選挙の集票マシーンとしても重要であった。第二に、市内中心部の多くの住民団体からの支持を受けたが、その背景には市中心部の様々な開発反対運動に蜷川が理解を示したことも見逃せない。

蜷川府政の際立った特徴の第一は地元優先である。漠然とした反中央意識にも支えられて京都の外側からの企業進出や国の公共事業には消極的であったといわれる。反大企業の旗印は、事実上地元優先と等しいものである限り、多くの賛同を得た。蜷川はまた京都の町の保全や景観保護にも注力したから、結果として強い現状維持の方向性を持つことにもなった。蜷川府政が日本の高度成長期の全体をカバーする期間続いたことで、国全体を支配した成長指向と公共事業の波から京都は無縁でもあった。蜷川府政のこのような方向性が、京都市でも特に中心部の住民の利害や生活にとって望ましいものであったことは強調されてよいだろう。地元中小企業を優遇し、区画整理や道路拡幅などの中心市街地の再開発はストップされ、町並み保存など住民運動の支援策も充実させた。中心部に住む自営業者にとってはこれ以上を望むことが難しいような理想的知事であった。

しかし、戦後の京都は三大事業の頃の京都と大きく異なり、その市域は拡大し、中心部とは異なる住民が住んでいた。京都市内から高度成長期に輩出した多くの先端的製造業の殆どが京都市内に本社機能を残しつつもその生産や開発拠点を外側に求めたのも、このような蜷川府政と無関係とは言い切れないだろう。それでも蜷川府政が28年間続いたことは、京都ではこれらの支持層が高度成長期を経ても未だ十分な厚みを持ち続けたことを意味した。1980年、つまり、蜷川府政が終了した2年後の就業構造基本調査においてさえ、自営業主および家族従業者の合計は就業者全体の実に29・8％を占めている。この比率は1960年以降ほぼ一定で、1960年には28・4％であったから、この20年間に微増している。ちなみに農業以外の自営就業者について全国平均の推移を見ると、1959年にはこの比率は25・1％であったが1974年には19・7％にまで低下している。

蜷川府政以降、総務（自治）省出身者が共産党以外の与野党相乗りで選挙に勝つ時代が続いており、蜷川時代の政策の多くが変更された。特に、高校の選抜制度は蜷川府知事の「15の春は泣かせない」の発言で知られるように、総合選抜・小学区制による事実上の希望者全入を特徴としたが、蜷川府政の終焉に伴い、次第に選抜制度は変更された。小学区から大学区制に変更され、学校内でも能力別編成が出来るようになった。しかし、市長選挙の結果も含めて、1980年代以降の京都の地域政治がそれまでの蜷川府政の方向性を大きく変えることはなかったように思える。蜷川府政の政策の柱であった伝統産業の保護や景観保護は、それ以降も依然として市民の支持が強く、住民運動も他の政令指定都市には見られない充実ぶりでこれらの政策を後押しした。特に、町並み保存の基本となる建築基準については数度の見直しが行われ、保存と開発の間を振り子のように何度も揺れ動くこととなった。これについては第六章で改めて取り上げる。

6　京都の人口変動と人口移動：戦後から現在まで

京都が昭和初期の成長、統制経済と敗戦による戦時経済の瓦解、戦後の復興と高度成長、といった多くの変化を経ても、上に述べたように町の姿を大きく変えることなく維持し続けた一つの理由は、人口移動の小ささにあると考えられる。実際、京都は人口移動の少ない都市である。その傾向は、1920（大正9）年の第1回国勢調査に既に現れている。この調査によれば、京都市民の52・1％が京都市出生であるのに対し、その比率は東京市では42・5％、大阪市では37・2％、神戸市に至っては30・5％、名古屋で45・8％、横浜市で37・6％と、当時の6大都市の中でも、市内出生者の比率が最も高くなっていた。

戦後、同様の国勢調査項目があるのは1960年のものが最初であるが、同じ6大都市の住民について、1年前の常住地を聞いたところ、現住所と同じと答えた比率は東京で85％、横浜87・5％、名古屋87・8％、大阪87・3％、神戸88・2％であるのに対し、京都では91・9％であった。同じ

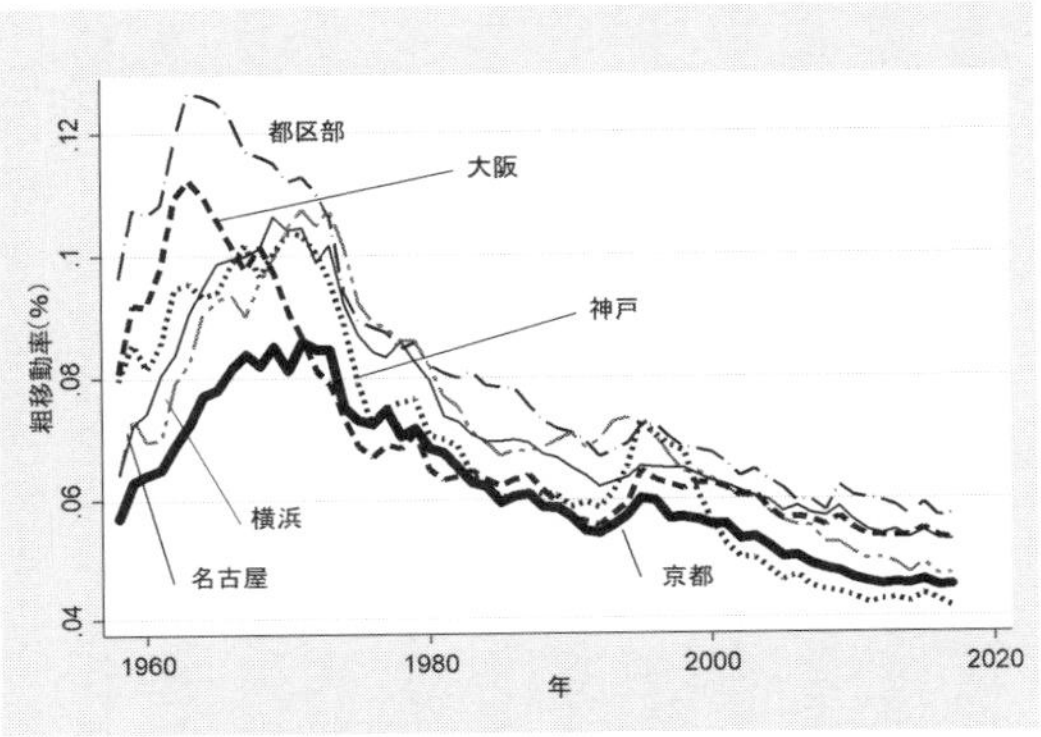

図表 3-3　6大都市の粗移動率推移

国勢調査で、この6大都市について、現住人口について1年前の住所を聞いたところ、京都市では、1年前に市外に住んでいた者の比率は4・1%であり、東京都区部の6・7%、横浜の7・2%、大阪の7・1%はもとより、神戸の5・3%に比べても明らかに人口移動が小さい。

但し、今示したような、1年前の居住地と現住所を比較するような方法をとると、人口純流入や流出の影響が移動率にでてしまう。この影響を取り除くために、流入と流出の小さい方と、市内移動の合計を計算して粗移動率の推移を求めたのが図表3－3である。少なくとも1970年代初めまでは、京都は一貫して最も移動率の小さな都市であったことが分かる。ちなみに神戸は1995年の阪神淡路大震災を境に移動率が急変動しており、その影響は1995年の大阪と京都の移動率にも表れている。

そして、この図から明らかになるのは、6大都市のいずれにおいても高度成長期に粗移動率が高まり、それ以降長期低下傾向にあることで、産業構造の変化や都市間競争が、人口の社会移動の基礎的な要因であることを示すといえよう。京都の人口移動の小ささは、産業構造の変化が緩やかであったことに依るという仮説が成り立ちそうである。

特に流動性の小ささが高度成長期に際立った点は重要である。産業構造の変化の速度と人口移動の関係を検証するために、京都市の行政区別の移動率を求めて示したのが図表3－4である。但し、ここでは行政区内の移動と区外や市外との移動の区別が出来ない（それが可能なデータは1990年代半ば以降に限定される）ので、各行政区で転出率と転入率の小さい方を行政区の移動率とした。図は上・中・下京・東山の都心4区とそれ以外の行政区のそれぞれに平均値を示すが、両者が対照的な推移を示すことが分かる。都心区では、70年代以降上昇を続け、90年代半ばを境に都心以外の行政区の平均を上回る。それに対し、都心以外の行政区では、基本的に下降トレンドが一貫して継続している。

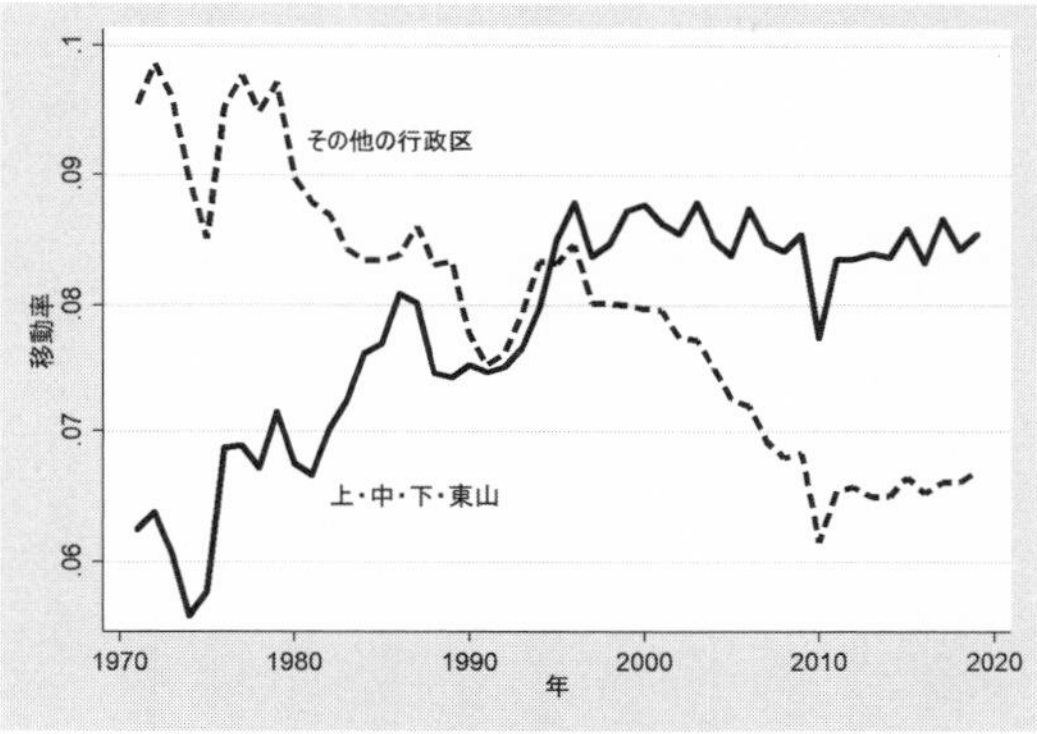

図表3-4　京都市行政区別移動率

　6大都市の移動率推移と照らし合わせるならば、京都においても他の大都市には劣るものの、高度成長期には移動率が高くなったが、それは都心以外の行政区の高い移動率に支えられたものであった、という推測がなりたつ。そして、既に何度も確認したように、京都の産業構造の変化の推進者こそ南西回廊に立地した企業群である。

　それでは1990年代を境に、都心とそれ以外の移動率が逆転した原因は何であろうか？　容易に考えられる仮説は高齢化の影響である。高齢化は京都では郊外でより進展が早いとすれば、郊外区での移動率が小さくなると予想される。実際図表3－4をみても1990年代を境に逆転現象が起こっているのは、都心区での移動率の上昇というより（それはほぼ1990年頃には終了している）、郊外区での移動率の減少によるものといえそうである。

そして、図表3－3に戻ると、京都の移動率が他都市に比べて目立って低かったのは1970年代初めまでであり、特に大阪・神戸と比較すると、神戸の場合、既に記したように阪神淡路大震災を機に、移動率は京都を下回るようになる。これも言い換えれば、高度成長期という産業構造の変化が最も激しかった時期に、京都の人口移動は他都市に比べて緩やかであり、高度成長期の激変の影響が小さかったことを反映するといえそうである。

以上、可能なデータを追って得られる結論は、京都が他の大都市に比べて、人口移動が小さいという一貫した傾向が見られること、その背景には恐らく京都の産業構造の変化が緩やかで、1990年頃までは特に都心の人口移動が小さいことが、京都全体の移動率の低さの要因であったといえよう。

町衆から自営業へ　中京区の例

図表3－4で、中心部の人口移動が1970年頃から1990年代半ばまで上昇を続けたことの背景にはどんな要因があったのだろうか？　そこで有力な仮説の一つが、都心部での自営業を中心とする持ち家層の世代交代である。都心部に町家を壊してペンシルビルを建てるのが目立つようになったのが1970年代以降で、そのピークが1990年代半ばのマンションブームである。1970年代は戦後生まれの人口が成人し独立する時期であり、核家族化が進行した時期でもある。京都の町衆の家に生まれた戦後世代は、生業を継ぐとしても親の家に住み続けることはせず、独立し

て別の住まいをかまえた、それが図表3－4で都心部の移動率が上昇した少なくとも一因ではないだろうか？　これを中京区で見てみよう。

図表3－5では、中京区の人口、世帯数、世帯当たり人数をそれぞれ1947年の数値で基準化してその変化を示す。この間、世帯数に大きな変化はなく、人口減は1世帯当たり人数の減少と殆ど同じペースで推移したことが分かる。1世帯当たり人数は、ピークの4・57人から、2・76人まで激減した。特にその減少速度は1970年代に加速しており、戦後世代、ベビーブーマーたちが成人し独立してゆく時期に合致する。京都市全体でも、1955年の4・38人から1980年の2・98人まで低下しているが、中京区ほどの変化ではない。

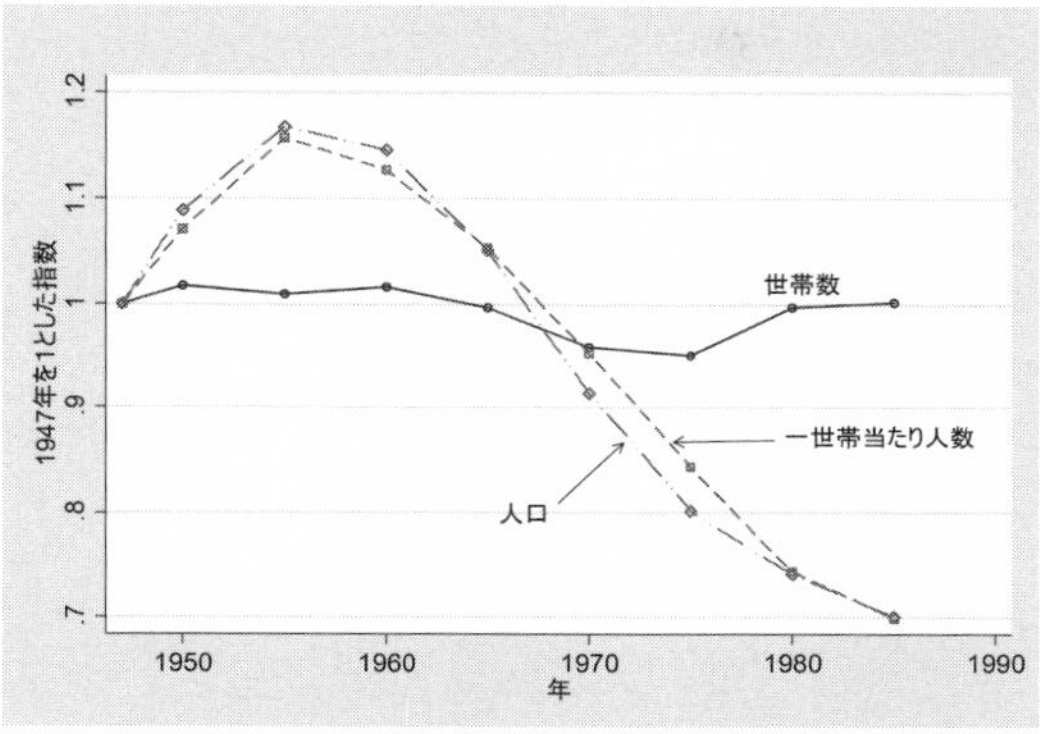

図表 3-5　中京区の人口と世帯の変化

　都心部での自営業大世帯という遺産を引き継いだ中京区は、戦後世代の独立の時期にその特徴を完全に失ったといえる。大世帯が持ち家に住み生業を営むという町衆の姿は、少なくとも家族構成の面では大きな変化を遂げていた。戦後生まれ世代の若者は、独立して親世代の家から離れていった。しかし、世帯数に殆ど変化がないことが示唆するように、親世代が引き継いだ生業を営むというスタイルは維持されたのである。京都では1970年代の終わりになっても自営業と家族労働者が就業者全体に占める比率は大きな変化を見せず、3割程度を維持していた。自営業主が大きく減少を見せるのは80年代後半からバブル崩壊に至る時期である。

ライフサイクルと人口移動

京都への流入の一大勢力は学生であり、京都市の人口140万程度に対し、大学生・大学院生は約15万人と10%強を占める。大学以外にも京都は様々な形で訓練や研修を施す施設が多く、これも若者の流入を促す。京都の大学を卒業した学生がどの程度市内で職を得るか、実は直接的にその数を推定することは容易ではない。田村（2017）によれば、京都府の大学在学者のうち京都府外の高校の出身者は75%程度に上る。毎年約2万5000人の学生が京都の大学に入学することから、凡そ毎年2万人程度の府外出身者が京都の大学に入学すると推定される。但し、自宅から通学する他府県出身者や、京都に移住しても住民登録をしない者も多数あると推測されるので、住民基本台帳ベースでの進学に伴う移出入は、この数字よりも遥かに小さい。

就職みらい研究所（2018）による、京都府内の大学を卒業し就職した者を対象とした調査では、府外出身者で府外に就職したのが全体の76・9%、府外出身で府内に就職したのが8・3%、府内出身者で府内に就職した者が5・6%、そして府内出身で府外に就職した者が9・3%となっている。2019年度の京都府調査「就職支援協定の運用に係る意向調査」では、京都府内の大学卒業生全体で就職したものは、2万2000人余りで、そのうち、府内で就職した者は4300人余り、全体の19・4%に過ぎない。同じ京阪神地区でも大阪府の場合、在学者全体の58・6%が大阪府外の出身で、そのうち19・8%、つまり府外出身者の約3分の1が大阪府内で就職している。残り

41・4%は大阪府出身で、彼らのうち26・1%、つまり府内出身者の63%程度が府内で就職する。京都は毎年2万人程度の学生を府外から受け入れるが、そのうち府内で職を見つけるものはせいぜい10%程度であり、京都は最も重要な社会移動の契機において、明らかに見劣りする選択肢と考えられている。

学生の流入・流出ほど目立つわけではないが、無視できない傾向として、20代後半から30代にかけての年齢層でも京都は流出が流入を上回る。移動先の府県別で見ると、大阪、東京に対して、20代前半から大規模な純流出があり、流出は40代前半まで相当規模で続くことが分かる。また東京、大阪、滋賀の順に、純流出に転ずる年齢が高くなっており、大阪と特に滋賀の場合では、10代前半までの純流出も大きい。つまり、滋賀県への純流出の大きな部分が、第一子出産後の若年夫婦の階層であることを示唆する。

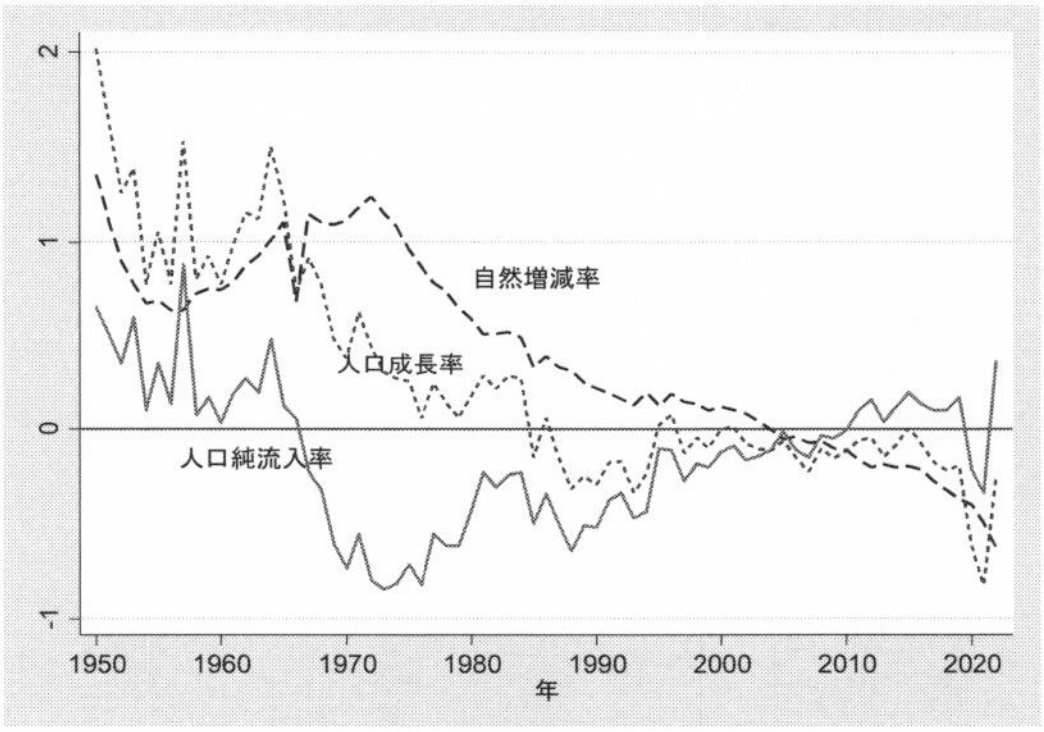

図表3-6　京都市の人口変動率

要するに、京都は高校・大学の年齢層で大幅な人口流入を経験するものの、卒業時にはその大半を東京と大阪に失い、更に20代後半から40代前半の階層を滋賀や大阪に移住するパターンで失っていることが分かる。２０１９年の人口動態でみると、０~９歳及び25~29歳のネット流出の合計は２６９５人、それに対し、15~24歳のネット流入が６

446人で、その差3800人程度は、市全体の社会流入合計の4600人余の大半となる（残りのうち700人程度は40代以降の流入による）。

京都は戦災を受けなかったことも反映して、戦後復興時は他の主要都市と同じく急速に人口増加を経験した。しかし、高度成長期に入ると人口流入は鈍化し、図表3－6が示すように、1960年代半ばには人口移動では既にマイナスに転じたが、第二次ベビーブームの1970年代前半には年率1％を超える自然増もあり、緩やかな成長をすることが出来た。1960年代半ばから2010年頃までの半世紀近くの期間、京都市は常に純人口流出を経験し、自然増が漸減するにつれ1980年代に入るころには人口成長はほぼゼロとなった。人口流出が続いた高度成長期後半から2010年頃までの期間、その期間の前半部では南西回廊では人口流入が続いたが、それを上回る都心部を中心とした地域からの人口流出があった。1990年代以降、この流れは逆流し、京都市の南西回廊を含む周辺地域では全て人口流出に転じ、都心部では人口流入に転じたのは、既に見たとおりである。

京都市の人口動態は、京都が新たな職や結婚後の住まいを探す世代には概して不評であることを明確に示すものであり、それはとりもなおさず、京都という町が、大学都市を超えて、移住を促す要因に欠けることを示すともいえよう。但し、若くして京都に来て就職、結婚を経て京都に定着するというスタイルが全く見られない訳ではない。問題はどのような階層でどのような職種においてこのような市外人口の流入定着が見られるかである。第五章でもう一度この課題に戻ることにしよう。

7　まとめ：新しい住民の流入を阻むもの

京都は江戸時代から流入する人口の過半を、現在の京都府内及び滋賀、福井といった近畿北部と北陸から受け入れていた。大坂が、これらの地域のみならず、西日本全体からの流入人口を持っていたのとは対照的である。江戸期には京都と大坂の人口規模はそれほど大きく違わなかったことを考慮するなら、この違いは重要である。幾つかの研究が、この違いの背景について、京都への流入人口の過半が、既に市内に在住する者が紹介することで住み込みの職を得て移り住んだのに対し、大坂や江戸では、このようなルートを持たない者も職を求めて流入する比率が高かったことを示唆している。流入人口の規模と構成に見る京都と大阪の違いは、大阪の工業化の進展により一層拡大した。上に述べたように、昭和初期には大阪で最大の人口を抱えていたのは港区であり、住民の過半が大阪港の周囲に凝集した工場群に勤める労働者であった。

このような動きが京都になかったわけではない。大正から昭和初期にかけて市域の拡張と共に、南西回廊にはこのような工場集積が生まれつつあり、この地域の人口増加が「大京都」百万都市の原動力となっていた。「大京都」構想の一環として編入された新市街の中心部分が南西回廊であり、人口の多くが急速な発展を見ていた新設工場群に働く労働者であったことは留意されるべきであろう。つまり、これらの地域は主として「流れ者」、都心部の商家とは関わりのない者が住む新しい市街であった。

3節でも触れたように、市内中心部の住民が持つといわれる、京都の内と外についての際立った強い意識は、このような市域拡張期の編入部分を未だに「洛外」と見做す傾向としてもあらわれたのではないか。「六角町の紛擾」の例に見られるように、大正から昭和に至る京都の拡張期においても、都心部での流入者や編入市域住民に対する拒否感は続いたといわねばならない。結果として都心部の人口は停滞し、人口増と人口流入は南西回廊を中心とする周辺部に集中した。戦後も、京都が他の主要都市に比べ人口移動の小さい都市であるという特徴は維持され、最も人口移動が激しかった高度成長期には、京都は他の6大都市に大きく水をあけられた。また、戦後の人口移動を行政区別に調べると、1990年代以前は、京都の人口移動の中心が都心ではなく、南西回廊にあったことも明らかになった。

つまり、京都は人口の流動性という側面から見ても、洛中－都心部と洛外、特に南西回廊の間で際立った対照を見せる都市であり、その違いは少なくとも1990年頃まで続いたことが上のデータから推測できる。一方、図表3－4は1990年代頃を境に京都の人口移動の様相は変化したことを示している。それまで流動性の小さかった都心3区がそれ以外の周辺区の移動率を上回るようになった。京都が迎えた最後の大きな転換点については第六章で改めて論じることにしたい。

第四章　ゆりかご都市京都

1　ゆりかご都市

Duranton and Puga（2001、以下ではＤＰ論文と略する）は、ある種の都市は、新しい企業が族生するような環境を持ちながら、これらの新生企業が成長し規模を拡大させるなかで、次第にその都市から離れてゆく傾向を見出し、このような都市を Nursery City と呼んだ。Nursery は保育所であるが、保育所が充実していることを示している訳ではないので、ここでは「ゆりかご」都市と呼ぶことにしよう。この章では、京都が彼らの想定するゆりかご都市に近く、そこに京都の独自性を見出せるのではないか、ということを考えてゆく。

ＤＰ論文は、企業がスタートアップする際に望ましい立地は、人材や立地する産業に多様性があり、イノヴェーションが活発で、製品開発に枢要な人材とネットワークの確保に適した都市であるが、その段階を終了して市場に本格的に進出する際は、これらの立地は賃金やオフィスの賃貸料の高さから望ましい立地ではなくなり、やがて拠点を移してゆくことを理論模型で示している。そこでカギとなるのは、企業のスタートアップと本格的な規模拡大の二つの局面で望ましい立地が大きく異なることであり、ＤＰ論文はこのような立地特性と企業成長の関係は全ての産業に共通するものではなく、ＩＣＴ（情報通信）、薬品などを中心とした知識集約型の産業でより際立って見られることを示している。また、事業所の機能別でみても、Ｒ＆Ｄ部門の移動が突出しており、知識集約的で研究開発に重点を置く活動でこのような企業のライフサイクルに沿った移動が見られるという。つまり、ゆりかご都市とは、革新的な技術や市場開拓能力を持つことで、潜在的には急成長の可能性を持つような新規企業、いわゆるスタートアップ企業を育むに適した都市ということが出来る（ＤＰ論文そのものが、ゆりかご都市はいわゆるスタートアップ企業を育むに適した都市だと主張しているわけではなく、本書がそういう意味を付け加えている）。ＤＰ論文に従えば、ゆりかご都市は都市の集積の利益の中でも、人的交流がもたらす技術伝播や研究開発への効果に特徴があり、それがスタートアップ企業にとって望ましい特性であることが推定できる。また、スタートアップ企業の多くが特定の技術や製法に集中して技術・製品開発を行うことに注目すれば、それに適した人材が豊富にある労働市場の厚みも要因の一つとなる可能性がある。

ＤＰ論文のアイデアを実証分析に援用する際に留意すべき点の一つは、立地候補としての都市の特徴づけに関わる。ＤＰ論文のハイライトは、上に述べたようなゆりかご都市と、もう一方成熟した企業が立地する都市の2種類が併存するような状況を市場均衡として描き出す点にある。ＤＰ論文の理論模型では、そのもう一方の種類の都市は、成熟した企業が業種ごとに集中する、嘗てのデトロイト（自動車）や北九州（製鉄）のような都市である。しかし、第五章の付論でも検証するように、現在の多くの先進国の主要都市では、このような特定産業への集中は一般的ではなく、むしろ産業構造は都市間で似通っており、個人向けあるいは企業向けサービスの比率が大きい都市が大半を占める。そして、規模間で比較すると、大規模な都市ほど、多様な産業と人的資本を持っている。その意味では、ＤＰ論文が強調する、産業や人的資本の多様性という特徴は、規模の大きい都市ほど持つ傾向が高い。

スタートアップの殆どは成功しない

それでは、知識集約的で潜在的に急成長の可能性を秘めるスタートアップとはどんな特徴を持っているのだろうか？　その最大の特徴は、事業のリスクの高さである。大半は市場に商品を出すこともなく消えてゆき、ごく少数のスタートアップが生き残り、巨大な創業者利益を得る。また事業分野によっては研究開発に長期の懐胎期間を要する。例えば本庄他（2015）によるバイオ事業のスタートアップのケーススタディでは、ベンチャーキャピタル（以降ＶＣと略記）による最初の投資からＩＰＯ（新規株式上場）に至るまで、平均して6年近くの期間と5度の追加投資が必要となっている。そして当然のことであるが、創業者自身の自己資金によりこのような長期の研究開発を持続することは不可能で、ＶＣを中心とした外部資金を調達してゆくことが生存のカギとなる。

たとえ十分な資金調達が得られたとしても最終的に事業が成功するとは限らないから、出資するＶＣにとっても極めてリスクは高い。後藤・ウイックハム（2022）によれば、米国の２００４～13年の2万件余りのスタートアップ投資案件で、全体の65％は投資額に見合うリターンが得られず、ＶＣは投資案件全体のわずか４％を占める投資額の10倍以上のリターンを生み出す「ホームラン」をいかに確保するかに、その収益性がかかるといわれる。ＶＣなどによる資金調達が出来ないまま消え去る企業を考慮すれば、このようなホームランに値する企業の比率は更に小さく、スタートアップの殆どが消え去る運命にあることが分かる。しかし、その中のほんの一握りの企業は新しい市場を開拓し、場合によっては社会の在り方にまで深く大きなインパクトを及ぼす。それが社会と経済のダイナミズムを生む原動力であることはいうまでもない。

このようなスタートアップを育む、ゆりかご都市にカギとなる特性とは何であろうか。ＤＰ論文が強調するのは産業の多様性である。多様な人材とスキルが豊富にあり、活発な交流と共同研究や開発が行われる都市集積こそ新しい産業や製品の発掘に理想的なゆりかごを提供する。しかし、このような人的資本の蓄積や知識や技術の伝播といったメカニズムと並んで、スタートアップを支援するもう一つのカギがあることを忘れてはならない。それは資金調達に関わる。実は、ＤＰ論文では、企業がスタートして事業を推進する際の資金調達の問題は分析の対象から外されている。ゆりかご都市のアイデアを実証的に考える場合は、この要素も付加する必要がある。

スタートアップ企業に関する政策・実証・理論上の最も重要な関心の対象は、この資金調達の難しさを巡るものである。そこで肝心なのは単に事業が成功するか否かについて不確実性が大きいだけでなく、その判断に必要となる情報について企業自体とその外側のプレイヤーでは大きな隔絶があることだ（これを情報の非対称性と呼ぶ）。投資家と企業の間にはもう一つの要因も絡む。株式会社は有限責任であるから、株主がとる最大のリスクは所有する株式価値がゼロになることで、どのような規模の負債があっても、その支払い義務は倒産により消滅する。だから、例えば銀行貸出といった手段で資金が提供された場合、リスク負担の仕組みが企業と資金提供者の間で異なるため、創業者と資金提供者は利害が対立する可能性がある（スタートアップ企業の資金提供の中心となるＶＣが株式参加を主体とする理由の一つがこれである）。資金をどのような手段で調達するかは、だれがどのようにリスクを負担するかを決定づける。それだけではない。リスクをだれがどのように負担するかは、事業執行の在り方にも影響する。本質的に不確実性は避けようがないにしても、どの程度のリスクを覚悟して、成功した場合の収益についてどの程度の大きさを目指すべきかの判断は、成功した際の収益（と失敗した場合の損失）の分配のされ方にも依存する。このように、事業の不確実性が大きいスタートアップの場合、資金調達に関わる情報の非対称性と利害の調整にどのように対処するかは事業の成否の核心的な要素である。

つまり、ゆりかご都市としての特性を考える場合（DP論文では分析の対象外である）スタートアップの資金調達に欠かせない、仲介者やVCの存在も極めて重要である。それだけでなく、スタートアップの創業者の出口戦略にとっては、証券会社やM＆Aに関わる専門企業や組織の参加も欠かせない。

実際、日本のスタートアップに関する多くのケーススタディは、首都圏での創業が圧倒的に優位に立つことを示す。その背景にはスタートアップを支援するプレイヤーが首都圏で群を抜いて多く、また潜在的な協力者や共同事業のパートナーも豊富であることが挙げられよう。また、そもそもスタートアップに繋がる前段階、起業のアイデア、コアとなる起業者集団がどこでどのように発生してくるかという視点も重要であろう。そしてこのような前段階の場面や環境を想定すると、ここでも圧倒的に首都圏、それも東京都心が優位に立っているであろうことが推測できる。それにもかかわらず、京都で数多くの優良企業が生まれ、成長してきた歴史を振り返るとき、京都のゆりかご都市としての特性がどこにあるのかを考えるヒントが見つかるかも知れない。それを次に見てゆこう。

2　京都の上場企業

京都の幾つかの企業が様々な意味で独自性を保つことは既に多くのメディアで取り上げられ、これら京都（出身）企業の独自性を分析した書物も多い。実際、京都出身企業の重要性は、京都という都市の規模に比べると、際立って高いことが判る。その一つの指標として、株式時価総額でこれらの企業を捉えると、ニデック4・3兆、任天堂7・3兆、村田製作所5・2兆、京セラ2・5兆、SGホールディングス（佐川急便）1・3兆、オムロン1・6兆、島津製作所1・2兆、ローム1・1兆となっており（いずれも2023年2月時点）、これら上位8社の合計は24・5兆となる。同時点での東証第一部（現在はプライム）の上場企業時価総額の合計が約700兆であるので、京都の上位8社の時価総額は全体の約3・5%となり、これは東京、大阪、愛知に次いで全国第4位となる。これらの企業は佐川急便を除けばいずれも製造業で、それぞれの製品分野で卓越した技術力を持ち、高い収益力と世界市場での有力な地位を保ち続けている。また、いずれの企業も、企業系列に属さず戦後、特に高度成長期も後半になってから急速に業績を伸ばした、当時のスタートアップ企業であったことも特筆される。

2021年4月時点で京都市内と南部周辺都市に本社を持つ上場企業は57社あり、そのうち製造業が32社で全体の6割近い。製造業の内訳は電機が17社、機械4社、金属製品4社、精密機器2社などで、繊維は4社に過ぎない。また、法人および個人向けサービスがいずれも2社ずつと少ないのも特徴的であり、金融関連は唯一の地銀京都銀行とアイフルの2社に限定される。現代の京都の先進企業の核を形成する電機や機械の製造業は、殆どが南西回廊の右京区、南区、伏見区、西京区を中心としたエリアに立地している。製造業以外の上場企業は逆に殆どが都心3区に本社所在地があるのと対照的である。

図表4－1は、京都の上場企業が南西回廊に広く分布していること、そして市内中心部ではその

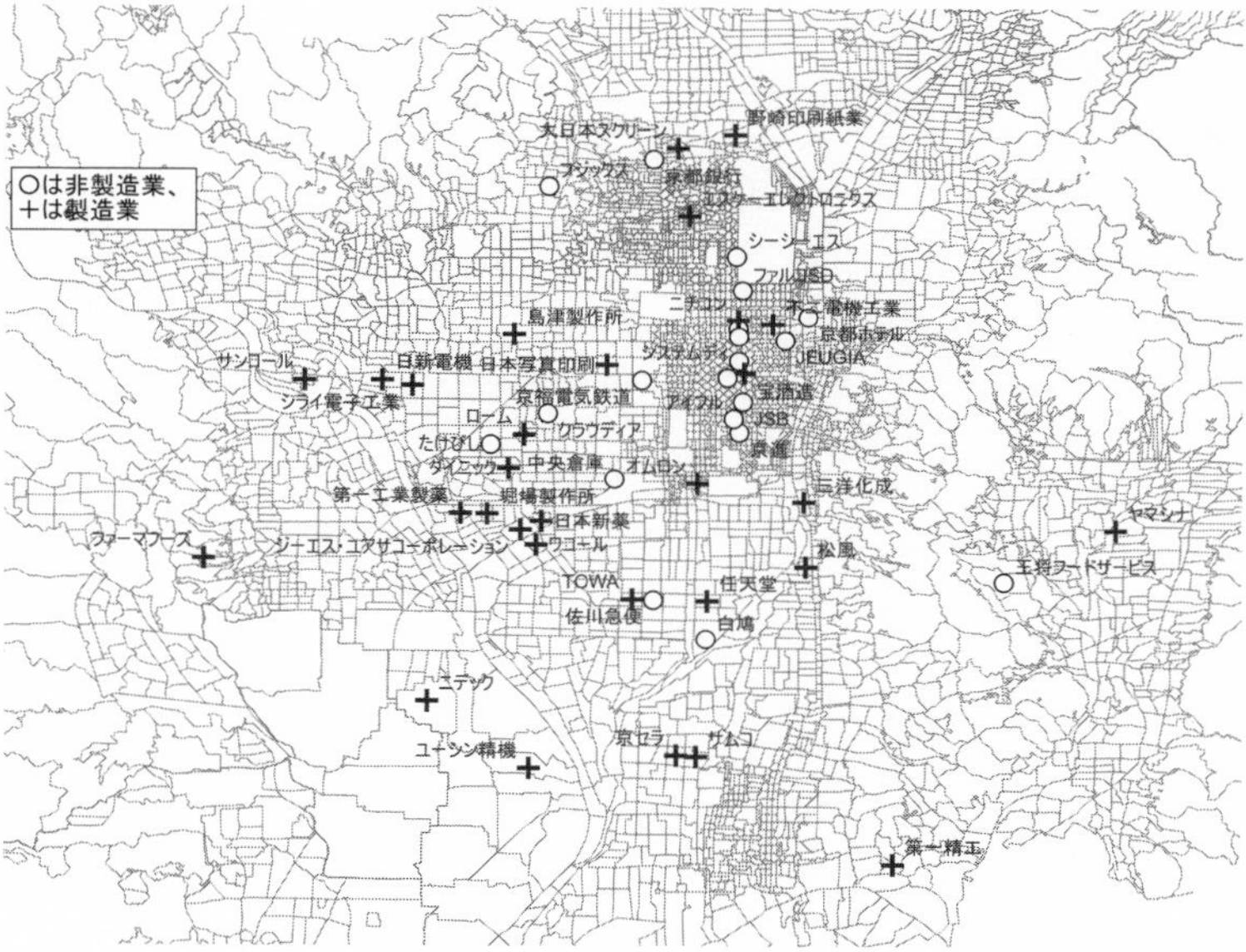

図表 4-1　京都市とその周辺における上場企業の立地

過半が烏丸通に沿って分布することを示す。また、市内中心部に本社を置く企業の殆どが非製造業（○）で、他方南西回廊に分布する上場企業の殆どが製造業（＋）であることが判る。

3　京都で育ち京都から巣立つ企業

公表されているデータによれば、列挙した株式時価総額上位8社の従業員数を合計するとそれだけで4万人を超える数になる。しかし、工業統計（2020年）を見ると、京都市全体でも、1000人以上の従業員のある製造業事業所は6に過ぎず、その従業員総数は1万1000人余り。100人以上の事業所の総数は94で従業員総数は3万人をわずかに超える程度である。これは、特段京都の製造業に限定されるわけではないが、これらの企業の雇用の大半は、本社所在地の外側で発生している。例えば、京セラを例にとると、京都市内には生産拠点は一つもなく、府内で1か所（綾部市）、それ以外は全国15か所（うち滋賀県3か所、鹿児島県3か所など）に散在している。製造業の場合、今や本社所在地で生産拠点を持つのが例外的であり、むしろ注目されるのは、以下の2点である。

第一に、既に図表4－1で見たように京都の主要製造企業の殆どが市内中心部に本社を持たない。強いて都心に近いものをあげれば、オムロンが塩小路通堀川（JR京都駅西）で下京区（2000年に創業地の右京区花園から移転）、島津製作所が中京区西ノ京桑原町（西大路御池）で中京区であるが、いずれも下京や中京のオフィス街の中心とはいいがたく、それ以外の主要製造業各社はいずれも京都市の南部あるいは南西部にあり、都心の事業所集積とはかけ離れた場所に位置する。第一章で南西回廊と呼んだ地域である。しかも注意すべきは、これらの本社機能のある自社ビルの多くが最近になり建設されたもので、ニデック、村田製作所（本社は長岡京市にあるため図表4－1では表示されていない）、京セラのいずれもが平成以降に新設されたオフィスタワーである。つまり、これらの企業は京都市内で創業しながら発展するにつれ、本社を南部及び南西部あるいは市外に移転し、事業規模を成長させて後も京都の中心部にその本社機能を移すことなく、今日に至っている。

第二に、これらの企業の多くが、本社所在地を離れて海外生産拠点や横浜、川崎などに研究開発拠点を持っている。こうしてみると、これらの企業は本社機能を京都市とその付近に持ちながらも生産、研究、開発において京都以外にその重心を移しているといえよう。言い換えればこれらの企業は京都から巣立ったものともいえる。

都心のオフィス需要と供給

既に触れたように、生産拠点を都心に持たず、物流に適し地価の安い立地を求めることは製造業全般の傾向であり、京都の企業に独自のものではない。ただ、上に挙げた企業の殆どが高度成長期後半以降に成長を遂げたことから、創業地での生産拠点を拡大する以前に工場の地方立地が推進された。他方、本社が京都市内の中心部を避けて、南西回廊に位置することは東京、大阪、名古屋などの主要都市出身企業には見られない傾向である。その直接的な理由として挙げられるのは、京都の中心部におけるオフィススペースの慢性的な不足と割高な賃料である。しかし、それにも増して重要なのは、京都の都心に本社機能を敢えて持たないのは、それが大都市の都市集積が持つ固有の機能、集積の利益に欠けるからではないか？

京都の都心部は他の主要都市に比べて中心市街地の土地利用が変則的でオフィス利用比率が異常に低い。日本不動産研究所全国オフィスビル調査（2020年版）によれば、京都市のオフィスビルのストックは107万㎡で、これは人口100万規模以上の主要11都市（東京都区部含む）で、さいたま市の106万㎡に次ぐ最下位から2番目、人口120万の広島市166万㎡、人口がほぼ同規模の神戸市183万㎡、人口108万の仙台の224万㎡に比べると異常ともいえる少なさである。しかも、注目すべきは、それが京都市のオフィス需要の小ささを反映するのではないことである。京都新聞に掲載された（2020年1月28日）三鬼商事のデータによれば、京都の賃貸オフィスビルの空室率は2019年には1・34％と全国屈指の堅調ぶりで、空室率は2010年の12％余から一貫して低下している。それにもかかわらず、1000㎡を超える新築の賃貸用オフィスビルは2010年以降1棟も建設されておらず、今後も計画はないという。

需要が堅調であれば当然予想されるオフィスビルの建設が一向に進まない最大の理由は、２０１０年以降特に顕在化したホテルの建設ラッシュ、そして、２０１０年に改訂された都市計画における容積率規制の強化である。これについては、次章で詳しく見ることにして、ここでは京都のオフィス事情の異常さの背景には、京都の都心集積機能の劣化があることを確認しておこう。京都の主要企業が揃って京都の都心に本社機能を集中させない根本的な理由は、そもそもこれらの企業にとって、京都の中心部に立地することで得るものは何かを考えてみればわかる。高い賃料を支払い、都心にオフィスを構える最大の理由は関連企業や得意先のオフィスとのコミュニケーションや取引・交渉に便利であるからで、京都の都心ではその機能が明らかに低下し続けている。

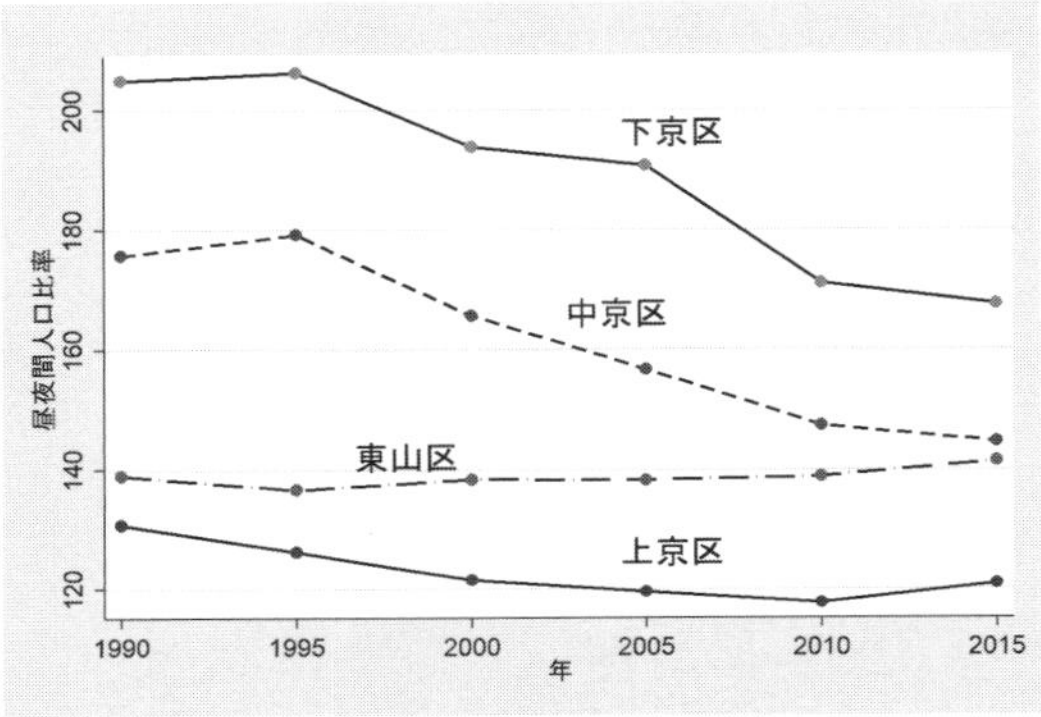

図表 4-2　京都市都心区の昼夜間人口比率の推移

都心機能の変化を見る一つの指標は昼夜間人口比率（夜間人口１００人あたりの昼間人口）であるが、図表４－２が示すように、都心区では１９９５年頃をピークに比率は低下を続けている。唯一の例外が東山区で、漸増しているが、これは観光関連施設の増加を反映するものと思われる。明らかに京都の都心はこの20年程度の間に雇用力を失っている。実際２００５年から15年の10年間で京都市は市内での雇用が15％も減少し、他方市民の京都市外での就業者はこの間65％増加している。

要するに、ゆりかご都市のアイデアそのままに、京都で育った多くの優良企業は、本社を創業地に持ちながら、生産と研究開発の拠点を国内外に分散させ、少なくとも雇用の比率で見る限り、京都が中心ではなくなっているものが目立つのである。そしてその背景要因の一つは、京都の都心機能の衰退にあるように思える。そこで、スタートアップ企業に焦点を当てる前に、一般の事業所全体の開業、廃業について見てみよう。

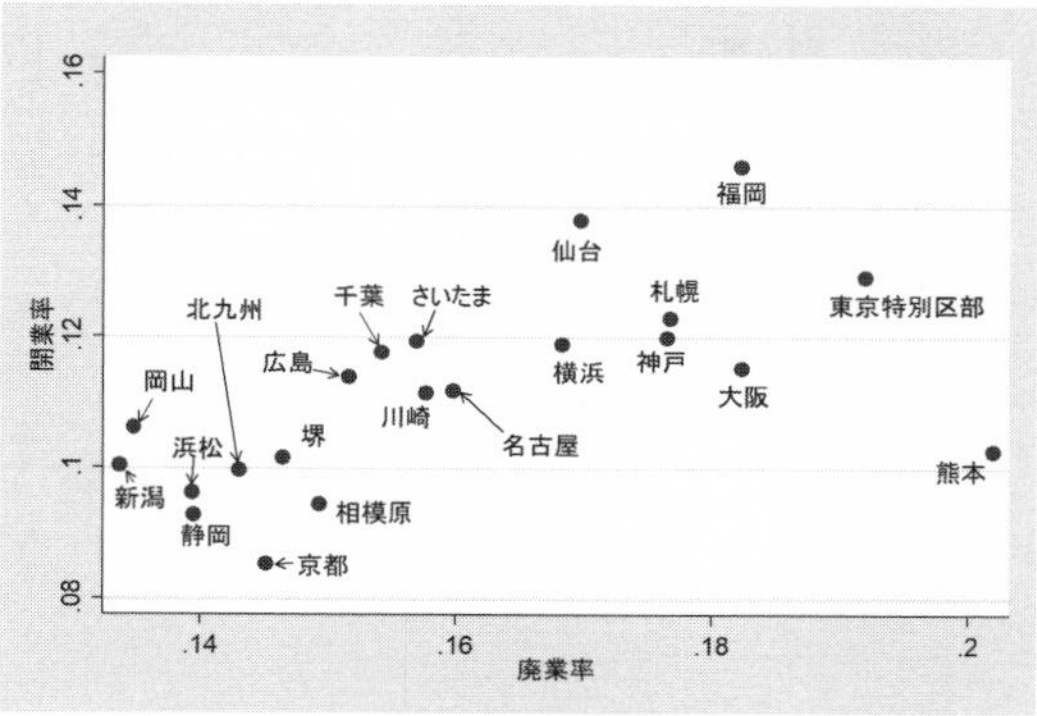

図表 4-3　主要都市の開廃業率

乏しい活力

京都は事業所の開廃業率で見ても他の政令指定都市に比べ、活力に乏しい。

図表４－３は２０１６年の経済センサスのデータであるが、ここでの開業、廃業は２０１４年調査との異同をベースとしているので、２年分の開業と廃業を年率になおしたものである。

京都市は開業率で見て、政令指定都市と東京都区部の中で最低の８・６％、最高の福岡市の14・６％に比べると６％もの格差がある。新規事業所がどの程度新たな雇用創出に貢献しているかで見ても、京都市は８・７％で最下位グループに属し、東京都区部の14・５％や福岡市の13・３％はいうまでもなく、大阪市の12・６％、神戸市の10・８％

に比べても見劣りする。また、図表4－3を見ると、開業と廃業の間には強い正の相関があることが確認できる。つまり、開業が活発な地域では廃業も多く、新陳代謝が進む。これは、地域間だけでなく、産業間でも成り立つ。京都は、概してこのような事業所の新陳代謝の鈍い地域であるといえる。

4　京都の優位

京都をゆりかご都市として位置付けようとすると、生産拠点でもなく、都心が本社機能に適した立地でもないという否定的側面から、いわば、ゆりかご都市以外に可能性がないという意味で考えるしかないというのがここまでの議論である。より積極的にゆりかご都市としての特質とその可能性を以下では考えることにしよう。そして、この側面で見ると、確かに京都は他都市に例を見ない、優れた環境条件を備えていることが分かる。

伝統技術の伝播

既に多くの文献が指摘するように、京都の製造業には伝統産業や技術をその淵源に持つものが多い。京焼が明治維新後、産業用陶器の生産を始めたことは既に述べたが、その第一の契機は、電灯普及に伴う、陶器製碍子の需要の高まりに応じるものであった。その中でも碍子メーカーとして大企業に成長したのが松風工業である。京セラの創業者稲盛和夫は、松風工業に当初勤務しながら、仲間を募って独立し、LSI用のセラミックパッケージの開発に成功した。友禅の捺染《なっせん》技術を応用して捺染用スクリーンを開発した京写や、幕末に銅版美術印刷で大成した石田旭山印刷所は、道路標識の星和電機や、半導体洗浄・製造装置のＳＣＲＥＥＮを生んでいる。また維新以降の技術輸入や京都帝大との提携に契機を持つ企業も多い。島津製作所の創業者島津源蔵は、当時京都にあった舎密局と連携しながら、医療や化学実験器具の製作を始めたし、村田製作所のセラミックコンデンサーの開発には京都大学工学部との共同研究が大きな貢献となっている。

西陣出身では、川島織物（現川島織物セルコン）が緞帳を中心とした美術織物で代表的なメーカーとして知られ、また織機から繊維機械全般に進出した村田機械がある。しかし、これらは例外で、その歴史と昭和50年代まで、京都の製造業最大の出荷額を誇った産業であることを念頭に置けば、西陣から目立った大企業が成長していないことは特筆すべき事実である。

従って、伝統産業の技術を背景とする京都企業が多いことを否定する必要はないが、それがゆりかご都市としての京都の最も重要な特質であると考えるのには疑問がある。探せば伝統産業の技術に淵源を認めることが出来るというのも、特に京都出身の企業に限定される訳ではない。京都にそのような企業が目立つとすれば、むしろそれは日本の産業革命の中心となった綿紡績やレーヨン、鉄鋼、化学などの主要産業、そして高度成長を牽引した家電や自動車などの産業が京都では育たなかったことを反映するものと考えるのが妥当であろう。これも既に多くの指摘があるところだが、京都の製造業の特徴の一つは、独自技術に支えられた強い製品競争力を持つ部品メーカーであることだ。その原型を今でも大きくは変えていない企業が多く、その販路も独力で築き上げた場合が多い。言い換えれば、いずれの企業もその分野では世界的な競争力を持つ一方、それぞれの企業は孤立している。例えば、同じ電気部品といっても村田製作所と京セラにこれといった協力関係はない。

高度成長期に日本を代表する大企業となったものの多くは、総合商社や取引銀行により育てられ大成したが、京都の製造業はそのような歴史を持たない。

技術か市場か

こう考えてくると、京都には得意ではない分野があることも見えてくる。つまり独自技術が手元にあり、それを製品化するという発想ではなく、市場の中に参入できる製品やサービス分野を見つけ、それに必要な技術やノウハウ、人材や資金を集めて企業体を作っていく、そういうプロセスで京都の企業が育つことは殆どない。それを可能にするのは大きく多様な市場に直面し、様々なプレイヤーが関わりあう場面を豊富に持つ都市と人材の集積である。東京がスタートアップ企業の輩出で圧倒的なシェアを持つのは、このように考えると自然ではある。

京都に決定的に欠けているのは、市場への道案内と協力者といった役割を持つ、VCや、証券会社などの仲介機関、そしてそれらのプレイヤーが恒常的なコンタクトを持つ場であることが分かる。その意味で注目されるのはKRP（京都リサーチパーク）である。KRPは1989年大阪ガスの工場があった五条通の南沿いの跡地に建設された複合施設で、産業の研究開発やベンチャー企業の支援を行う。創設以来増築を繰り返し、現在では18棟のビルを持ち、500社が入居する。オフィスビルの払底が、KRPの人気をもたらしたのは皮肉ではあるが、KRPは正しくこのような市場化に向けたアイデアや人材の情報をやり取りする場として当初から計画されてきたもので、京都のゆりかご都市としての最大の弱点を補いうる存在である。また、京大桂ベンチャープラザは、KRPと似ているが、より大学との連携による事業創出に力点が置かれ、事業スペースの賃貸や入居企業のサポートを行っているし、左京区の吉田キャンパスにも同様の施設がある。

更に、京都府や市はこのような間隙を埋めるべく様々な政策を積極的に投入してきた。京都市ベンチャー企業目利き委員会は、1997年以来ベンチャー企業の育成発掘のために公募によりベンチャーの提案を募り委員会での評価によりランク付けし、Aランク認定を受けた事業については資金計画から市場化に至る過程で様々な支援を行う。事業は一定の成功を収めたといえ、2020年までに、144の企業をAランクに認定し、2020年時点で計5社が上場を実現した。

日本におけるスタートアップの実績を見る限り、東京の圧倒的な優位は資金提供者、更には仲介組織の集積の力が決定的な重要性を持つことを示唆する。しかし、このような集積は東京のような巨大都市にのみ出現する訳ではない。次節ではボストンを例にとってこのことを見てゆく。

5　ボストンのカムバック

ボストンは他の米国東部の大都市と同じように1970年代から80年代にかけて長く暗いトンネルの中にあった。著者が留学生、そして若手教員として米国東部に住んだ7年間は、ボストンにとってこの長く暗いトンネルの只中にあたる。ボストンの中華街はボストンコモンのすぐ近くのダウンタウンにあるが、当時はコンバット・ゾーンと呼ばれ、麻薬の売人や売春婦、そして彼女らの女衒が町を闊歩する、昼間でさえ近寄るのを躊躇する場所であった。ボストンに限らず、東部の主要大学がある都市はいずれも多かれ少なかれ町は荒廃し、街中の歩道では常に車道に近い側を歩くことが鉄則であった。しかし、全てではないがこれらの東部主要都市は復活を遂げ、中華街も、人気エリアとなったものが目立つ。1990年代に入るとボストン市も次第に人口も回復し始め、1991年から10年以上の時間と150億ドルもの費用をかけて市は大規模な交通インフラの改良と都心再開発事業を完了して、大きな飛躍を遂げた。ボストンは京都のゆりかご都市としての能力を考えるうえで幾つか重要な示唆を与えてくれる。それをここで見てゆく。いうまでもないことだが、ボストンは全米一の大学都市である。ハーバード、MITがあるケンブリッジはチャールズ川を挟んでの隣町で、市内にもボストン大学、ノースイースタン大学、その他ボストン近郊には、ブランダイス大学、タフツ大学など多くの学生と研究者人口を抱える。また、マサチューセッツ総合病院を筆頭として、全米屈指の大病院があり、大学・病院・企業の連携によるバイオベンチャーも数多い。ボストンは大学都市であるだけでなく、歴史都市として都心部が狭隘でしかもビーコンヒルなど多くの景観保護地区があるため、再開発に多くの制約がある点でも京都と重要な類似性を持っている。

植民都市ボストン

ボストンは合衆国建国以前から移民が最初に根付いた英国植民地の中心であり、17世紀から19世紀初めまでは、東部随一の港湾都市で、貿易や造船の中心地として繁栄した。しかし、帆船から鋼鉄製の蒸気船に時代が移るにつれ、ボストンの優位は失われ、更に鉄道建設が本格化することで、19世紀半ばには交通ネットワークの中心はボストンからニューヨークに移った。ボストンにとって幸運だったのは、水運で蒸気船が圧倒する直前の時期にアイルランドを中心に移民の第二波が押し寄せ、ボストンの繊維を中心とする工業化の担い手が現れたことである。アイルランドからの移民の急増はジャガイモ飢饉と呼ばれた19世紀前半の飢饉をきっかけにするもので、Glaeser（2005）によれば、この移民の波が、あと10年でも後ろにずれていれば、欧州航路の主役は蒸気船に代わり、ボストンではなくニューヨークに移民の波は移ったとする。当時客船はまだ帆船が主体であり、ボストン航路はこの帆船時代の最後に大量のアイルランド移民を迎え入れたのである。繊維産業の勃興はボストンだけでなく、周辺の中小都市にも波及し、ボストンはその製品の集散地としても発展した。このあたりは、京都が西陣を中心とした生産地であっただけでなく、丹波、丹後など後背地の織物集散地であったことと符合する。19世紀中葉以降、アイルランドだけでなく、多くの欧州諸国から米国へ大量の移民が流入した背景には、米国での急速な製造業の成長による大きな労働需要の存在があった。

ラストベルト

しかし東部諸都市では、繊維を中心とした製造業は20世紀初頭にはピークに達し、第二次大戦後には緩やかだが長い衰退期に入った。製造業の衰退は１９７０年代まで続くボストンの相対的な地位低下を招くこととなった。１９５０年に80万を超える人口を抱えていたボストンは１９６０年には70万を切り、１９８０年には56万余にまで減少した。自動車などの他の製造業を持たないボストンは、繊維産業の衰退とともに米国の中で最も早く製造業の国際競争力の低下による影響を受けた都市となった。また Glaeser の上掲論文が強調するように、単に自動車産業が立地しなかっただけでなく、市域が狭く狭隘な道路の多いボストンは、自動車を中心とする交通網の発展には少なくとも短期的には適応が難しく、それも市の衰退の一因となったといえよう。このあたりの事情も京都とよく似ている。また、19世紀まで交通の中心であった海上交通の重要性は低下し、20世紀に入ると鉄道網も次第に道路ネットワークと自動車の普及で主役ではなくなった。この面でもボストンは他の東部諸都市と同じく痛手を受けた。

20世紀半ばの地方政治や地域社会のありようもボストンに味方しなかったといえる。ボストンは全米の中でも複雑で長期にわたる人種差別問題や、市民の間で様々な抗争対立の歴史を持つ。Southie と呼ばれるボストン南部は、映画「ディパーテッド」の舞台ともなったアイルランド系移民労働者の町で、マイノリティの生徒を白人の多い地域の学校に通わせる Busing プログラムを巡って、全米の注目を集めた抗争を展開した。市内中心部のビーコンヒルやバックベイといった地域には富裕層のタウンハウスが建ち並ぶ。アイルランド系に続いたイタリアからの移民は、市内北部を中心に、主にロシア系のユダヤ人は市の西部にと、様々な階層・人種の移民が市の異なる地域を構成した。また、ボストンは１９３０年代初頭以降一貫して民主党の市長であり、その多くが公営住宅の建設など多くの公共事業を手掛けた。このような増税・大規模公共プロジェクト路線は当然所得上位層には不評で、ボストンは富裕層が郊外都市に転出することで一層衰退に拍車をかけることとなった。

ボストンにとって幸運であったのは、低迷時期にあっても、金融や企業サービスの分野でボストンには多くの有力企業が健在だったことである。弁護士、会計士はいうまでもなく、データ分析、コンサルティングなど様々な企業サービスを提供する企業の草創期からボストンはフロントランナーであった。これが、１９８０年代初めからＩＣＴ革命に先立ち、ボストンのカムバックを支えることとなった。

都心の再開発

1990年代以降の成長の中心はICTと一体となった金融部門、先に挙げたバイオ医療でのベンチャー、更には数多くの企業向けサービス部門の企業である。経済の回復と共に都心回帰とジェントリフィケーションの波が押し寄せたが、ボストンにとっての課題は都心部が港湾に面して狭隘であること、また、中心部に歴史的な景観保護の規制が設けられているため、高層化が出来ないエリアが多いことであった。それでもボストンの都心再開発が大きな成功を収めたのには幾つか要因がある。第一に老朽化し、都心の他の地域から孤立している港湾部の再開発に力点を置き、その最も重要なプロジェクトが、都心と港湾を二分する高速道路の地下化であった。このプロジェクトの中心が都心を南北に貫く州間道路93号線の地下化であったため、建設費の大半が連邦予算により賄われたことも重要である。Big Dig といわれるこの再開発事業は米国史上、最も高価な道路プロジェクトとしても知られ、1982年に構想が始まり、当初計画では1998年には竣工、当初予算規模は28億ドルであったが、工期は遅延を繰り返し、2008年ようやく完工に漕ぎつけたものの、最終的には81億ドルの費用を要した。ボストン市の財政のみでこの Big Dig と呼ばれるプロジェクトを遂行することはとうてい不可能であったと思われる。交通インフラと並んで様々な都心再開発プロジェクトも進められた。

アイルランド移民の波が19世紀の繊維産業の成長を支えたように、90年代以降のボストンの成長は多くの専門職雇用を生み出し、大学都市ボストンの成長の原動力となっている。雇用を見ても、現代のボストンはラストベルトの都市から完全に脱却したことがわかる。教育と医療福祉が最大のシェア28％、企業向けサービス15％、商業・運輸・エネルギーが15％、金融・不動産が8％となっている。金融では Fidelity Investments と State Street という優良企業を抱え、Boston Consulting Group（BCG）をはじめとする多くのコンサルティング企業がボストンをベースにする。大規模な弁護士事務所の数はニューヨークに次ぐ規模である。ボストンは今や、全米屈指のゆりかご都市である。Florida and Mellander（2014）によれば、VCの投資額で見て、ボストン＝ケンブリッジ地域は全米でサンフランシスコ、シリコンバレーに次いで第3位となっている。

他方、ボストンの成長セクターが常に好成績を維持してきたわけではないし、また成長セクターであるが故の企業立地の変化も激しい。景観保護規制も全米屈指の厳しさで知られ、地形的な環境与件もあって、都心の土地は狭隘である。90年代以降の成長もあって、サンフランシスコなどと並び、住居費は全米主要都市のなかでも屈指の高さである。Glaeser のように、住居費の高さはボストンやサンフランシスコといった都市に対して大きな成長阻害要因になるという主張もある。

6 京都に欠けるもの

このように見てくると、ボストンの成功は京都の現状に幾つかの示唆を与えてくれるように思える。繊維を中心とした工業化の道筋はボストンと似ており、歴史都市として都心部が狭隘で発展の地理的制約要因が大きい点でも似ている。大きな違いは、金融を中心とした企業向けサービス部門の役割で、ボストンはその低迷期にあってもこれらのセクターでの地位を維持してきたが、京都は明治中期の銀行設立ラッシュから整理統合を経て、ついに地場銀行なしという状況が長期に続いた。

この差は現代の京都とボストンの違い、特に都心の集積の差の大きな原因の一つではないかと思われる。

新規企業をサポートする体制が整っていることがボストンのベンチャー企業の族生に貢献していることは間違いないだろうし、それがゆりかご都市京都にとっての最大の課題だと思える。全米で多くの学生がボストンにあこがれるのと、日本の多くの学生が京都にあこがれるのに大きな違いはないだろう。現代の京都はそれで学生を集めることには成功しているが、彼らを京都の地に留めることは出来ていない。しかし、魅力ある職があるならば京都を選びたい若者が決して少なくないだろうことは想像できる。2018年にLINEが京都に開発拠点を立ちあげた際には外国人800人以上の応募があったという。このような都市としての京都の魅力に着目して開発拠点を設ける企業が近年増加している。現代の都市は住む場所としての魅力なしに成長を遂げることは難しい。企業立地にとってさえ、そこに働く人の選好が無視できない影響を持っている。

ボストンの成功のもう一つの教訓は都市再開発、特に都心部の再開発の重要性である。ボストンは開発の対象に都心部の低利用地域、遊休している港湾施設とその周辺部を選んだことが重要ではないかと思える。京都でも、大阪ガスの工場が都心から近くにあり、その跡地に建設したことがKRP成功の要因であることは間違いない。他方、建蔽率規制がはるかに緩やかで、市が「らくなん進都」と呼んで熱心に誘致を進める竹田駅付近では依然としてオフィスや工場立地は進まない。京都高速が南北を貫き地下鉄と近鉄京都線が走り、交通の便が良いことは確かだが、竹田駅は乗換駅に過ぎず、周囲には人を引き付ける施設もない。パナソニックやLINEも京都の新しい開発拠点として選んだのは都心である。こう考えれば、京都にとっての最大の課題が都心の再開発であることはある意味自明である。幸い、住み働く場所として京都の都心は十分に潜在的な魅力を持っている。実際に人が多く移り住んでいる訳ではないにしても、多くのアンケートで住んでみたいところとして京都は常に全国のトップを争う。上で触れたＬＩＮＥの例のように、京都は多くの外国人にとっても住んでみたいと思わせる十分な魅力を持った都市であるといえる。但し、このような人気が実際の移住行動に反映されている訳ではなく、上に示したような京都の魅力も実際の求人として表れて初めて人が反応しているに過ぎない。都心の再開発の難しさについては、終章で改めて取り上げることにしよう。

ボストンとの比較でもう一点注意したいのは、ボストンでは街の中心となる社会階層が産業構造の変化と共に変わってきたことである。英国出身の初期の移住者を祖先とする Boston Brahmin は19世紀までは街の主人公であり地方政治を牛耳ったが、産業資本主義の発展と共に、新しい資本家やケネディ家のような英国以外の出身者も地方政治に現れた。ボストンが90年代以降復活を遂げるとその主人公は専門職層に移り、多くのスタートアップ企業の創業者が巨万の富を築いた。90年代以降の街の再開発やジェントリフィケーションの流れはこのような中心となる社会階層の変化と不可分である。京都はどうだろうか？　第六章で改めて考えることにしよう。

7　京都のスタートアップ企業

それでは、京都のゆりかご都市としての実績はどうであろうか？　やや専門的な分析と利用したデータの詳細は別途ウエブサイトで公開している付論に譲ることとして、ここでは、付論の分析から得られた結果の概要を中心に、その実績を紹介することにしたい。

STARTUP DBを用いた集積度と成功確率の分析（付論参照）

以下では、フォースタートアップス株式会社が提供するSTARTUP DBに掲載された企業リストを利用して得られた分析結果を紹介する。分析で利用するスタートアップ企業は全部で1万7000社余り、そのうち東京都内が本社所在地になっているものが1万1000社余りで、全体の6割以上を占める。サンプル企業の立地で最も多いのが港区（2554社）と渋谷区（2461社）であり、この2区だけで東京全体の4割以上、全国サンプルの3割を占める。ビットバレーの名で知られる渋谷区を例にとると、当然のことながら、サンプル企業間の距離も極めて近接している。各サンプル企業についてそれぞれの企業から距離の近い200社について距離の分布を求めたところ、100m以内に立地するものが平均で32社あり、300m以内だと127社余り。つまり、距離の近いもの200社を選ぶと大半が300m以内に見つかる。同じ東京都区部でも、渋谷、港、千代田、中央、新宿の5区を除いた残り18区に分布するサンプル企業について、同じように近接企業200社の分布を求めたところ、渋谷区とは大きな違いがあることが分かった。都心以外の場合、100m以内にサンプル企業があるのは平均5社程度、300m以内でも20社に満たない。渋谷区のような集積は、全国でも東京都心にのみ見られる。

このデータには、サンプル企業の「出口」、つまり株式上場など創業者利益が実現される方途についても情報があり、IPO、買収、合併、MBO（経営陣による自社株購入）、解散、及び数件の上場廃止が記録されている。これをまとめたのが図表4－4である。

「出口」の種類	件数	設立後年数		
		25%	50%	75%
IPO	623	7	10	16
MBO	31	1	4	8
上場廃止	2	9.5	15.5	21
合併	456	4	6.5	11
解散	403	3	6	9
買収	559	4	6	11.5
総数	2074	4	8	13

図表4-4　スタートアップ企業の「出口」

かねてから、日本のスタートアップ企業の「出口」がＩＰＯに限定されるといわれてきたが、STARTUP DB のデータは異なる姿を示す。買収が５５９件とほぼＩＰＯと同じ件数で記録されており、合併の４５６件を合わせると「出口」の約６割はＩＰＯ以外である。また、解散も４００件余り記録されており、中央値で比較すると、ＩＰＯまで設立後10年経過しているのに対し、合併、解散、買収のいずれもが中央値で6年程度と短い期間になっていることが分かる。更に、買収、合併、ＩＰＯのタイミングを75％値で見ると、長くても設立後15年程度で大半が何らかの「出口」に到達するといえる。

仮に、ＩＰＯ、買収及び合併をスタートアップ企業の一応の成功の指標とみなすと、地域別のサンプル企業数と「成功」した企業の比率の間には図表４－５に見るように、強い相関がある。

このように東京都区部の中でも渋谷区、港区の突出した集積ぶりが目立つうえ、集積の進んだ地域ほど、ＩＰＯや買収あるいは合併などに至り、事業として一応の成功を収めている企業の比率も高い。また、東京都心以外のサンプルに限定しても、都市ごとの企業数と「成功」比率の間には強い正の相関がみられる。他方、図では示していないが、解散の比率を同じく企業数を横軸にしてプロットしても有意な相関は認められない。

しかし、京阪神地区のサンプル企業の地図データを用いて、個別企業の立地点の周囲にどの程度他のサンプル企業やＶＣなどの投資家が存在するかを計測すると、そのように計測した集積の密度と個別企業のＩＰＯや合併に至る確率とは強い相関を持たない。改めて図表４－５の分布図を見ると、京阪神のサンプルでは大阪市でさえサンプル企業数が７００に満たず、集積度と成功確率の関係を検証するためには、渋谷区や港区のような高い集積度を持つ地点を含むサンプルが必要だと考えられる。詳細は付論に譲るが、東京都区部の１万１０００社余りのサンプル企業を対象にして、サンプル企業の集積度と先に定義した出口戦略で見た成功の確率の間の関係を検証した。具体的には、距離の指数関数で重みづけをした、それぞれの企業の周囲のサンプル企業の数と成功確率の度数分布の間には統計的に有意で強い正の相関が見られることが確認できた。

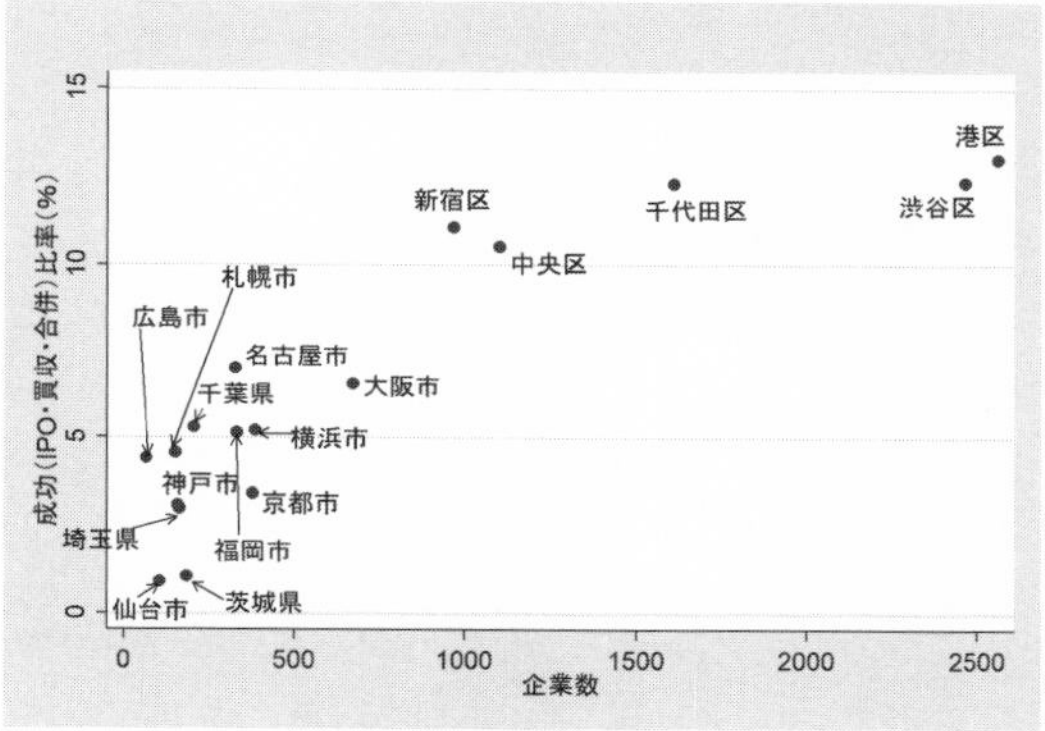

図表4-5　スタートアップ企業の「成功」比率と地域別集中度

しかしそれでも気をつけなければいけないのは、このような相関の有無と、統計的な因果関係はそもそも別物で、相関関係が強いことは一方が他方の原因であることを必ずしも意味しない。というのは、集積の程度は、あくまでもそれぞれの企業が自発的に選んだ立地選択の結果であり、集積の高い地域に立地する企業の平均成功確率が高いのは、そもそも優れた事業を行っており成功確率の高い企業が集積の高いところに立地しているだけである可能性もある。港区の最新の高層オフィスに本社を持つ企業に成功例が多いのは単に家賃が高く、そもそも事業に成功していないと立地できないという話かもしれない。また、集積度以外にも平均成功確率を高める可能性を持つ変数がある場合、集積度と成功確率の間の因果関係を同定するには集積度のみの変動がもたらす平均成功確率の変化を同定する必要がある。付論では、一般化傾向スコアという手法を用いて、集積度が企業の成功確率を高めるという統計的因果関係の推定を行った。その結果、強い留保条件付きではあるが、集積度の最も低い地点に比べて最も高い地点は、そこに立地する企業の成功確率を2%程度増加させるという推定結果を得た。ここで特に注意を喚起したいのは、強い留保条件の中でも最も重要なものとして、推定された一般化傾向スコアが「共変量のバランス条件」を満たさなかった点である。それは平たく言えば、集積度と分析に用いた立地点の適合性を示す他の指標（共変量と呼ぶ）の間で概して相関が強く、推定作業で得た一般化傾向スコアを用いて、共変量と集積度の分布を変換させた後でも、この問題を十分に克服できなかったことである。つまり、推定結果は集積度の高さのみが、成功確率を高めているとはいえないことを強く示唆するのである。

スタートアップ企業立地の3都市比較

以下では付論の空間計量分析の結果を理解するために、京都、大阪、神戸の3都市と阪神間（京都、大阪は周辺都市も含む）のスタートアップ企業の立地について、その特徴を見てゆく。

図表4－6は3都市を集中度に応じた区域に分けて、それぞれの区域でスタートアップ企業がどの程度集中して立地しているかを示す。2、3列目の数値は、それぞれのサンプル企業の周囲に他のサンプル企業がどのくらい分布しているかを示す。ロケーション間の比較をすると、予想される

地域	地域内訳	サンプル企業数	隣接スタートアップ企業		隣接投資家（1km 以内）		
			300m以内	1km以内	VC	金融機関	事業会社
京都府	京都都心	154	9.1	56.2	2.2	0.6	2.8
	KRP	41	38.1	53.1	0.0	0.0	0.5
	左京区・西京区	106	10.6	37.0	0.5	0.1	0.4
	その他の京都市	73	1.7	6.8	0.1	0.0	0.3
	京都府下	61	5.1	7.3	0.0	0.0	0.0
大阪府	大阪都心	563	17.8	119.7	2.2	2.3	8.9
	大阪市その他	92	1.7	17.0	0.3	0.2	1.1
	池田・吹田・茨木市	70	6.2	11.6	0.1	0.0	0.1
	その他大阪府	136	0.3	1.2	0.0	0.0	0.1
兵庫県	神戸都心	111	10.2	41.9	0.5	0.5	1.4
	その他神戸市	48	2.0	3.3	0.1	0.0	0.0
	阪神間	52	0.8	2.2	0.0	0.1	0.0

図表 4-6　スタートアップ企業の地域別立地

ように、絶対数においてもサンプル企業の4割以上が立地する大阪都心区とKRPの集中度が最も高い。集中度が最も低いのは大阪府下や阪神間、次いで中央区以外の神戸市である。京都のスタートアップ企業は、烏丸通沿いの都心部、KRP、京大の本部キャンパスや、西京区桂の工学部キャンパスなどにもクラスターがあり、それ以外は南西回廊に広く分散して立地するといえる。スタートアップ企業の資金調達を支えるVCや事業会社の投資家は、3都市の都心を除いては近隣に存在する数が少ないことにも留意したい。

大阪のスタートアップ企業は明確な都心集中を示しており、新大阪駅を北端、難波あたりを南端とした御堂筋が中心であり、西は四つ橋筋、東は堺筋で形成される長方形にきれいに収まる。3都市のサンプルの中では、近隣の投資家の数も一番多いのがこの地域である。もう一つの特徴は、大阪大学の吹田と豊中キャンパスがある、吹田市と豊中市、更には茨木市には大学関連とバイオ・医療・創薬を中心とする「彩都」などのクラスターがあるが、大阪都心の集積に比べると規模は小さい。神戸及び阪神間では、神戸市中央区にクラスターがあるが、その中心三宮だけでなく、湾岸埋立地であるポートアイランドの理化学研究所分館の周辺にもスタートアップ企業の集積がある。気をつけなければいけないのは、本節の最初で触れた東京都心の集積と比較すれば、大阪都心でさえ、ようやく都心以外の東京都区部の集積度に該当する程度に過ぎないことである。

続く図表4－7と4－8は、3都市それぞれについて、企業間の直線距離を求め、その分布から企業の集積の特徴を捉えたものである。図表4－7は3都市に本社のある上場企業の、図表4－8は、STARTUP DB に掲載されたスタートアップ企業の距離分布である。最初の図で気づくことは、上場企業間の距離が短いものが大阪で比率が高く、1㎞強あたりで分布はピークを迎え、なだらかに右下がりである。それに対し、京都の上場企業の距離分布のピークはずっと右側、4㎞程度のところにあり、京都企業では集積度が低く、より分散していることが分かる。この点は既に2節で確かめた通りである。一方神戸の上場企業距離は、1㎞未満と3㎞程度の二つの分布のピークがある。上に述べた、三宮エリアとポートアイランドという二つの地域への集積を反映するものである。これら上場企業間の距離分布を念頭に、図表4－8でサンプル企業間の距離分布を見ると、大阪ではサンプル企業と上場企業の距離分布は非常によく似ており、いずれも都心への集積を反映する。京都の場合サンプル企業の距離分布は、上場企業より距離の短いところにピークがあり、上場企業以上に集中が見られる一方、より距離が長いところに複数の小さなピークが現れ、上場企業以上に複数の小さなクラスターがあることを反映している。神戸の場合は二極構造がより明確に表れる。

STARTUP DB の評価額

設立10年以内で、企業価値10億ドル以上のものをユニコーンと呼ぶ。未上場の企業が大半の場合、株式市場での企業価値のデータをそのまま利用できるのはごく一部の企業であるが、STARTUP DB

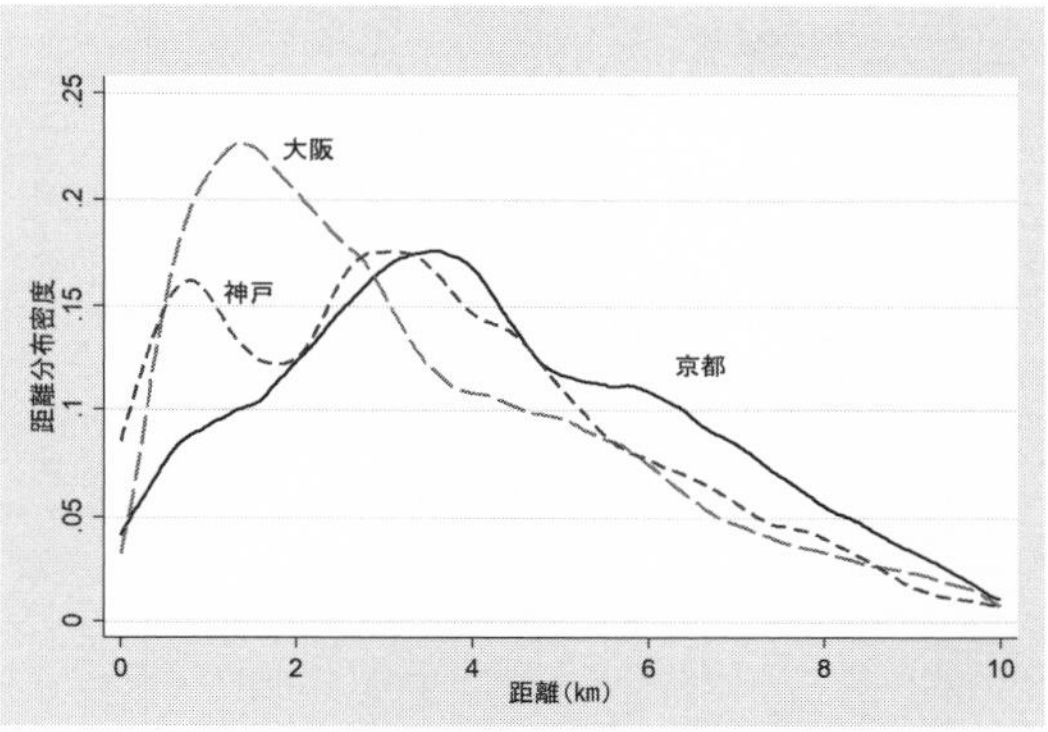

図表 4-7　上場企業間の距離分布

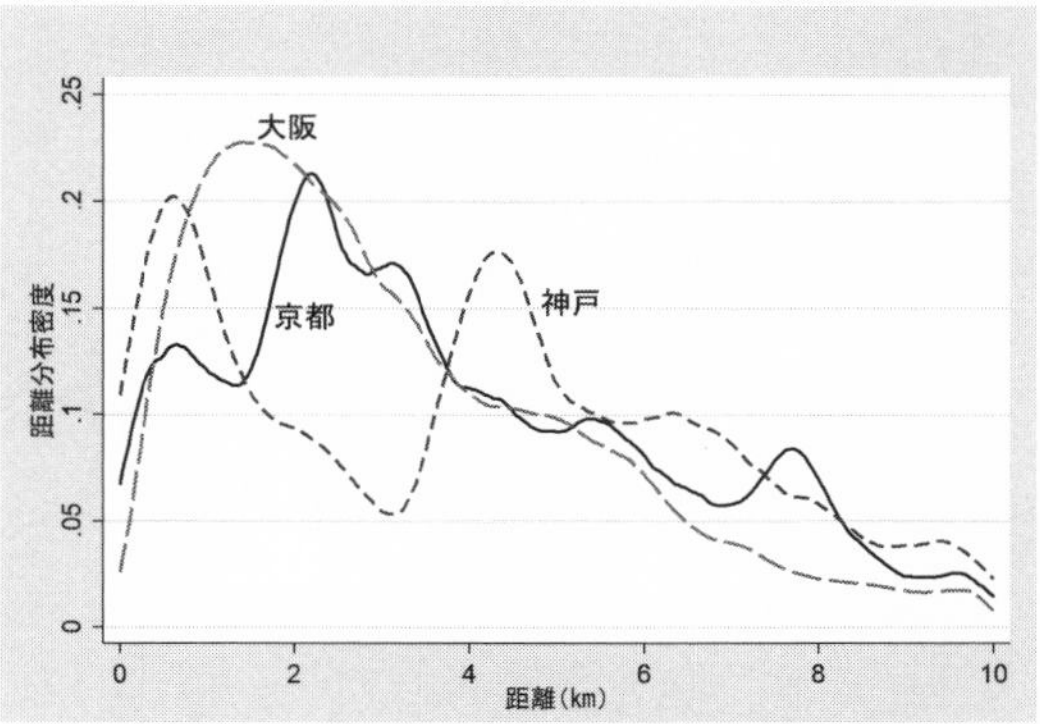

図表 4-8　スタートアップ企業間の距離分布

千代田区	36	その他東京都	29
中央区	79	横浜市	8
港区	23	京都市	10
渋谷区	42	大阪市	5
新宿区	15	福岡市	4
品川区	17	その他	23
		合計	291

図表 4-9　評価額100億円以上のサンプル企業数

は登記簿をベースに推計した企業価値の評価額を一部のサンプル企業（全体の約2割、３４５９社分）について公表している。これを利用して、ユニコーン基準より範囲を広くとって、評価額１００億円以上の企業をリストアップしたところ表４－９のようになった。

合計で２９１社が、評価額１００億円以上であるが、予想通り東京都心に立地する企業が大部分を占める。東京都全体で２４１社がリストに入る。予想外の善戦といえるのが京都市にある企業で、そのサンプル企業総計は３７９と全体の２％強に過ぎないが、計10社がこのリストに含まれリスト全体の２９１社の３％強を占める。東京都以外でリストに入った企業の総計が50に過ぎないので、京都市のスタートアップは相対的に有望なものが多いといえそうである。

図表４－10は京都市内に本社を置く、評価額１００億円以上のサンプル企業リストであるが、２位のｉＰＳ細胞関連事業を始め、５社が京大発あるいは京大関連の事業である。また5位は市内に本社があるが「けいはんな」地域に主たる設備を持っている。ＫＲＰ本社が1社あり、残る3社が都心に本社を持つ。予想されたように、バイオ、創薬など独自技術を持つ企業や大学発ベンチャーの活躍が目立ち、ＩＣＴ関連の比重は小さい。

スタートアップ企業の立地分析要約（付論参照）

以下では付論で展開されている空間計量分析の概要とその結果をまとめる。付論ではスタートアップ企業の立地とパフォーマンスに資する環境与件について分析した。環境与件とスタートアップの立地やパフォーマンスの関係は、この分野ではスタートアップのエコシステムと呼ばれる。分析では、具体的にはカウントモデルと呼ばれる、ある地域内に対象となる企業がどの程度分布しているか、その数を説明する回帰モデルや、サンプル企業のパフォーマンスと立地要因の関連を示すモデルを推定した。

順位	事業内容	評価額（百万円）	従業員数
1	コンパイラ、通信、ネットセキュリティ	40080	4
2	iPS細胞を利用した血小板製剤	18196	12
3	京大ベンチャー　EVメーカー	15109	15
4	京大ベンチャー　パワー半導体	14422	56
5	植物工場事業のグローバル展開	13890	190
6	流通小売DX支援	13220	114
7	法人営業支援企業情報データベース・次世代型検索エンジン開発	12520	124
8	京大ベンチャー次世代自動車の開発販売及び　環境対応型インフラサービスの提供	11275	5
9	KRP、創薬	10857	27
10	京大ベンチャー、陸上養殖	10068	36

図表4-10　京都のサンプル企業評価額上位10社

カウントモデルの分析では国勢調査などに利用されている５００ｍメッシュ内に立地するサンプル企業数を説明した。その結果、スタートアップ企業の立地は、概して既存企業の立地環境を踏襲しており、都心の企業集積を特徴づける指標が説明力を持つことが示された。特に、ＮＴＴタウンページに現れる企業向けサービス電話番号数、同じく消費者向けサービス電話番号数、最寄り鉄道駅からの距離といった指標が統計的に有意な説明力を持つことが分かった。そもそも、スタートアップの立地が極端に東京都心に集中していることを想起すれば、スタートアップ企業は既存企業以上に都心立地であることに驚きはない。他方、メッシュ内の民間や大学の研究施設数や、情報通信業従業者比率といった変数も高い説明力を持ち、これらは予想されたようにスタートアップ企業にとっての研究開発の重要性、スタートアップ企業の多くが情報通信業種に関連が深い、といった特徴と整合的である。

推定結果に従えば、京都のゆりかご都市としての特徴は、KRPに代表されるスタートアップ企業を育む施設の充実度、京大キャンパスを中心とする大学発スタートアップ、そして南西回廊といった都心以外のエリアで多くの創業機会とシードを生む環境条件に恵まれていることにあるといえる。

ただ、大学キャンパスを軸にサイエンスパークなどのスタートアップ向けの施設や企業のR&D関連施設を立地させる例は日本国内でも数多い。単に大学を核とするこのような施設があることがどれほどの効果を持つか、疑問視する向きもあろう。それでも京都の場合は、バイオテクノロジー関連を中心に注目すべきスタートアップが集積しつつあることは間違いない。Zucker, Darby and Brewer (1998) は、単に関連する分野の研究を行う大学が近くにあるだけでなく、カギとなるのはスターサイエンティスト、つまり、際立った業績を上げた学者の存在こそがスタートアップ立地にとって重要であることを示した。京都はこのようなスターに恵まれている。医療生化学分野では、2018年ノーベル生理学医学賞を受賞した本庶佑《ほんじょたすく》京大名誉教授は、小野薬品との共同研究により免疫チェックポイント阻害剤のニボルマブ（商品名オプジーボ）の開発に成功しており、更に、京大山中伸弥教授によるiPS細胞の事業化は、様々な研究機関や企業との提携事業に発展している。

STARTUP DB のデータを検証する限り、3都市のスタートアップ企業の成功と、スタートアップ企業の地理的集積の間に強い相関関係は認められない。東京都のサンプルを用いた場合に有意な相関が集積度と成功確率の間に見られるのとは対照的な結果である。また、そこでも強調したように、相関関係の有無と統計的な因果関係の成否は別物であり、スタートアップ企業を考える場合、特にこの二つを厳密に区別することが重要であることを考慮すれば、京阪神のサンプルを対象とする限り地理的集積をスタートアップ成功の要因とする仮説を支持する強い証拠は見つけることが出来ない。

他方、スタートアップ企業がどのような立地を選ぶかについては、上にも述べたように全体的な姿はかなり明確になったといえる。スタートアップ企業が一般の企業とその立地において異なるのは、予想していたように、大学や民間の研究機関との近接性で、そこに京都は少なくとも大阪・神戸に比べて強みを持つことも明らかになった。やや楽観的な見通しを述べれば、その限りで、京都のスタートアップ企業から大きな成功を収める企業が出現してもおかしくはない。

8　まとめ

大学などの研究機関の充実、多様な人材と特徴ある技術の蓄積など、京都はゆりかご都市としての特性を確かに持っている。ベンチャー企業から出発した多くの優良製造業を輩出していることが何よりも重要な証左であるが、大学などの研究施設の集中やＫＲＰの存在、更には南西回廊にある多くのＴＥＣ系企業の存在が、スタートアップ企業の立地を促進するといえる。つまり、京都は新しい技術に根差した新規事業の揺籃の地としての特性を持つ。一方、ＶＣ、Ｍ＆Ａ仲介、ＩＰＯを受け持つ証券会社といった新規企業の育成をサポートする機能で京都は後れをとる。市はそれを補強する様々な政策に取り組んできており、一定の成果もあげている。しかし、決定的に不足するのはこのような機能を重層的に担う民間セクターの集積であり、それが実現される見込みは大きくない。それを反映して、スタートアップ企業の立地分析は、京都が規模の小さい複数のクラスターを持つ特徴を浮き彫りにした。京都の都心が多くのスタートアップ企業にとって魅力に欠けることの裏返しでもある。

スタートアップ企業の大半は成功せず市場から消え去る。しかし、数少ない成功企業の中から、今日のＩＣＴ社会の中核を形成する企業が出現したことも事実であり、その一角にさえ、日本企業で名を連ねるものはない。スタートアップ企業がどのようにクラスターを形成するかについては、凡その姿は明らかになった。他方、多くのスタートアップ企業が集積することが、その中から成功者を生むことに貢献しているかは不明である。ＶＣの収益の源泉となる投資案件の僅か数％の「ホームラン」企業こそ、社会がスタートアップ企業に注目し資源を投入する最大の理由であり、砂浜から砂金を見つけ出す、より正確には砂に埋もれた金のような存在を生み出すメカニズムこそ京都に限らず、日本全体が求めてやまないものであろう。

スタートアップ企業の殆どが失敗に終わることから、スタートアップ企業の数が必要なのは自明である。その中から有力な候補が選ばれ、資金提供、経営参画、アドヴァイスなどの育成・援助が行われる。その中核となるのはＶＣやインキュベーターと呼ばれる技術やアイデアの萌芽を市場化に導くためのパイプレイヤー、更にはこれらの参加者が日常的な情報交換と交渉、共同作業を行うネットワークである。集積がスタートアップ企業の成功に欠かせないと考えるのは、このようなネットワークなしには、有力なスタートアップ企業が発見され資金が供給されるというプロセスが稼働しないと考えられるからだ。

集積がスタートアップの成功に果す役割について、重要なのはその地理的範囲をどのように捉えるべきか、という点だ。シリコンバレーといったような都市単位の広がりで考えるべきか、あるいは、ニューヨークのマジソン街（広告代理店の世界最大の集積地）といったより狭い地理的空間を対象とすべきなのか、更には地理的空間ではなく、ネット上の多くの専門職ネットワークのような認知空間での近接性なのか、集積の利益を考える際の地理的スケールの同定こそがカギと考えられる。パテントなどのデータを利用した多くの実証研究は、企業間の情報伝播や技術移転について、その地理的範囲がせいぜい数km内に収まることを示唆する。ＤＰ論文の主張する、ゆりかご都市の多様性をこの文脈で考えるならば、やはり想定される地理的範囲は、都市あるいは区程度の広がりで集積を捉えるべきだという議論も成り立ちそうである。図表４－５からは、都市あるいは区レベルで捉えると、集積度とスタートアップ企業の成功の間には強い相関がみられる。付論の分析結果もほぼこれに符合して周囲５km程度の範囲に分布する企業数で測った集積度が、スタートアップ企業の成功と最も強い正の相関を持ち、一定の条件下では、この相関は集積度から成功確率への統計的因果関係を示すと考えることが出来る。仮にこれが「ゆりかご都市」の適性を示すものだと考えるべきだとすれば東京都心以外に立地するスタートアップ企業は大きなハンディキャップを背負うものだと考えざるをえない。

第五章　住む町京都

1　郊外のない大都市

関東大震災の後、関西に移住した谷崎潤一郎は神戸、芦屋など阪神間の様々な町で暮らしたが、京都もしばしば訪れて、古い町並みを散策しながら、彼が生まれた東京日本橋の関東大震災以前の姿を懐かしがったといわれる（戦後、短期間ではあるが京都市内にも住んだ）。谷崎の代表作の一つ、『細雪』は大阪船場《せんば》の商家に生まれた四姉妹の人生を辿る長編小説であり、戦前の阪神間の文化を色濃く伝える。大阪の裕福な商人は生業を生まれ育った船場や島之内といった大阪の中心部で継ぎながら、やがて住まいを阪神間に求め、本家は大阪市内に残しつつ、家族は芦屋や西宮の新興住宅地の住まいに移る。『細雪』の主人公たちはお隣の神戸で洋食を楽しみ、宝塚に歌劇を見に行くが、京都に行くのは年に一回、花見の一泊旅行である。

大正から昭和初期の大阪と神戸の産業都市としての発展は、阪神間という郊外地域と、そこに住む住民たちの新しい生活スタイルをもたらした。もちろん、東京の発展も同じような郊外都市と郊外の生活スタイルを生んだ。田園調布や、中央線沿線の諸都市に阪神間と同じような住民構成と生活スタイルを見出すことが出来る。また、阪神間であれば六甲山、首都圏であれば軽井沢といった避暑地も発展した。

他方、井上章一によれば、京都市中の住民が避暑地に出かけることは阪神間の住民のようには一般的ではなかったようである。酷暑の大阪を更に上回る蒸し暑い真夏の京都で涼を求めるのは、鴨川沿いの「床」か、せいぜい頑張って貴船まで足を延ばして納涼床での宴席である。

そして京都には、他の主要都市には必ず周辺にある「郊外」がない、といえばそれは極論に過ぎるが、例えば、東京における武蔵野市、大阪における箕面市や阪神間の芦屋・西宮・宝塚といった位置づけになる都市はない。強いて言えば、地理的には城陽市、八幡市、向日市や長岡京市、宇治市あたりがそれに該当するが、このあと触れるように、これらの都市と京都中心部の関係は少し意味が異なる。また市内では、1970年代に洛西と向島《むかいじま》で大規模な住宅地開発が行われたが、他の主要都市に比べ開発のタイミングは遅れた。それにはすぐに気が付く二つの要因がある。第一は、地域的に見て郊外住宅地の開発が進むはずであった地域が様々な要因により、開発が抑制ないしは禁止されたからである。第二は、郊外の発達に必要となる交通インフラの整備が遅れたことである。

しかし、このような違いと並んで重要なのは郊外に住み都心に通勤するという生活スタイルが京都では普遍的なものにならなかったことであり、それが住む町としての京都を特徴づけている。『京都まみれ』(朝日新書 2020)で井上は、京都の町衆が、大阪の富商のように郊外に居住地を求めなかったのは「町衆を市内につなぎとめておく、文化的な凝集力」(215頁)があったと記している。この章では、郊外の生活スタイルが京都では長い間馴染のないものであったことの背景となる要因を探りたい。

2　郊外の形成

そこで多少回り道になるが、京都の都市形成を取り上げる前に、都市がどのように生成され、郊外地域が周辺に形成されてゆくのか、都市経済学が提供する基本的な説明をここでおさらいしておく。（なお、ウエブ上で公開している付論ではこの節の議論をより系統立てて展開して、日本の主要都市の特徴づけと、その中での京都の位置づけを行っている）

集積の利益

都市集積の根源的な要因はその生産性の高さ、集積の利益にある。集積の利益が生じる背景には幾つか異なる要因があるが、ここではその区別を気にすることなく、都市集積には外部的な（つまり個別企業や個人にとっては所与で、自身の行動によって変化しない）規模の経済性があることを確認しておこう。つまり、企業が集積すればするほど、働く人が集中すればするほど、立地する企業や働く人の生産性が高くなる。そしてこの生産性の高さこそ、都心に人と企業を引き付ける求心力の根源である。

生産性の高さに抗して集積の拡大を妨げる力が働かないと、都市は無限に集積を大きくするはずであるから、それに拮抗する何らかの遠心力が働いているはずである。その遠心力とは、集積の高まりにより発生する広義の混雑現象である。都心に人口や企業が集中することの必然的な結果の第一は、地代やオフィスなどの賃貸料の高騰であり、これが企業や人が都心から周辺部に立地や居住地を移す最大の要因である。混雑現象を避けることで、住環境も周辺部の方が良くなる傾向もある。

ベッドタウンとしての郊外を考えるならば、都市の周辺部は都心部からより遠い地域に比べて通勤が容易でその費用も高くないので、都心に仕事を持つ個人は郊外に住居を構える。都心から延びる道路や鉄道網が発展するに従い、郊外でもとりわけ利便性に優れた立地で宅地開発が進み、やがて生活に必要な小売り集積や個人向けサービスの拠点が立地することで郊外都市が形成される。

周辺部に立地するのはこのようなベッドタウンであるとは限らない。都心部の高い生産性に対応して、地代やオフィスの賃貸料も都心が一番高く、都心から遠ざかるにつれて低くなる。周辺部に企業立地が進む誘因の一つとなる。更には企業が進出する際には生産物市場での競争や労働市場でも地域間の差異が存在することを考慮して都心を避ける可能性もある。

求心力と遠心力

都市の集積がどこにどのような規模で見られるかは、都市集積に働く求心力つまり集積の利益と、遠心力、集積に伴う費用のバランスで決まる。集積に伴う費用は、交通混雑のように物理的なものもあれば、競合企業が集中することで競争が激化して企業の利益を押し下げるといった市場を経由するものもある。この二つの力は、都市内での都心と郊外の関係に作用するが、より広域の都市と都市の間の拮抗、都市間競争にも重要である。新幹線や高速道路網の発展は、地域間の長距離移動の時間を劇的に短縮して、高度成長下の都市への集中を加速しただけではなく、都市間の競争も激化させた。交通費用の減少は、都市集積の利益がもたらす吸引力をより遠くの地域にまで広げると同時に、それまで地理的距離により分割されていた市場を統合することで、競争激化ももたらした。

他方、同じ交通網の発達は都市内での構造変化をもたらす。つまり都心から郊外への人口分散である。都心と郊外を結ぶ地域の道路網や地下鉄などの鉄道網の充実により通勤の時間費用は節約され、より遠い郊外から都心への通勤移動を可能にする。地域内交通の発達は、新幹線網のような地域間の交通費用の低下が都市への集中をもたらしたのとは逆に、都市内では人口分散をもたらす。

誰が都心に住むか?

都心と郊外の形成においては、住民の間の所得や職業の違いにより、その選択に違いが出来ることも重要である。都心から郊外に向けて地価は安くなる一方、都心までの距離は長く、通勤時間も長くなる。通勤時間の長さは、時間の機会費用が高い、つまりより高所得の住民にとってより強いマイナス要因となるから、都心ほど高所得の住民が住むというパターンが考えられる。一方、公害や犯罪などに悩まされず、広い敷地の上により大きな住まいが建てられる郊外こそ、より高い通勤費用を負担することが出来る高所得層の選択肢となる可能性もある。同じような異質性がもたらす立地選択の様々な可能性は、事業所の場合にももちろん成り立つ。このような企業と個人の異質性まで考慮した、居住地や立地の意思決定を模型化した分析は本論の射程から大きく逸脱するので、ここでは都心と郊外の関係についていくつかのポイントを指摘するにとどめたい。(興味のある読者は例えば Fujita and Thisse [2002] 第7章を参照されたい)

第一に、ベッドタウンとして郊外が発展するか、あるいは第二の産業集積として郊外が発展するかは、歴史的・地理的要因に大きく依存する。例えば、大正から昭和初期の大阪では、製造業の集積は都心に近いエリアから次第に大阪湾沿いに延びていったが、内陸部での立地は不利であり、結果として、ベッドタウンとしての郊外は北部の内陸側に発展し、南西方向に延びる大阪湾岸は紡績などを中心とした製造業集積とそこに勤める工員たちの居住エリアが混在する形になった。また、阪神間の郊外都市としての発展には、小林一三という稀有な才覚を持った企業家が編み出した、沿線文化と住宅開発の直接的な効果も無視できないであろう。六甲を背に緑豊かな住宅地が広がる阪神間を作り出したのは、地理的条件もさることながら、阪急を始めとする私鉄ネットワークの形成を可能にした企業家たちの存在も大きいといえる。

1970年代のアメリカでは、大都市から富裕層が郊外に逃避する現象が広汎に見られたが、その潮流はやがて逆転し、都心部には新しい専門職階層が住むようになった。かといって都心部から低所得者層がいなくなったわけではない。だれが都心に住み、だれが郊外に居を構えるかは時代や都市の変化に敏感に反応し、そのダイナミズムは複雑である。昭和初期の阪神間に見られるように、郊外都市の発展は、新しい都市中間層の出現と軌を一にして、都市の生活スタイルや文化にも新しい要素を加えるものとなった。それを物的に支える鉄道や自動車輸送、ショッピングや外食、エンターテインメントの諸施設などの充実がこのようなライフスタイルを可能にした。郊外のみならず都市は全体として、次第に働く場所から、生活し消費する場に性格を変えたのである。

いうまでもなく、郊外の発展は、都心部の既存街区の変化と一体となって進む。都心部から郊外への移住が進むにつれ都心部は次第に企業集積の中心となり、建築物は高層化し、都心の機能純化が進むことになる。これらの都心高度化の波は、時には西新宿のような大規模再開発プロジェクトや、戦前期の首都圏や阪神圏での私鉄路線の延伸と開発事業が直接的な契機になることもある。しかし、より根源的には事業所の新設や既存事業所の拡大といった事業所用地やオフィススペースの需要拡大があり、それと共に都市部への人口流入が背景要因としてある。言い換えれば、このような都心高度化と郊外の発展が持続するためには、都心部の集積の利益が増大を続け、都心部地価の高騰を背景に郊外への人口分散が続かなければならない。そして、都心の高度化は、産業都市の時期に建設された工場や倉庫、港湾設備の閉鎖や移転を伴い、そこにジェントリフィケーションの波を呼び起こす。専門職層を中心とする高所得者層の回帰が、都心の住む町としての新しい姿を生み出す。いうまでもなく、このような都心と郊外の連結した変化には都市と郊外を結ぶ交通インフラの発展が不可欠である。

従って京都の都心と周辺域の関係を考える場合、カギとなるのは人と企業組織に働く求心力・遠心力の拮抗に関わる要因がどのように働くかで、その強度や相互依存の関係を見てゆくことになる。

3　郊外形成の地理的要因

風致地区の設定

本章の冒頭で触れたように、京都を住む町として捉えた場合の大きな特徴が都心部と周辺との間の関係であり、それには幾つかの背景要因が重なっている。京都で郊外が発展しなかったとすれば、第一に考えられる理由は簡単である。

京都の地理的要件から考えれば最も自然な郊外住宅地の候補地は、東、北、西に市内を囲むように続く丘陵地帯であるが、１９３０年に始まり、その殆どが風致地区指定を受け、更に「古都保存法」制定（１９６６年）により歴史的風土保存地区が、丘陵地帯の山裾を囲むように指定され、これらの丘陵地帯では郊外住宅地の大規模開発が事実上不可能となった（図表５－１）。全国に先駆けてこのような景観保護を行ったことで、狭い盆地にありながら、空が開け青々とした山稜が町を包み込む独特の景観が今でも保存されていて、京都の町の魅力の重要部分を司っている。

風致地区指定が住宅地開発に強い抑止力を持ったことは間違いない。現在、約1万7943ヘクタール（京都市の面積の約20％、都市計画区域に占める比率は37％に該当する）を風致地区指定しているほか、特にきめ細やかな規制が必要となる地域として62か所の特別修景地域を指定している。京都市はさらに、これら風致地区となる低山の山裾部分の保存にも尽力した。上に述べた古都保存法に基づく京都市歴史的風土保存地区がそれである。そのため、東山、北山に沿った山裾部分の住宅地としての発展は大きく制約されることになった。京都市にとっての郊外住宅地の大規模開発可能地域は、南山城平野に至る市の南部と、指定から外れた西山の南部に限定されることとなった。景観保護政策の変遷とその影響については、第六章で改めてとりあげる。

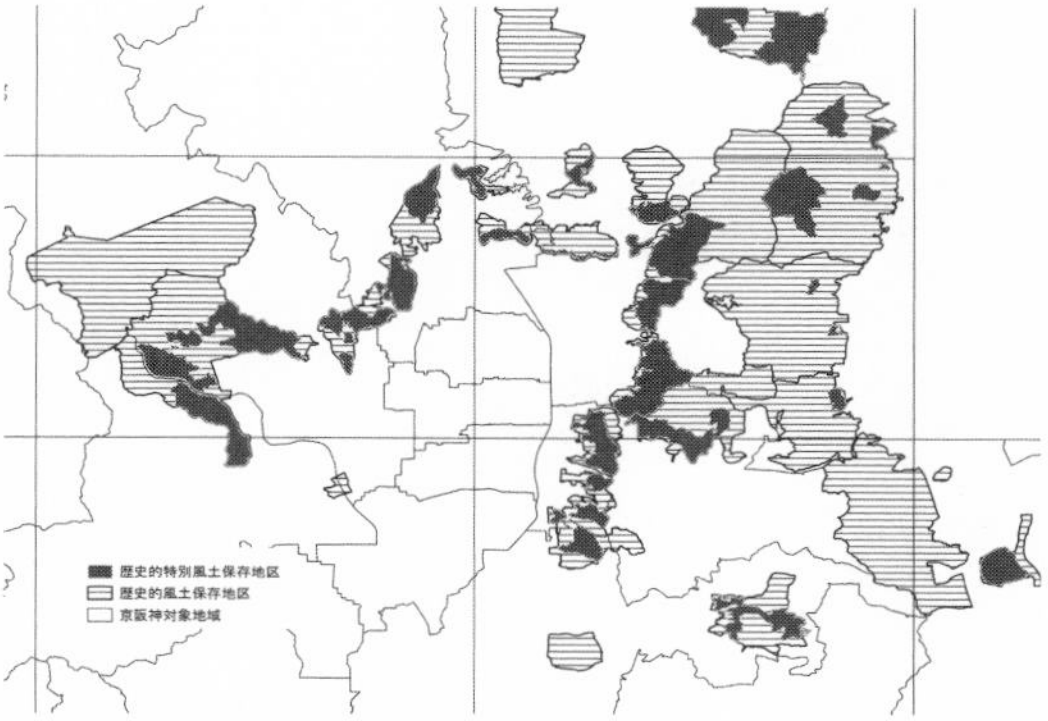

図表5-1　京都市街を取り囲む風致地区
横線［黒塗り］が歴史的［特別］風土保存地区

南西部の開発　巨椋池の干拓

そこで、次に南部に目をむけると、開発の画期となるのは巨椋池の干拓である。巨椋池は現在の伏見区、久御山町、宇治市にまたがる8㎢の面積を持つ水深の浅い湖で、北から（保津川と鴨川が合流した）桂川、南から木津川、東からは宇治川が集まり低湿地帯を形成し、その中心部が湖となっていた。そして巨椋池から流れ出る形でこれらの川は淀川となり大阪湾に注いでいた。これら3川の氾濫による水害は秀吉の時代から大きな問題となっており、明治以降本格的な治水事業が行われ、宇治川には新水路が作られ、3川の合流地点は下流へと移転され、巨椋池は宇治川と切り離された独立した湖となった。しかし、独立湖となり、水の循環を失った巨椋池に、周辺から生活排水や農業排水が流れ込むことで、水質が急激に悪化し始め、底に溜まった汚泥によって、蚊が大量発生し、マラリアまで発生した。そこで、昭和に入り、干拓事業が開始され、1941年に完了、1948年には、全ての干拓田の払い下げが完了した。結果として干拓地は全て農地となり農業用水が敷かれ、南部の郊外住宅地として最大の候補地はほぼ消失した。

三大事業以降の町の姿

最初に京都が郊外を持たないまま、都市として発展したと述べたが、それはもちろん極論に過ぎる。京都の近代化の道筋の中で、市内で郊外住宅地の建設がなかった訳ではない。特に、外郭道路拡築事業に沿った地域では区画整理事業も実施され、現在の北区や右京区の一部、更には左京区の鴨川以東の地域には幾つかのまとまった郊外住宅の開発が行われた。

昭和初年以降、高度成長期までの京都における郊外の中心は、上に述べた現在の左京区と北区の一部にあり、北白川や下鴨は多くの専門職や教員を中心とする階層が住む地域となった。実際、Kirimura（2009）の1965年時点でのSOM（自己組織化）地図を見ると、鴨川以東の北東部こそ、京都の最大の郊外住宅地であったことが分かる。それに対し、市の南西部にはブルーカラー中心の小規模世帯が居住しており、都心部の大規模自営と職人層（グレーカラー）と並んでこの三つのグループが京都の町の住民構成から捉えた主要な特徴を形成した。そして、１９３１年に合併された伏見区は、この時点では独立した地域を形成し、大手筋を中心とした江戸以来の街道・港町の特徴を色濃く残すものであった。

言い換えれば、高度成長の波が本格化するまでの京都は、三大事業完結後の区画整理事業がもたらした北東部の郊外住宅地を併せて、都市としての完成した姿を持っていたといえよう。それでも上野（2019）の整理によれば、昭和初期の拡大期に実施された区画整理事業においては、「南西部では市街地化の進行、地権者の多さから、（住民らによる）組合結成には至らず、多くの地区が市代執行で実施され、（中略）工場のほか商店、住宅などの立地する混在地域へと変容していった」。既に、第三章でも見たように南西部で昭和初期に新たに市域に編入した地域は税負担の軽い地域へ流入した工場労働者が多く住み、多くの簡易住宅が建設されていた。その意味でも北白川などの住宅地開発と同様の郊外建設は望むべくもなく、１９６５年の町の姿は、編入市域の中でも北東部と南西部の際立った違いを示すものであった。

4　京都の都心と郊外

上で述べたように高度成長期を迎える頃、京都は一口で言えば、三つの地域から構成されていたといえる。室町と西陣を抱える都心、北東部の大学や郊外住宅の集まる地域、そして南西部に広がる住商工混在地域である。

行政区別人口成長			
	期間人口増加率（%）		
	1956～1975年	1976～1995年	1996～2019年
京都市計	19.0	0.1	0.2
北区	15.7	-7.6	-6.6
上京区	-25.7	-21.0	0.5
左京区	11.7	-8.3	-2.3
中京区	-30.3	-17.8	19.7
東山区	47.1	-28.0	-21.8
山科区		5.4	-1.9
下京区	-30.5	-26.3	15.5
南区	11.1	-3.4	2.1
右京区	114.6	3.3	2.8
西京区		62.0	-1.3
伏見区	84.4	19.4	-2.8

図表 5-2　行政区別の人口成長

戦後、これらの地域はどのように変化を遂げたか、まず人口成長からふりかえってみよう。人口成長について、三つの期間に区切って見たのが図表５－２である。最初の20年間は高度成長期にあたる。この期間では都心の人口減少が著しく、上・中・下京はいずれもこの期間で25～30%の人口減少となった。他方、南部と南西部の区では、人口増加は都心の減少速度を上回り、現在の西京区を含む右京区（西京区は１９７６年右京区から分区）で人口は２倍以上になり、伏見区でも80%以上増加、現在の山科区を含む東山区で50%近く人口が増加した。既存の住宅地である北区と左京区でも緩やかな人口増が見られた。全体として京都市の人口は20%弱の増加をみて、期間の終わりには１４６万とほぼピーク人口に達した。１９５６年に比して23万人の増加である。

続く、第二期の１９９５年までの20年間で、南部と西部の人口増加は鈍化したものの、それでも西京区が62%、伏見区が19%の増加を見た。他方、都心の人口減少は高度成長期に比べて鈍化したものの、都心３区と東山区では18～28%の減少となった。最後の期間、バブル崩壊後今日までの25年間では、都心以外の殆どの区が微減傾向に転じた。都心３区は上にも見たように、この第三期初め頃に人口減少から緩やかな回復に転じたが、上京区はほぼ横ばいで、人口回復は中京区と下京区に限定された。また東山区の人口減少は続いている。

図表5－3では、先に述べた人口動態のパターンを参考に、市を三つの地域に分けて、それぞれの地域人口比率の変化をまとめている。第一のグループは都心3区に南区を加えたもので、いずれも高度成長期に人口減少を経験し（但し南区は60年代後半以降）、今世紀の初めころから増加に転じた地域である。第二は、市の北東部と南東部のエリアで比較的早くから郊外住宅地として人口増加を経験したものの高度成長期の終わり頃にはピークに達し、その後減少を続ける地域である。最後のグループは南部・西部の地域で最後に人口増加を経験し、今世紀の初めころにピークを迎えた地域である。図を見ると、大まかにいえば人口シェアの大きな変化は高度成長期の期間中に起こり、しかもその変化は大半が第一のグループの減少と第三グループの増加であり、第二のグループのシェアの変化は緩やかである。

人口成長に関するここまでの分析をまとめれば、都心から郊外への流れは京都では北部の既存郊外住宅地の人口増によってではなく、伏見と右京・西京を中心とした新しい住商工混在地域への人口移動によりもたらされたといえよう。そしてこの人口移動は１９９０年代前半にはほぼ完了

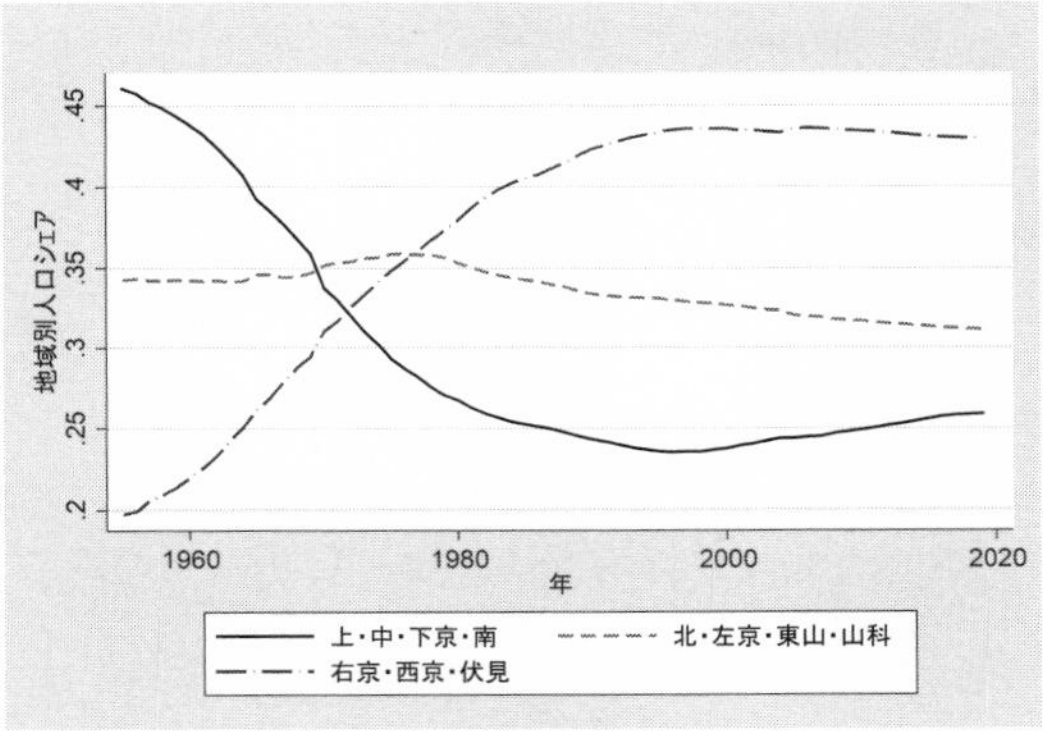

図表5-3　人口比率の推移

した。

振り返ると、京都は戦前期に既に整備が進んでいた、北区・左京区の北東部の郊外は、そもそも東山と北山が迫り狭隘であるうえ、山裾を風致地区としたこともあって、発展の余地がなく、高度成長期においても人口増加は15％程度に留まった。従って、郊外開発は南部及び西部に集中することになったが、南部では歴史的要因と昭和初期の急激な工業立地の結果、郊外住宅地としては発展せず、住商工混在地域として人口が増加した。その背景には、南西回廊に生まれた多くの電機・機械の新興企業の急成長があったことはいうまでもない。また、１９７６年に東山区から分離された山科区は、戦前から伏見区などと同様に住工混在地域として人口の増加を見た。結局、純粋な郊外住宅地としての発展はほぼ洛西ニュータウンを中心とした現在の西京区の一部に限定されることになった。しかし、都心との交通インフラの整備が遅れ、特に地下鉄東西線の延伸計画がとん挫することで、ニュータウンの高齢化と人口減少が町の姿を大きく変えることとなった。

京都の外延的発展

ここまで、高度成長期以降の京都市内での人口変化を見てきた。京都市の発展と成長は都心部とその他の市域の人口比重を大きく変えたが、それは京都市外には大きな波とはならなかった。図表５－４は大阪府、京都府それぞれの大阪市、京都市以外の府全体の人口に占めるシェアを示す。大阪市の人口のピークは１９６５年頃で、今世紀に入り回復しているが、高度成長期の大阪府の人口は大阪市以外で成長を続けた。１９６０年頃には、大阪府の人口の過半は大阪市が占めていたが、その後市外の人口シェアは急増を続け１９８０年頃には7割近くになった。他方、京都府では、京都市以外の府の人口は伸び悩み、１９７０年頃までは、市以外のシェアは減少傾向にあった。その後緩やかに上昇に転じたが、４割強程度の比率で推移している。

要するに、京都市は市外に郊外都市の成長を促すことはなく、都市部の人口成長と分散という、戦後の日本の主要都市の趨勢とは異なった道を歩むことになった。京都でも高度成長期には都心の人口減少が進んだが、それは東京や大阪のように都心の高度化や機能純化を伴うものではなかったといえる。

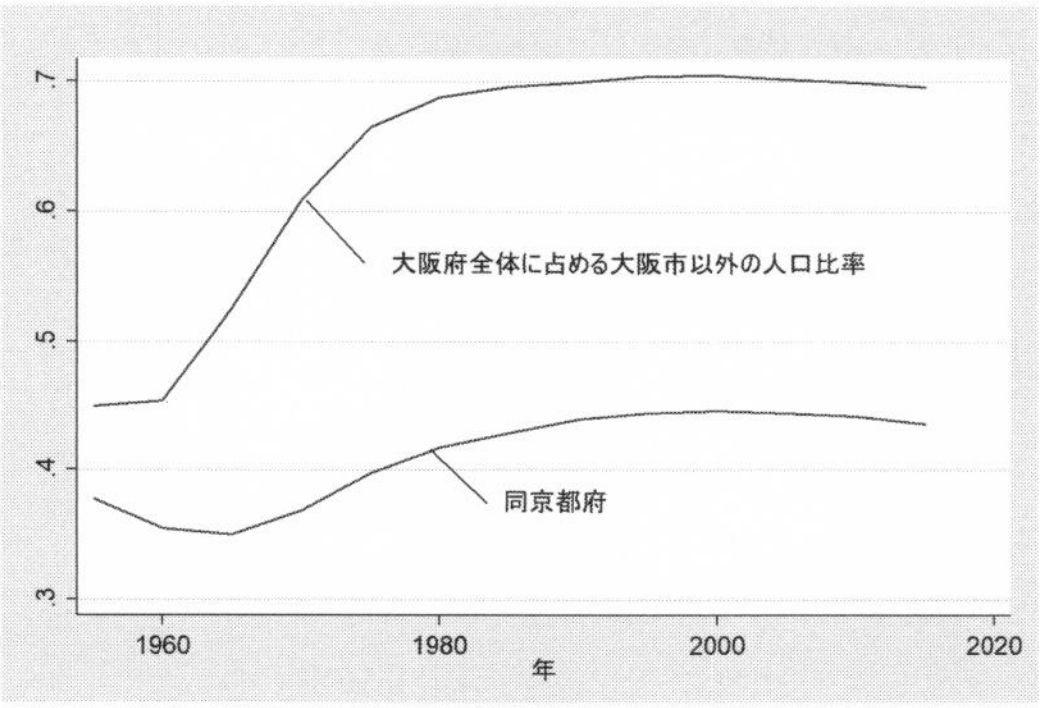

図表 5-4　京都、大阪の郊外の人口シェア

図表５－５は、１９６０年以降の都心3区の人口と昼間人口の推移を示したものであるが、都心人口が１９９０年代まで減少を続けただけでなく、都心の昼間人口も長期低落傾向を続け、都心人口が回復し始めた今世紀に入っても昼間人口の減少が継続していることを示している。京都の都心の夜間人口は25％以上減少し、昼間人口は１９６０年に比べて約15％減少した。京都は、戦後からの回復過程で人口、就業者数とも大きな成長を遂げたが、１９７０年代に入るころには鈍化し、その後は市内での雇用はほぼ横ばいとなった。特に都心部では人口だけでなく、域内での就業者数も減少を続けた。そのため雇用の重心は１９７０年代以降南西部に移った。図表５－６は、三つの地域内での就業・通学者数の推移を示すが、高度成長期後半以降、南

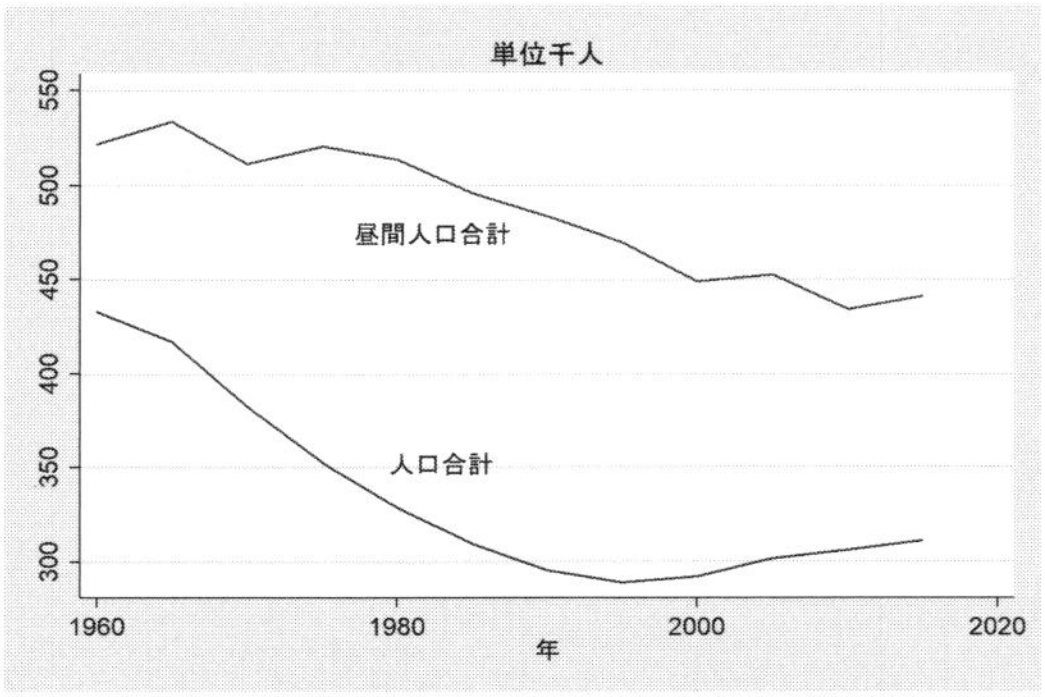

図表 5-5　京都の都心人口・昼間人口の推移

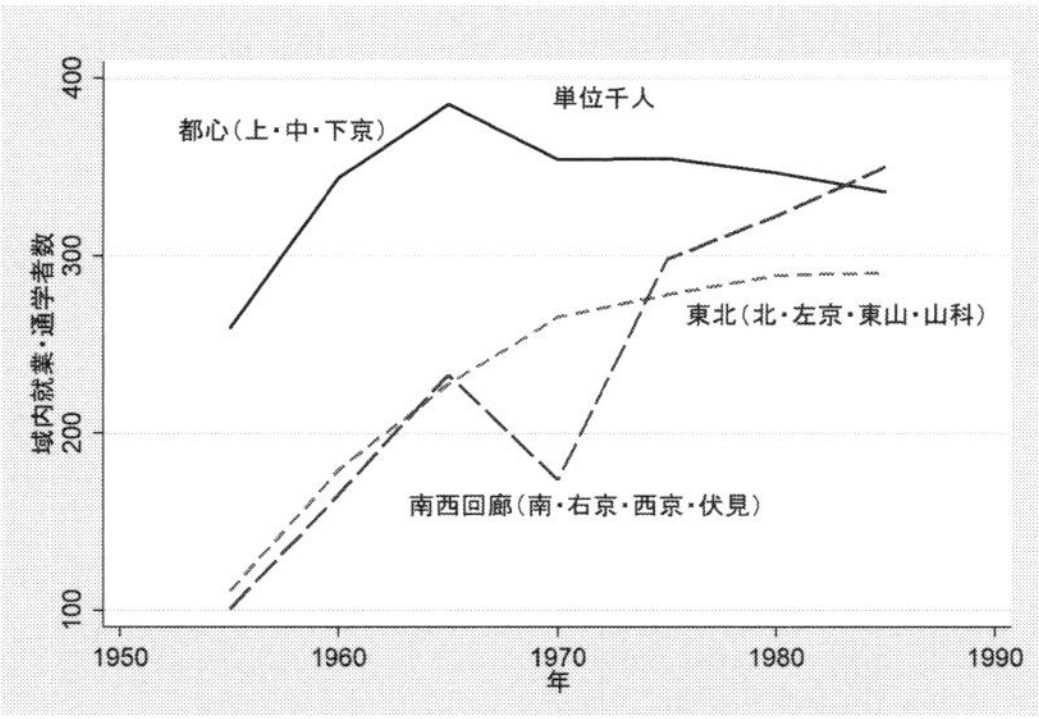

図表 5-6　地域別域内就業・通学者数の推移

西回廊にその経済の重心が移ったことを示している。ここで留意すべき点は、南西回廊での産業集積とそれに伴う人口や雇用の増加は、都心から企業が移転して重心を移したのではなく、第四章でも見たように、南西回廊に生まれた多くの企業は、都心の室町や西陣との産業面あるいは人的な繋がりを持たず、ほぼ都心とは独立して成長したことである。京都では都心の高度化が周辺部に新たな産業集積をもたらしたわけではなかった。

洛外としての郊外

百万都市となった昭和初期、京都の都心部から見た洛外は、北東は大学関係者や新しい階層としての「勤め人」（官吏やサラリーマン）の住む地域で、南西に広がる新規に市域に編入された地域は、工場労働者などの低所得者層が住む「場末」で、移り住む魅力に欠けると考えられた。そして、そのような洛中・洛外に関する意識はある程度現在でも平均所得の違いとして残存する。

	相対所得平均	相対所得 1 以上
京都市周辺	0.907	1 市／7 市
大阪府下	1.021	16 市／32 市
神戸・阪神間	1.231	6 市／7 市

図表 5-7　京都と大阪の周辺都市相対所得

図表5－7は、京都市に南、東、西で隣接する7市、大阪府内の大阪市以外の32市、神戸を含む阪神間の7市について、それぞれ京都市周辺については京都市の平均課税対象所得を基準に、大阪府下と阪神間については大阪市のそれを基準に比率を求めたものである。京都市からみれば周辺都市は平均して1割近く市内より平均課税所得が低いのに対し、大阪府下では大阪市と所得水準に大きな違いはなく、平均はやや大阪市を上回る。そして、大阪の商家が昭和の初期から移り住んだ神戸と阪神間の諸都市は平均すれば、2割以上も大阪市より所得水準が高い。また、大阪府下の都市をより詳しく見ると、北高南低の傾向が見られ、中でも吹田、豊中、箕面の3市はいずれも大阪市の平均所得を2割以上上回る。要するに、京都の南西回廊や大阪湾南西沿岸部では、都心から離れた周辺部に郊外都市ではなく製造業集積が起こり、住工混在地域となったのに対し、大阪内陸部（北摂）や阪神間では郊外都市化が先行した。その歴史的経緯はこれらの地域間の所得格差として現在でも残存するし、地域に対する

イメージとしても残る。

京都でももちろん周辺部は郊外都市化したが、それは阪神間や北摂のように都心部の住民がより良い生活環境を求めて移住する場所としては認識されなかった。南西回廊を形成する京都市の南西には長岡京、八幡、向日、城陽各市、久御山町といった衛星都市が点在するが、いずれもその発展は点在する製造業集積を核としたもので、住商工混在地域になっている。他方、北東部は昭和初期から郊外の住宅地として発展したものの、東山、北山に阻まれた地形により、戦後大規模な郊外住宅地として発展することはなかった。1980年代に入って湖西線から東海道線に入る快速電車が運行されるようになってからは湖西線沿線（琵琶湖西岸部）に住宅開発がすすめられ、隣県への移住が見られるようになったが、阪神方面への通勤客も多く、京都の郊外都市とは言い切れない性格を持つ。

5　交通網の整備

土地利用規制と並んで、京都において郊外の発展が遅れたもう一つの大きな理由は、高度成長期以降、都市型交通インフラの整備が遅れたことにある。京都は現在でも市内中心部に高速道路がない唯一の大都市であり、都市鉄道網の整備も、京阪鴨東《おうとう》線（1989年三条から出町柳まで延伸）と市営地下鉄2線以外は進んでおらず、四条以北の市内交通は依然として市バスに依存する状態である。そこで、現状（図表5－9）について詳しく見る前に、簡単に京都地域での鉄道網の整備についてその歴史をおさらいしておこう。

明治期以降の鉄道建設

京都での鉄道建設は1877（明治10）年京都―神戸間の開通を皮切りに、京都以東からの東海道線の接続工事が進み、1889年には東海道線が東京―神戸間で完工した。当初私鉄として建設された京都と園部を結ぶ京都鉄道、京都と奈良を結ぶ奈良鉄道、大阪と福知山を結ぶ阪鶴鉄道などは、1887年制定の私設鉄道条例に従い官営鉄道と同じ狭軌で建設された。しかし、同条例にある「政府が必要と判断すれば買収できる」という条項に従い、いずれも明治後半までには国により買収され、それぞれ官営の山陰線、奈良線、福知山線となった。一方、大阪を中心に建設された、現在の阪神、阪急、京阪、近鉄（当時の大軌）や阪堺電鉄（現在の南海の一部）は私設鉄道条例ではなく、「専用の線路を持たず、路面に敷かれる鉄道で、当初は馬車鉄道」（原 2020）を対象とする軌道条例に基づくものであった。軌道条例には、私設鉄道条例にあるような狭軌を標準とするという規定はなく、大阪を中心に設立された上記の鉄道の内、阪堺電鉄以外は全て広軌であった。しかも、阪神電鉄を皮切りに開業したいずれの鉄道も、路面上に鉄道が敷設されたのはごく一部分で、軌道条例の拡大解釈により、「軌道の一部が道路に設置されていれば良い」として認可された。この拡大解釈により、私設鉄道条例によらず軌道条例による免許を受けながら、事実上専用軌道を持ち、広軌で複線しかも電車による鉄道網が大阪を中心に急速に発展した。大正から昭和初期にかけての阪神間の飛躍的な郊外住宅地の開発は、高速電車による大阪・神戸のターミナルと阪神間を結ぶ鉄道ネットワークの恩恵によるものであった。

京都に話を戻すと、京都電鉄による日本初の路面電車の開業を始めとして、市内に多くの路面電車が開業した。中でも重要なのは、京都市電であり、第一章の三大事業の箇所でも述べたように、外郭道路を含む拡築された主要街路に路面電車を走らせることが、三大事業の一環として行われた。それに先立つ京都電鉄の路面電車は狭軌であるのに対し、市電は拡築された街路を走る広軌であり、市電の優位は明らかで、京都電鉄の路線は1918年、市電に吸収、その後、その殆どが廃止されることとなった。市電以外でも嵐山電気軌道が四条大宮と北野白梅町から嵐山を結ぶ2路線、叡山電鉄が出町柳と八瀬・鞍馬を結ぶ2路線、更には大阪天満橋から延びる京阪が三条に到達、三条から浜大津を結ぶ京津電車（後に京阪京津線）が建設された。新京阪（後に阪急京都線）は、淀川右岸を梅田から北上し桂で分岐して一方は嵐山へ、他方は西院、後に四条大宮まで達した。

このような市内及び阪神間と京都を結ぶ鉄道網は昭和初期にはほぼ完成した。阪急（当時新京阪）は四条大宮まで、京阪本線は三条がターミナルであった。三条駅からは大津と京都を結ぶ京津線が路面電車として営業された。一方、市電網が市内中心部を縦横に連絡しており、四条大宮、三条、JR京都駅のいずれにも隣接して市電路線が連絡していた。そのため、嵐電も叡電も盲腸線ではなく、また、伏見付近も丹波橋で京阪本線と奈良電（現在の近鉄京都線）が相互乗り入れしていた（というより同一私鉄の2路線であった）。このように昭和初期の段階では、東京や大阪と比較しても、鉄道網の整備は決して後れをとっていたわけではない。いずれの都市でもターミナルは周辺部に配置され、市内中心部とこれらターミナルを結ぶ市電網が一体となって、都市交通を形成した。

京都にとって不運ともいえるのは、市電と嵐電、叡電、更には京阪本線、京阪三条と大津を結ぶ京阪京津線など、市電以外も鉄道網の中心が地上を走る路面（一部は地上を専用軌道で走る）電車にあったこと、更には京阪を中心として、淀川沿岸や南西回廊の鉄道網が吸収合併や離合集散を繰り返したことで、ネットワークとしての統一性が損なわれたことである。そのため高度成長期に自動車交通が急速な発達を見せると、市外との連絡が悪い市電を中心とした路面電車網全体が道路網整備との桎梏に悩まされ、最終的には市電の廃止に至った。

京都の鉄道網の発展にとって京阪の果たした役割は大きい。そのため、明治末の開業以降の京阪の営業戦略の変遷とその挫折がもたらした影響も無視できない。創業当初、京阪は阪神や阪急と同様、沿線開発に力を入れていたが、その後は電力事業、琵琶湖の海運事業など多角化路線に転じた。また、主路線である天満橋—三条間が、上述の軌道条例に依るものであったため、併用軌道や急カーブが多く、潜在的には並行路線と競合すると顧客を失いかねないリスクがあった。京阪はそれを予め封じるために自ら並行路線を建設、それが新京阪と呼ばれた淀川右岸（西側）路線である。更に奈良電の子会社化など積極的な投資戦略を行った。しかし、京阪の拡張路線は１９３０年代の金融恐慌で破綻、１９４１年には阪急と合併することとなった。戦後この合併は解消され再度京阪として独立したが、新京阪路線は阪急に売却し、奈良電は近鉄に売却した。

ちぐはぐな鉄道網

このような京阪を中心とする路線の売却と買収、そして市内鉄道網の中心であった市電の廃止など、京都の鉄道網のネットワークが悪いのは歴史的な要因が大きく作用している。その例として伏見南東部を見てみよう。伏見は歴史的にも交通の要衝であったため、私鉄・ＪＲ共に多くの路線が通過する。現在、近鉄京都線、京阪本線、京阪宇治線、ＪＲ奈良線の４線が交差するが、連絡が悪い。ＪＲ奈良線は単線（一部複線）の上、他のいずれの路線とも連絡駅がなく、京阪と近鉄は丹

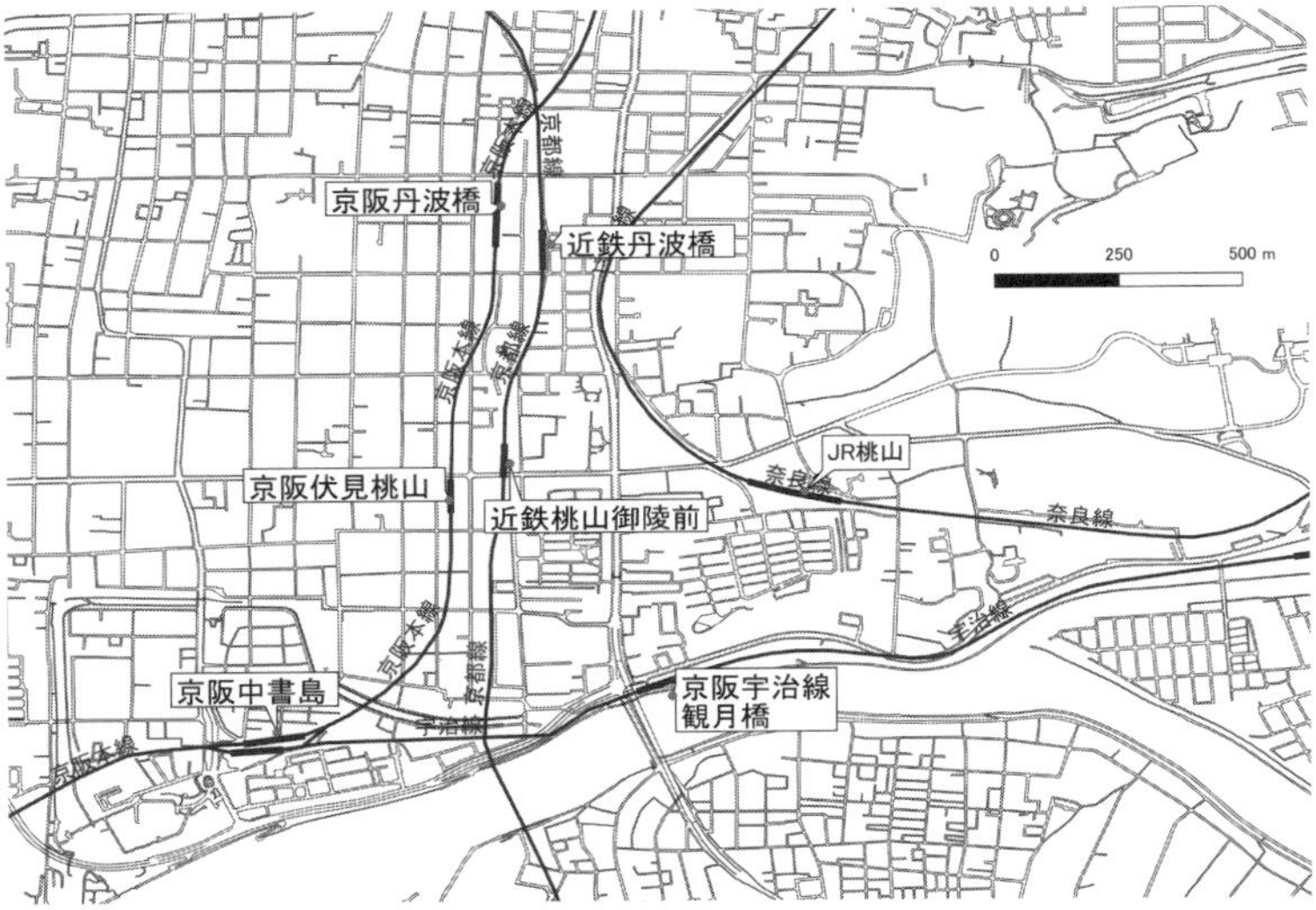

図表 5-8　伏見宇治川付近

波橋で連絡橋を渡っての乗り換えである。1967年まではこの2路線は一つの駅を形成していたが、現在の近鉄京都線である奈良電が京阪から近鉄に売却されて2駅は分離され、高架通路による連絡となった。

図表5－8はこの付近の地図である。図の下端に見える宇治川に沿って延びる路線が、京阪宇治線で、左下端の中書島《ちゅうしょじま》駅で京阪本線から分岐している。京阪本線は中書島あたりから進路を北に変え、すぐ右（東）を走る近鉄京都線とほぼ並行して走る。その近鉄京都線の更に右には湾曲する線路が見えるが、これがJR奈良線で、京都駅から木津を経由して奈良を結ぶ。地図を見ると近鉄の丹波橋、桃山御陵前、京阪本線の丹波橋、伏見桃山、中書島、京阪宇治線の観月橋、JR奈良線の桃山と実に7駅が半径1㎞ほどの地域に集中するが、丹波橋と中書島が乗換駅であるのを除けば、他の駅は全て孤立している。しかも、

更にこの図の範囲を超えて東（右）約1kmには、地下鉄東西線が山科から南進してその南端である六地蔵駅があるが、これは地下駅であり、すぐ近くに京阪宇治線の六地蔵、JR奈良線の六地蔵駅がありながら、いずれも他路線に連結されておらず、徒歩による移動である。奈良、大阪、宇治、山科の4方面と京都中心部を結ぶこれらの路線の連携や連接による利便性の向上は大きいものがあると思われるが、そのような計画はない。

このようなネットワークの連絡の悪さは伏見に限らない。市内を見ても、京福と叡電は双方とも盲腸線である（但し、京阪が1989年三条から出町柳まで延伸したことで叡電出町柳で連接）。嵐山付近には、JR山陰線、嵐電、阪急嵐山線の三つの駅があるが、いずれも孤立しており相互の連絡はない。また、嵐電の東端は、四条大宮であるが、北野白梅町から嵐山方面に向かう支線も含めて、両端とも孤立した路線となっている。

結局、現在の鉄道網の最大の課題は市電など路面電車の果たした役割を代替する交通手段を用意することなく、市電を廃止したことに尽きる。その時点（1970年代後半）で他の主要都市はいずれも市電など路面電車から地下鉄網の整備に進んでいたが、烏丸線の北大路―JR京都間が開通したのは1981年であり、竹田までの延伸は1988年、東西線の一部開通は1997年である。地下鉄の2線が営業を始めても、市電のネットワークがカバーした市域の大半は取り残され、市電以外の路面電車は孤立した。

道路交通網

道路交通については、既に触れた部分も多いが、改めて簡単にまとめておく。既に述べたように、

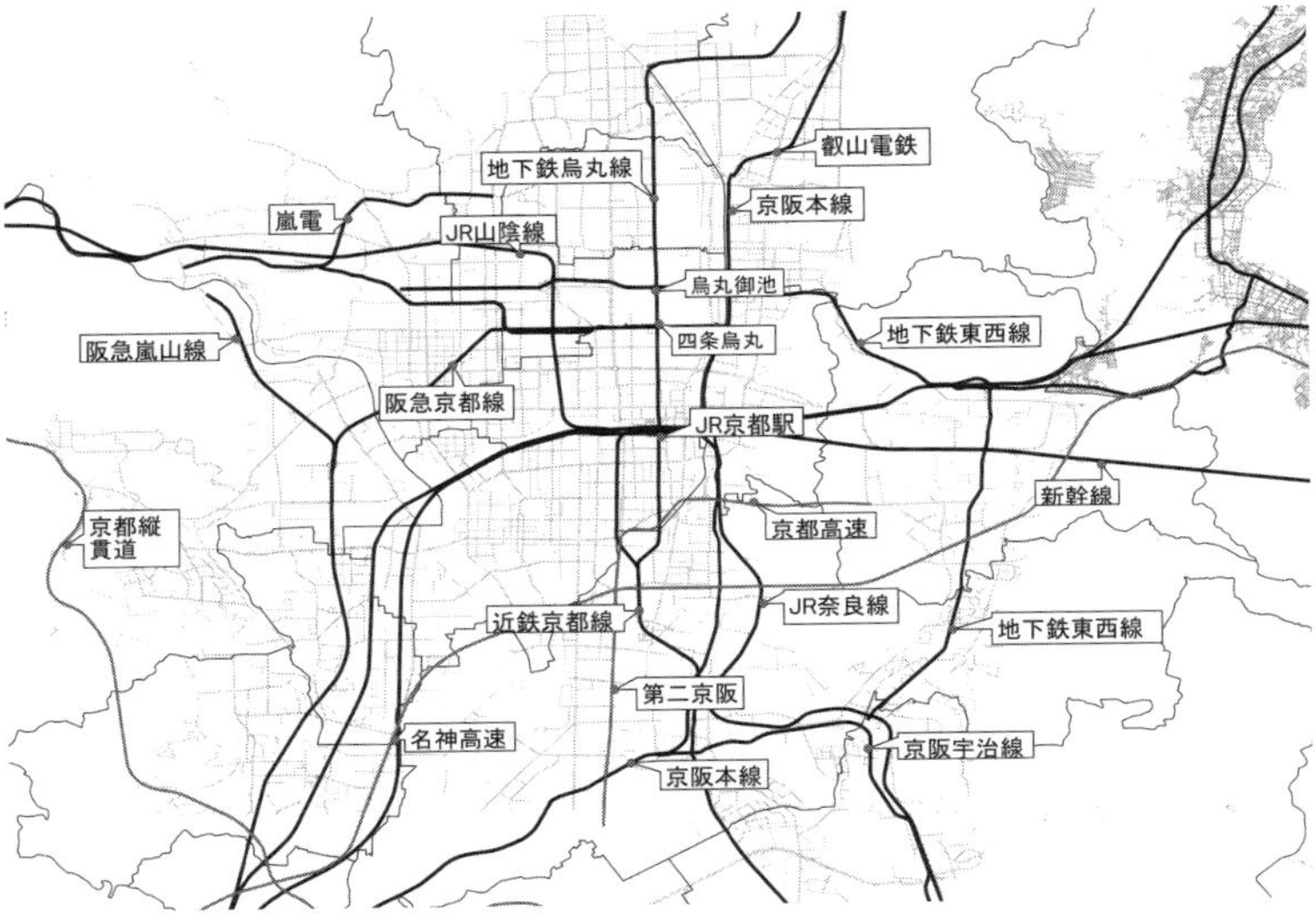

図表5-9　京都の交通網

三大事業のひとつとして、京都に自動車交通を可能にするような道路整備が行われたのは20世紀初めで、更に、昭和に入り、第二次の市域拡張後には、東大路、西大路などの外郭道路も建設された。現在京都市内の主要路として最も幅員の大きい堀川通、五条通、御池通はいずれも太平洋戦争末期の「建物疎開」として、既存路が大幅に拡幅されたものである。戦前までの交通事情を考えれば京都の道路事情は決して他の主要都市に後れをとっていたわけではないだろう。ここでも問題は高度成長期以降の発展であり、京都の道路網は急速な道路需要の伸びに追いつかなかった。

JR京都駅以北には現在でも自動車専用道はなく、名神、京滋バイパス、京都縦貫、京奈和、第二京阪などのいずれの自動車専用道も京都駅以南で終点あるいは通過している(図表5-9)。京都高速は、当初阪神高速の一部として、第二京阪を北に延伸する形で建設され、2008年には油小路から分岐して山科に抜ける部分まで建設された。現在でも終点は十条油小路と山科で、総延長は4・7㎞に過ぎず、以降の延伸計画は事実上廃案となった。このように京都市の南西部に主要幹線と高速道路が集中しているため、大阪方面から自動車で東に向かうと京都市内より大津、草津など琵琶湖東岸の方が、アクセスが容易となる。

上で触れた、事実上廃案となっている京都高速の延伸計画で主眼とされた克服すべき課題が、南北方向の移動、特にJR京都駅付近で東海道線をまたぐ部分のボトルネックで、渋滞の原因となっていることである。おおまかにいえば、京都の道路網は、JR京都駅を境に大きく異なる姿になっている。南側では、阪神方面や京都府北部や琵琶湖以東との連絡もよく、近年は阪神高速湾岸線沿線と並んで、多くの物流拠点が立地するに至った。それに対し、JR京都駅以北では、南北の交通で渋滞が常態化し、市中心部では旅行速度が時速20㎞未満となっている区間が多数存在し、市全体での平均速度は時速22・7㎞と政令指定都市の中で最も遅い。

このように南西回廊が京都の都心部に比べて遠距離の交通アクセスに優れていることは確かであるが、留意すべきは、この地域内での交通事情は決して良くないことである。上に述べた、主要交通路や鉄道路線はいずれも淀川に沿う形で南西から北東方向に進むため、それを横切り淀川や上流の桂川を挟む地域間を移動するのは不便である。南西回廊が一つの地域としてまとまることが難しい理由の一つになっている。

公共輸送網：京都と大阪の比較

京都で交通インフラの整備が遅れたことが、具体的にどの程度利便性に影響しているか、それを

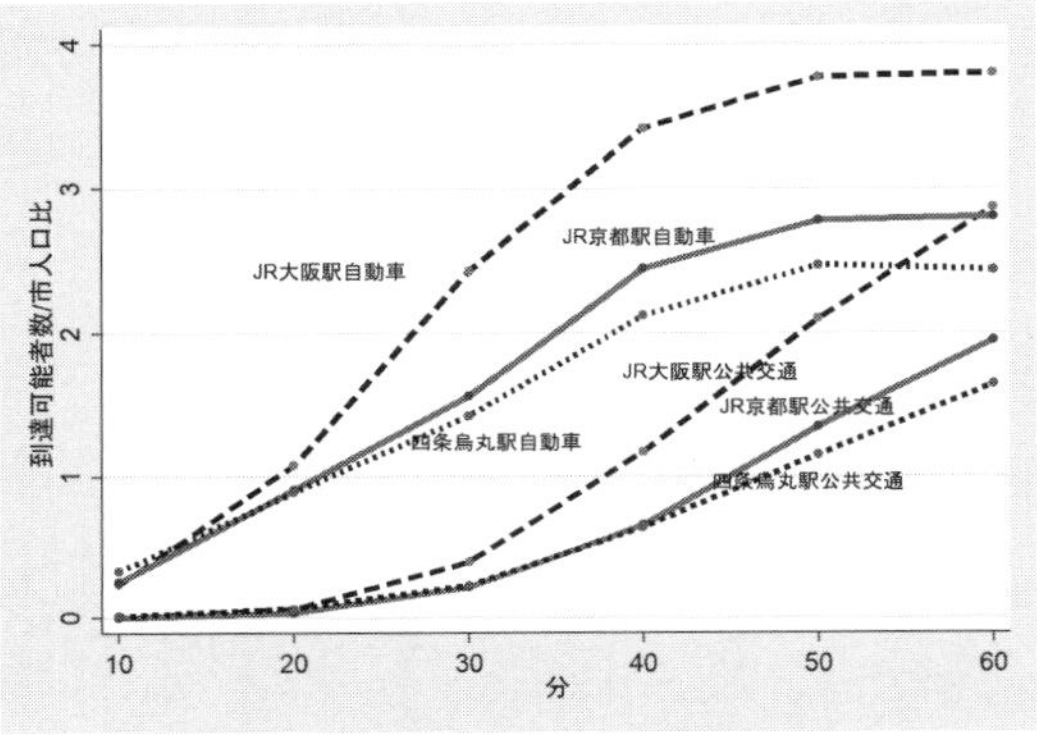

図表5-10　京都市と大阪市の近距離移動分析

例示して見よう。図表5－10は地域経済分析システムRESAS（経済産業省）のウエブサイトにある近距離移動時間分析を利用し得られる「移動手段別の時間距離帯別累積人口」をまとめたものである。

ここでは、JR大阪駅とJR京都駅、そして四条烏丸駅の三つのターミナルを選び、それぞれの地点に到達できる累積人口数を、大阪市（JR大阪駅）、京都市（後者2ケース）の人口で除して比率を求めた。例えば、一番上方の破線はJR大阪駅に到達するために自動車（高速も利用可）を利用した場合を示し、凡そ20分で、大阪市の人口（270万余）にほぼ等しい人数が到達可能であることを示す。

大阪市、京都市（140万余）の人口との比率で見ても、京都のターミナルに一定時間内に到達可能な人口は大阪に比べ少なく、その格差は自動車利用、公共交通機関利用を問わず大きい。またJR京都駅と四条烏丸駅を比較した場合、四条烏丸駅の方が都心部の中心にあるにもかかわらず、到達可能人口は、JR京都駅に劣り、その差は到達に要する時間が長いほど大きく、都心部の交通網の整備の不足を反映するものといえよう。

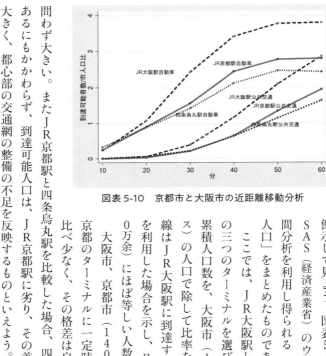

6　住む町京都の今

小売業の停滞

住む町として今日の京都を見るとき、このような都市交通インフラの脆弱さは幾つかの側面で影を落とす。第一に京都の都心のショッピングセンターとしての競争力の低下である。その象徴ともいえるのが四条河原町の交差点で、南東の角地には以前阪急百貨店（1976年開店）があったが、2010年には撤退し、その後マルイが入居、2020年にはこれも撤退して、空きビルになったあと、2021年5月にはエディオンを核店舗とする京都河原町ガーデンとして再オープンした。京阪間の郊外都市住民にとっては、四条河原町周辺のショッピングセンターとしての魅力が大きく損なわれたことの象徴といえよう。一方JR京都駅周辺は、1997年伊勢丹が新駅ビルに入居することで、京都市内での小売り集積としてのシェアを伸ばしたが、京都全体の小売りシェアは減少を続け、梅田を中心とする大阪市内にその需要が移った。京都は人口密度に比して小売集客力が劣り、しかもその傾向は今世紀に入っても劣化が続いている。1990年代後半に小売業総販売額は2兆3000億円に達したが、それをピークに漸減を続け、2010年代に入ると2兆円を下回るようになっている。但し、関西圏全体で小売り商圏から都市間競争を見ると、大阪特に梅田エリアの成長が著しいため、大阪でも梅田以外のエリアをはじめ、神戸や阪神間の諸都市も含めいずれも梅田に商圏を奪われているのが現状であり、京都に限定されるものではない。それでも上に述べた、阪急百貨店の撤退のほか、JR京都駅前にあった近鉄百貨店など4店が撤退・閉鎖され、1990年代には8店あった百貨店は半数になった。

京都はまた往年の大店法を巡る地域紛争を背景に大型小売店の新規進出を抑制する市の方針もあり、スーパーマーケットの進出も大幅に遅れた。現在イオンモールが4店舗あるが、市内の中心部にはない。ＧＭＳと呼ばれる総合スーパーは京都で従来から苦戦を強いられてきたが、今世紀に入り撤退が続き、現在は90年代の20店舗から15店舗にまで減少している。

京都は戦前から多くの公設市場を中心とした商店街があり、上にも触れたように、大型小売店の市内への参入を阻む力が強く、近隣の商店街で日常の買い物をする生活スタイルは今世紀に入るまで市内全体で見られたが、次第に廃止あるいはシャッター通り化する商店街が相次いだ。小売事業者の総数は１９９０年代には2万を超えていたが、２０１６年の商業統計では、1万４０００余と30％減少した。そのため、市内中心部では日常の買い物はコンビニエンスストアか百貨店に依存する形になることが多い。ちなみに、京都市内のコンビニは殆どが生鮮食料品を扱うのもこのような背景があるためである。今世紀に入り、以前でも少なかったＧＭＳの撤退で生じた間隙を埋めるように小規模スーパーが立地することとなった。タウンページ検索によれば、京都市内には３５１のスーパー・生協の店舗があるが、4店舗以上を持つ27の大小様々のグループが２３０店舗を持ち、その多くが特定の地域に数店舗を展開する中小企業である。結果として京都市の小売商業は近隣の商店街に代わり、店舗規模、企業規模のいずれでみても中小店が埋める形に変貌し、全国チェーン展開をするＧＭＳは限定された地域にそれぞれ2〜3店を持つにとどまった。

京都にとって明るいニュースは、外国人観光客の増加を背景に２０１２年には1兆６０００億にまで低下していた京都の小売業の販売額が回復を見せたことで、２０１６年には1兆９０００億となった。観光都市としての京都については次章で詳しくみることにしよう。

京都の都心回帰

都心3区では江戸期以来の町衆の中心的存在であった西陣の織物業と室町の繊維卸が、バブル崩壊によりいずれも壊滅的な打撃を受け廃業が相次いだ。それに伴い、都心の町家の多くが売却処分の後分譲マンションに建て替わった。1990年代後半から、京都に限らず、東京、大阪その他の主要都市でも都心部での人口増加が生じており、京都を例外視する理由はないように思える。しかし、京都の場合は都心での人口増は少なくとも直接的な契機とタイミングの点で、他の都市にはない特徴も見られる。

今述べたように、京都の都心での人口増は、バブル崩壊後の繊維関係を中心とした自営業の多くが廃業、土地建物が売却され、跡地に分譲マンションが建設されたことによる。極端に図式化すれば、2階建ての数軒の町家を取り壊し、8階建て程度の分譲マンションに入れ替わり、同じ敷地内に住む人口が増えたのが京都の都心部での人口増である。

東京や大阪では都心回帰のプロセスは1960年代からの都心のビルドアップ、自営業者の転出、高層化を経て、専門職層を中心とした都心回帰というプロセスを経たが、京都の都心では高度成長期にビルドアップと自営業者の転出は進まず、バブル崩壊後、自営業者の転出や廃業を機に人口の都心への回帰が起こっている。1970年代から80年代までの時期においては、都心部の人口減少は続いたものの、残存人口の職種構成に大きな変化はなかった。第三章6節でやや詳しく見たように、この間の都心部の人口減少は、高度成長期以降に成年を迎えた階層が、親から自立して郊外に移り住むプロセスであったと考えることが出来よう。4節の図表5－2が示すように、都心部の大きな変化はこれらよりよほど遅れてバブル崩壊以降、1990年代に入りようやく始まったものである。

人口の都心回帰が始まる前、1990年の国勢調査では、全就業者に占める自営業（自営業主と家族従事者の合計）の比率は上京区で24％、中京区で23・6％、下京区で22・5％に上っている。しかし、2015年の国勢調査では自営業比率は半分未満に減少し、上京区で12・3％、中京区で10・9％、下京区で9・8％となっている。京都市全体でも大きく減少したがそれでも17・6％から10・2％へ凡そ4割減である。

この間の就業構造の変化を都心3区に注目すると、以下のようなことが分かる。京都市全体では1990年から2015年にかけて就業者は72万人から66万余に5万人以上減少したが、中でも製造業の減少が大きく、17・4万から9・4万と8万人減少した。都心3区での製造業の落ち込みは更に激しく、上京では1・4万から0・5万に、中京では1・4万から0・7万に、下京では0・9万から0・55万に、3区での減少幅は2万人近くに及んだ。このように、1990年代の都心3区の大きな変化は、自営特に製造業と卸小売りの自営が大きく減少することでもたらされたといえる。京町家の保存が景観保護政策の柱として大きな焦点となったのは、1990年代のバブル崩壊後に急増した、田の字地区におけるマンション建設を巡る紛争と景観論争の再燃が背景にあった。そして、このマンション急増は先に述べた都心への人口回帰と裏腹である。

京都市は景観保護のみならず、都市基本計画においても田の字地区を「職住共存」の地域と位置付けて、京町家の住民の核をなした自営業者の生活スタイルまで含めて町の在り方を都市計画に盛り込んでいる。しかし、このような町家住まいの自営業者という住民の姿は、既に過去のものであり、それが元に戻る可能性もない。鯵坂他（2018）による、京都市と大阪市の都心のマンション居住者のアンケート調査によれば、両者の職業構成に大きな違いはなく、自営業比率は両都市とも10％に満たない。専門職は両都市で2割前後、管理職と事務職はいずれも2割弱で大阪がやや多い。既に京都でも都心3区では、共同住宅に住む世帯は全体の3分の2に達しており、京都の都心回帰は、自営業を核とする職住共存の生活スタイルとは無縁な階層の流入に他ならない。江戸初期以来、京都という町の主人公であった町衆が市の中心部からその姿を消し始めたのは1990年代以降である。四半世紀の間に上・中・下京の自営業比率はほぼ半減した。次章で取り上げる観光ブームと軌を一にするように、都心部は西陣織と室町の商人の町から、マンションとカフェと京料理の町へと変貌した。1990年代の都心マンションブームについては、その後のホテル建設ラッシュと合わせて、京都の土地利用の変化として次章で改めてまとめることにする。

新しい町衆？

それでも、京都の都心から町衆が完全に消えてなくなるとは言い切れないだろう。過去20年ほどの間に、都心部にはこれまで見られなかった小規模事業所が出現した。一つは観光関連に関わる業種で、レストラン、カフェなどの飲食店、小規模なホテルや民泊・簡易宿所など、不動産関連も多い。これらの小規模事業所の少なからぬ部分が、嘗ての町衆の子・孫世代で引き継いだ家と家業をベースに転業したものと思われるが、それを量的に裏付けるデータに乏しい。それでも、近藤（2013）によれば、田の字地区でも室町や新町通沿いには、新景観政策（2007年）による強化された高度規制をクリアーしない、既存不適格物件が多数あり、その多くが事業所ビルの建て替えであるという。京都における繊維卸の窮状を考慮すれば、その全てが繊維卸事業の拡大に伴う建て替えとは考えにくく、少なくとも一部は田の字地区に浸透してきた観光関連業種の事業所が入居していると推測することが出来よう。

金（2018）は、このような傾向が西陣地区ではより鮮明に表れていることを示す。金によれば、西陣では、織物産業の凋落により、生産・労務の就業者は１９９０年の31％強から２０１５年には16・7％にまで半減した一方、サービスが９・９％から15・４％に、専門・技術職は11・７％から18・９％に激増した。この間、上京区全体では人口は５％強減少したものの、西陣地区では２万５０００人から２万９０００人と16％の増加を見ており、西陣は織物産業を中心とした工業地区から住宅地へと変化した。多くの町家は取り壊されて建売住宅になるか、再生されてカフェ、レストラン、ゲストハウスなどに衣替えされた。それは「若年層から職住近接の新しいライフスタイルとして」（金上掲論文）評価されていく傾向を反映しているものの、西陣の織元、織子、室町の卸といった自営業主体の町の姿の再生とは程遠い。

それでも、若年層の流入や観光関連業種の立地の急増、サービス業、専門・技術職の増加などを見れば、この地域が他都市の住宅地域とは異なった、住民構成と町並みを形成して、ある種の新しさを持っているとはいえそうである。それが、西陣から都心部に波及する新しい町衆の姿となるか、現時点で判断することは難しい。

都市間競争と京都

戦後日本の主要都市の成長と変貌を振り返ると、大きく分けて前半部の生産拠点としての都市間競争、後半部での住む町、消費者都市としての都市間競争として理解することが出来る（ウエブ掲載の付論参照）。高度成長期の日本の都市は企業の成長と拡大を支える拠点であり、京都は南西回廊を中心とした地域では大きく成長を見せたものの、都心部では高度化と機能純化は進まず、その中心は戦前と大きく変わらない繊維と繊維卸の中小企業が占めた。

新幹線、都市交通、高速道路網が発展した後半部分では、日本の主要都市は次第に消費者都市としての機能が重視されるようになった。福岡や札幌など、高度成長期には支店都市と呼ばれた地方中心都市は、３大都市圏から地理的に離れており、人口集積からみても、商業流通からみても集積と営業の拠点としての機能を要求された都市である。そのため、これらの都市の第一の特徴は交通インフラの拠点であり、それが結果的には消費者都市となっても最大の特徴となっている。また、新幹線、主要空港、主要高速道路の結節点であり、市内の高速道路や地下鉄網が整備されており、都心と郊外を結ぶネットワークも整備されている。生活に便利であり、都市でしか利用できない個人サービスが充実している。

京都がこのような消費者都市に変貌できなかったのは、ここまでの分析で明らかであろう。地域の中心都市であるためには大阪に近すぎ、そのため空港はなく、都市内の交通インフラの整備も進まなかった。しかし、その反面、このような全国どこの主要都市でも見られる都市の姿にあきたらない人々にとって、代替的なライフスタイルや職業を提供しうる唯一の大都市としてユニークな存在ともいえる。ただ、そのようなポテンシャルが、現時点で目に見えて京都の都市としての魅力として人と企業を惹きつけている訳ではない。今世紀に入っての京都は、その都市としての魅力を主に観光都市として発展させることに注力して来た。それを次章で見てゆくことにしよう。

7　まとめ：住む町の変容

1965年の京都は明治以降の近代化の過程で生み出された、職業と社会階層が住む地域の姿を決める、戦前の日本の都市の姿をほぼそのまま維持していた。都心3区では、江戸期以来の西陣と友禅の織物業を核として、北西部では自営の織物や染色に従事する職人が、そして南東部ではそれらを商う卸・小売りから成る町衆が中心であった。北区や左京区は大学関係者や専門職の住む住宅地、伏見・南・右京は西陣・友禅以外の繊維や電機、機械の工場とそこに従事するブルーカラーの住民が中心の住商工混在地域であった。都心に仕事を持ち、郊外から都心に通勤するという生活スタイルは、皆無とはいえないにせよ少数派であり、凡そ都市社会の骨格を形作るような影響力をもっていなかった。京都の中心は江戸期以来の洛中にあり、中小自営業者が自宅あるいはその周辺に仕事を持つ生活スタイルが町の姿を形作っていた。北白川にモダンな郊外型住宅は建ったが、それは上京や下京の人々が移り住む場所ではなく、左京や洛北にある大学の関係者や公務員が住む地であった。京都の都心にとって郊外はあくまで洛外であった。

それから半世紀を経て、最もその姿を大きく変えたのは一方では右京区から分離した西京を中心とする郊外住宅地の発展と衰退、バブル崩壊以降急速に起こった都心3区での繊維関係業種の激減と、それに伴う人口の都心回帰である。こうしてみると、この最後の都心回帰は、東京や大阪のそれとは大きく意味合いが異なることに気づく。京都では都心の空洞化と人口回復が同時に進行する、いわば都心の郊外化である。

既に第三章でも触れたように、京都は高校生から大学生に対応する10代後半から20代前半では他都市には見られないような都市人口に比して大規模な人口流入があるが、20代後半以降の世代では純流出が続き、年代別で純流出が止まるのは40代以降である。その理由も明白で、若者を京都に呼び込む魅力的な仕事に不足し、彼らの世代で無理なく生活できる住居を見つけることが難しいからである。

冬の底冷えや脂汗の噴き出る夏の暑さは京都の住み難さの本質ではない。京都が住み難い町になったのは、基本的に高度成長期を終えて１９８０年代以降の都市を支える雇用や都市インフラの進化にうまく適応できなかったからだ。市電を廃止したのは止むを得なかったにしても、市バス以外に代替公共交通は長期間用意されず、現在でも都心の不便さは改善していない。１９７０年代以降進んだ都市部の高速道路の整備も京都の都心部とは無縁であった。大型小売店の進出にも抵抗する時代は長く続き、それが終わったころには都心に大型商業施設を建設する契機は既に去っていた。室町や西陣がこのままでは将来がないことにようやく気づいたのはバブルが崩壊して後のことである。

京都で郊外が発展しなかったのは、都心の吸引力が高度成長期でさえ低下傾向を続け、郊外に住み都心で働くというパターンが十分に大きな力にならなかったことを反映するものといえよう。こう考えると、京都が１９９０年代以降観光都市として新たに脚光を浴びるようになったのは皮肉であるとしかいいようがない。次に進む進路が見通せないその時期、観光都市としての可能性に賭けたのはある意味当然の選択ではあったが、それは結果的に、バブル崩壊までの課題をより一層際立たせる結果に終わった。

第六章　観る町京都

1　インバウンドのサプライズ

関西国際空港が開港したのは１９９４年。それまでは手狭で便数も限定された大阪（伊丹）空港か、伊丹から国内線経由で成田発着にするか、海外出張の度に悩ましい選択を迫られた者の一人として、関空の開港はうれしいニュースだった。また、伊丹空港は、夜間離発着禁止のため、夕刻に到着予定の便は、数時間出発が遅れると到着が夜９時以降となるため、帰国便はそのまま出発空港で足止め、帰国が１日遅れた経験も数回あった。24時間利用できる関空の開港はその面でも大歓迎である。しかし、明るい将来が見えたのは最初の2年ほどで、関空は旅客数と発着便数の低迷に悩まされることになった。低迷は21世紀に入っても続き、アジア近隣諸国以外、特に欧州や米国東海岸方面は減便が続き、ロンドンやニューヨークへの直行便さえ定期便がないという寂しい状況が続いた。

関空の閑散とした状況に変化が現れたのは、いうまでもない外国人観光客の急増のためである。一時期、年間の国際線旅客数が８００万程度にまで減少していたのが、リーマンショック後の回復過程で次第に増加が加速し、２０１８年には２３００万に達した。この間、首都圏と同じく、というかブーム到来前と比較すればそれ以上にインバウンド・ブームの恩恵にあずかったのは関西の主要観光地であった。しかし、大阪、京都、神戸の3都市を比較するとその影響は大きく異なることに気づく。時計の針をほんの10年ほど前、東日本大震災の頃に戻すと、この3都市の中で大阪がインバウンド・ブームの恩恵の最大の受益者になると予想した者がどれだけいただろうか？

大阪ほど、観光と縁のない日本の大都市を考えることは難しかった。ユニバーサル・スタジオ・ジャパンが2001年にオープンする前は、全国的に知られた観光名所といえば大阪城くらい、前もって知識を入れておいた人であれば海遊館（水族館）が加わるだろうか？　ミナミの中心にある戎橋や心斎橋界隈は、名前ぐらいは聞いたことがあったとしても、わざわざそこへ出かけるほどの魅力があると考えた人は少なかったのではないか？　京都はいうに及ばず、大阪と比較すれば神戸の方が遥かに観光スポットとして思い浮かべる場所は多い。六甲・摩耶、その北側の有馬温泉、北野の旧外国人居留地、メリケン波止場と南京町（中華街）等々。

しかし、その後の10年を振り返ると、インバウンドの大多数は大阪と京都を選び、神戸を訪れる外国人観光客は、さすがにこの10年で増えはしたものの、凡そ期待外れであったことは否定できない。2013年、兵庫県の外国人宿泊者数は35万、京都府143万、大阪府279万、東京都487万であったが、2018年には兵庫県88万、京都府286万、大阪府846万、東京都1060万となった。このわずか5年間で大阪の外国人宿泊者数は3倍、京都はちょうど2倍、兵庫は2・5倍、東京は2・2倍である。しかし、絶対数でいえば、兵庫は大阪の10分の1、京都と比べても3分の1未満である。

この間の外国人観光客の急増は中国、台湾、韓国に香港、シンガポールやタイ、マレーシアなどの東アジアと東南アジアからの観光客の急増によるものである。それ以外、北米や欧州からの観光客も増加はしたものの、構成比（2018年）でみると最初にあげた3か国で66%と3分の2を占め、アジア全体で86%を占める。大阪への集中が意外であると感じたのは、アジアからの観光客の急増と、彼らと北米や欧州からの観光客の行動や嗜好の違いを考慮に入れていなかったことによるものかも知れない。アジアからの訪日客の特徴は、訪日が最初の海外旅行である比率の高さ、全体として買い物、食事、テーマパークが3大訪問目的で、欧州や北米からの観光客が歴史的都市の風景や風物の魅力に重点が置かれるのと大きく異なる。

そう考えるとなぜ大阪への訪日客の集中がこれほど意外に思えたのか、納得がゆくかもしれない。多くの日本人は自らの海外旅行の経験も踏まえて、訪日客のイメージとして欧米からの観光客に近い行動を想定していたのかも知れない。その想定では大阪にそれほど魅力があるようには思えなかったし、実際近年の統計を見ても、欧米からの訪日客は相対的にはより東京と京都を好む傾向が明確である。

そして、大阪の魅力は何といっても大都市の魅力である。京都も神戸もこの一点では決定的に大阪に劣る。買い物、食事、テーマパーク、いずれをとっても大阪の魅力は他の2都市を圧倒する。また、以下で改めて取り上げるように、京都は大阪に比べて宿泊施設の容量に限界があり、旅館のシェアが相対的に大きく、２０１０年代前半までは特にホテルの客室数の不足が京都観光の大きな制約要因になっていた。

京都は江戸時代からの観光地であるが、それでもインバウンド・ブームの与えた影響はこれまでにない、大きな変化を町にもたらした。その光と影をこの章では見てゆきたい。

2　観光は他の産業とどう違うのか？

そこで、京都の観光業をとりあげるまえに、経済学の立場から、観光業とはどんな産業か、他の産業との大きな違いは何か、それをまずおさらいしておこう。

観光客とは何か？　ひとことでいえば、遠方から財やサービスを消費するためにやってくるお客である。但し、消費したい財やサービスの中にはお金で買うものでないものやコトも含まれ、しかもそれらがそもそも時間と費用をかけて飛行機や新幹線でわざわざ観光地までやってくる本来の動機である場合が多い。それは、清水寺の舞台から一望する古都の景観、リアルト橋を背景に取るセルフィー、42丁目とブロードウェイの交差点で頬張るホットドッグ、あるいは空気の薄さにぼんやりしながらも、その光景にしばらく声もあげられない、ユングフラウヨッホの地下駅から展望台に出てきた時の眺望がもたらす感興である。観光業とは、要するに、値段のついていないこういう経験を核とするその地の魅力が引き寄せる顧客を巡る争奪戦である。

観光客は単一の財やサービスの購入者ではない。宿泊を伴う旅行であれば、目的地と自宅を結ぶ交通、宿泊するホテルや旅館、滞在中の食事、様々な施設や興行などのチケット、お土産、場合によっては、ガイドも雇うかも知れない。観光とは複合した財とサービスの消費であり、そのハイライトは無料で体験できる町の雰囲気や景観である。これは、東京やニューヨークといった大都市の場合でも変わらない。セントラルパークで楽しむピクニック、バッテリーパークから無料で乗れるフェリーから眺める自由の女神、雷門や渋谷のスクランブル交差点、歌舞伎町のネオンの氾濫、こういうものを抜きにして大都市の魅力は語れない。金を使わずには一歩も進めないように思えるラスベガスでさえ、ネオンが街中を照らす独特の雰囲気が魅力であることに異論はないだろう。そしてその雰囲気は、特定のカジノやホテルだけでもたらされるものではない。周囲の浮ついた雰囲気の観光客、乾いた暑い空気、ネオンの輝き、嬌声、そういったものが綯交《ないま》ぜになってもたらされるものこそラスベガスである。

要するに、観光業の特殊性は2点ある。第一は観光地の魅力の根源が値段のついていない、地域公共財であること、第二に観光客が複合した財とサービスの購入者であること。地域公共財は、そこに住んでいる人も外部から訪問した人も同じように利用できる。言い換えれば、その利用を制限・コントロールすることが難しい。そのため、地域公共財の維持や管理に必要な費用負担をどう設計し誰に負担してもらうかが、重要な政策課題となる。地域公共財の利用はしばしば混雑現象を引き起こす。利用が制限されていない（出来ない）ので、その利用のために必要な手段、例えば移動のための鉄道やバスの利用に負荷がかかりやすい。観光客で溢れかえる清水坂のバス停の映像を思い起こしてほしい。混雑現象を特定財やサービスへの需要の集中という風に一般的に表現すれば、バスの混雑とは違ってすぐには気づかないより長期的な影響も重要である。

話を分かりやすくするために、ここでは観光地の魅力は地域公共財としての景観であるとしよう。すぐに分かるのは、地域公共財から観光業は多大な利益を享受しており、特段の措置がない限り、観光業はこの公共財の魅力にタダ乗り（Free Ride）していることだ。三条や四条の橋から眺める鴨川とその奥に霞む北山の姿なしに、京都の景観を考えることは難しい。京都の観光は、このような景観なしではあり得ない。

そして、これが重要な点であるが、このような景観保護と維持に要する費用は巨額になりうる。

このあと詳しく見る京都の景観保護は、規制に従うことの直接費用以上に、巨大な逸失利益を生んだ。逸失利益を推定することは容易ではないが、京都の都市形成に与えた影響は小さくないし、その影響が長期にわたって続くことは第五章の議論からも明らかであろう。他方、美しい景観が公共財であることから、その保護は社会厚生の面からも望ましい政策ではある。ウエブ上で公開している付論では、景観保護が地域の地価や住宅市場に与える影響を取り上げ、簡単なモデル分析をしている。詳細はその付論に譲るとして、重要なことは、地域公共財としての景観の維持に必要な巨大な（広義の）費用の分担と、その受益の間にバランスがとれていないのではないか、という疑念である。更にいえば、地域公共財の利用自体は制約がないにしても、それを可能にするための手段には混雑現象がつきものであり、混雑を緩和するためには長期的な資源の投資も避けられない。これらも含めた観光を支えるための社会的費用は巨額になる可能性がある。

次に、観光業のもう一つの特徴に注目しよう。観光客の受け入れの主役となる観光業という産業の立場から見ると、二つの局面がある。まず、多くの観光地の間で観光客の争奪戦がある。競争は主に、地域対地域、都市対都市で行われるから、同じ地域や都市の中で観光に関わる多くの業種や企業は出来るだけ多くの観光客を呼び込むという一点で利害が一致する。次に、やってきた観光客を巡っては一方では競争、他方では共通利益を持つ者同士の協調が併存する。

具体例を示そう。今世紀に入り、中国や韓国などアジアからの観光客が急増し始めた当初、大阪市内の多くの家電量販店やドラッグストアは、アジアからのツアー客の大半が、関西空港から入国、成田から出国というルートを取ることについて、航空会社や旅行代理店に、出入国を入れ替えるか、出入とも関空のツアー増便を要望した。観光客の多くが、出国直前で大量の土産品を購入するため、旅程の最初にある大阪では、彼らは多くを出費しない。大量購入は、大半が秋葉原など（成田からの）出国直前の都内の量販店に集中する。逆方向の旅程や出入国とも関空のツアー価格が割安になると、大阪の量販店は出国直前の大量購入の受け皿になれる。同じ日程でほぼ同じ都市を巡るツアーであっても、入国と出国の空港を入れ替えるだけで、大阪の日本橋《にっぽんばし》と東京の秋葉原の利害得失は大きく変化する。旅行会社のツアーの組み方次第で、東西の量販店やドラッグストアは大きな影響を受ける。

このように、ある企業や個人の市場を介した行動が他の企業や個人の利害に影響を与えることを、金銭的外部性という。金銭的外部性は、公害や地球温暖化がもたらす影響のような技術的外部性とは異なり、それ自体は市場の失敗ではない。しかし、市場がそもそも完全競争ではない場合は、金銭的外部性は、市場の歪みに影響をもたらすことがある。金銭的外部性は、観光業の内部に限定されない。メディアで頻繁に取り上げられる「波及効果」とは、この金銭的外部性の規模や内容を指すものと考えられるが、その議論で殆どの場合無視されるのが、負の金銭的外部性である。秋葉原と大阪日本橋の家電量販店のケースはその意味で極端な例で、一方のプラスはほぼ他方のマイナスで相殺される。日本全体から見れば、どちらが中国人観光客の「爆買い」の恩恵を受けることになっても大差はないだろう。すこし理屈をいえば、秋葉原や日本橋の量販店がこのような需要のシフトに躍起となるのは、そこに超過利潤があるためで、正負を問わず金銭的外部性が問題となる場合は、市場が競争的ではないという条件が潜んでいることが多い。

負の金銭的外部性の中でも最も重要なものが、観光客の増加、観光関連産業の成長による地価や地代・家賃の上昇がもたらす影響である。次節ではこの負の側面をより詳しく見てゆくことにしよう。

3　オランダ病

我々が特に注目するのは、観光がオランダ病（Dutch Disease）と呼ばれる現象をもたらし、これまで余り注目されてこなかった重要な弊害をもたらしている可能性である。オランダ病という言葉は、雑誌 Economist に最初に現れた表現で、1970年代後半、北海油田の開発が本格化した時期にMax Corden をはじめとする経済学者が提唱した。当時、北海油田開発により大きな利益を得たオランダにおいて、貿易収支の劇的な改善により自国通貨の為替レートが高騰した。それによりオランダの他産業の国際競争力が低下し、却ってオランダ経済にマイナスの影響を与えたことから、資源セクターなど特定の産業の競争力が飛躍的に高くなることで、自国通貨の高騰をもたらし、それ以外の産業の国際競争力に大きなマイナスとなることをオランダ病と呼んだ。

もちろん、京都のような都市単位で、類似の現象を考える際には、為替レートを通じた他産業への影響はあり得ない。都市といった国内地域で媒介役として機能するのは地価や地代と家賃であろう。ある都市で特定の産業の生産性が際立って高くなる、あるいは産業に対する需要が急増することで立地が進んだ結果、地価そして地代が高騰し、他の産業がこの都市から次第に駆逐されてゆくようなことが起これば、その現象はほぼ北海油田がもたらしたオランダ経済への影響と同じような結果をもたらしうる。特に、観光誘致に重要な景観を保護する建築規制が導入される場合、保護策が土地利用の選択肢を狭め、供給を制約し、観光業の土地需要の高まりとの相乗効果により問題はより深刻になる可能性が高い。

観光業は、中・低所得の国や地域にとっては魅力的である。例えば、アジアの中でも観光業の成功が特に喧伝されたタイの場合、観光産業が地域経済の核となっているのは、タイ湾と西側のアンダマン海に点在するビーチリゾートである。その中でも最大のリゾートがプーケット（島）である。プーケットを訪れる外国人観光客は年間1000万人を超える。地域の労働市場は、タイ全国の中でも最も賃金水準が高く、バンコク首都圏を上回る。それは、観光業の中心となる、ホテルや飲食、様々のサービス業などの賃金水準が、他産業に比べて高いことを反映するからだ。そのため、タイ湾岸東部に1980年代以降急速に集積が進んだ、自動車、石油化学、機械といった産業立地はプーケット周辺では殆ど見られない。プーケットの成功はタイ経済全体にとっても大きなプラスであるといえよう。

しかし、日本のような先進国の場合、事情はやや異なるように思える。観光関連で新規参入が起こると予想される産業が、いずれも賃金水準が低い業種であり、雇用創出の効果も限定されたものである可能性が高い。観光に直接かかわる宿泊業、飲食業、鉄道、バス、タクシーなどの輸送関連業種のいずれをとっても平均賃金水準は経済全体の平均を下回る。また、観光業の成長がもたらす波及効果は、その及ぶ範囲が限定されている可能性が高い。観光客が滞在中に消費する財貨は住民の消費する財貨とは異なり、限定された品目、例えば宿泊施設や観光施設の利用、レストラン、交通手段、興行、土産物といった品目である。つまり、観光客の消費は特定品目に集中する。観光ブームの波及効果は喧伝されるほど大きくはないかも知れないことに気づく。

まとめ

ここまでの議論を整理しよう。観光ブームは二つの重要な影響をもたらす。第一に、観光地固有の生産要素、特に土地に対して観光ブームは大きな需要増加をもたらし、地価や地代、賃貸料が高騰する。他方、観光ブームは観光関連産業への需要増、この産業自体の成長をもたらす。観光に関連しない他産業への影響は、地価や地代の高騰がもたらす負の効果と、観光関連産業の成長による雇用の増加がもたらす正の効果の大小に依存する。観光ブームは観光産業以外にはプラス・マイナス双方の影響が考えられる。

そこで、以下では観光都市としての京都におけるいわば光と影を見てゆきたい。最初に、観光関連産業の集積がもたらした光の部分として、京料理を中心としたレストラン業界をとりあげる。その後、オランダ病の都市経済版としての観光ブームと景観保護のもたらした地価や土地利用に対する影響を見る。

4　レストランに見る観光関連業の集積効果

集積の経済効果は都市の経済分析の最も基本的な概念であり、都市固有の経済現象の多くは集積の経済効果として捉えることが出来る。京都のように観光業が重要な役割を果たす都市において、観光業関連の産業集積はそのような集積効果を持つのだろうか？

ここでは観光関連の産業として、京料理を中心とする飲食店を考えよう。レストランは典型的な都市型産業であり、人口集積地に集中する傾向がある。他の商業施設と同じく、人が集中する場所は、集客なしに事業が成り立たないレストランにとっては必須要件である。一方、このような施設に集中する顧客にとっても、多くの選択肢が徒歩圏内に集中するエリアは大きな魅力である。しかし、もしも集積の利益が市場の厚みだけによるものだとしたら、京都のような観光都市は無論のこと、全国の主要都市には同じような商業施設やレストランが集中するエリアがあり、特段京都に注目する理由はない。

ここで考える集積の利益は、情報通信や研究開発拠点の集積についてしばしば強調される、人的交流を通じた情報交換、技術伝播やイノヴェーションの促進に与える効果である。京都は日本随一の観光都市になることにより、また近年は訪日外国人観光客の急増により、強い集積と競争圧力が生じたと考えられる。私は、これが京都のレストラン業界に大きな技術革新の波を与えたのではないかと考える。

京料理に見る集積効果

そこで、この主張を裏付けるために、以下ではまず京都の飲食店が全国的にも特異な高度の集中を見せており、しかもそれらの店舗に対する評価が非常に高いことを示す。次に、京都が特に和食において、これほどの名声を獲得したのは実は比較的最近のことであり、これこそ、近年の集積現象の効果であることを示したい。

最初に利用するのはＮＴＴタウンページに掲載されている料理店の立地情報である。タウンページでは、飲食店を幾つかのカテゴリーに分けている。ここでは、和食として、「割烹・料亭」「魚・うなぎ・かに・かき」「すし」「和食・日本料理」の４カテゴリーを選んだ。和食以外の料理

京都、大阪、東京都区部の料理店の立地				
	総数	500m メッシュ 最高集中地点	50 店以上ある メッシュの総計	トップ 5 集中 地点店舗合計
和食				
京都市	1130	祇園、円山公園	4	299 (26.4%)
大阪市	1934	キタ(梅田)、ミナミ(難波)	4	532 (27.5%)
東京都区部	4700	銀座	7	364 (7.7%)
それ以外				
京都市	4252	祇園、先斗町周辺	4	713 (16.7%)
大阪市	9243	キタ(梅田)、ミナミ(難波)	11	1674 (18.1%)
東京都区部	23917	銀座、新宿(東口)	30	1239 (5.18%)

図表 6-1　3都市の料理店の分布

店は、居酒屋やカフェなど酒類やドリンクを主に提供する店舗や、菓子店やテークアウトなど店内での食事が主な形態ではないものを除外した後、残る全てのカテゴリーを選んだ。それぞれの店舗リストの住所をもとに、立地点を地図データに変換し、第四章でも利用した、国勢調査の500mメッシュに落とし込んだ。

その結果を、東京、大阪、京都についてまとめたものが、図表6－1である。和食では、京都は総数でみると大阪の6割程度であるが、最も立地が集中する祇園・円山公園エリアでは、東京、大阪の集中エリアに匹敵する大規模な集積となっている。予想される通り、和食以外の料理店では大阪や東京ではより多くの集中地域があり、最も集中度の高い地域の全体に占めるシェアは小さくなる。京都でも同じ傾向はあるものの、最も集中度の高いエリアは、和食とほぼ同じで、祇園、先斗町エリアが最大、それに次いで四条河原町周辺が加わる。他方大阪では、キタ、ミナミに加えてJR福島駅周辺、天王寺駅周辺などが加わるし、東京都区部の場合、銀座、新宿、渋谷に加えて六本木・赤坂、新橋、池袋等々が加わる。

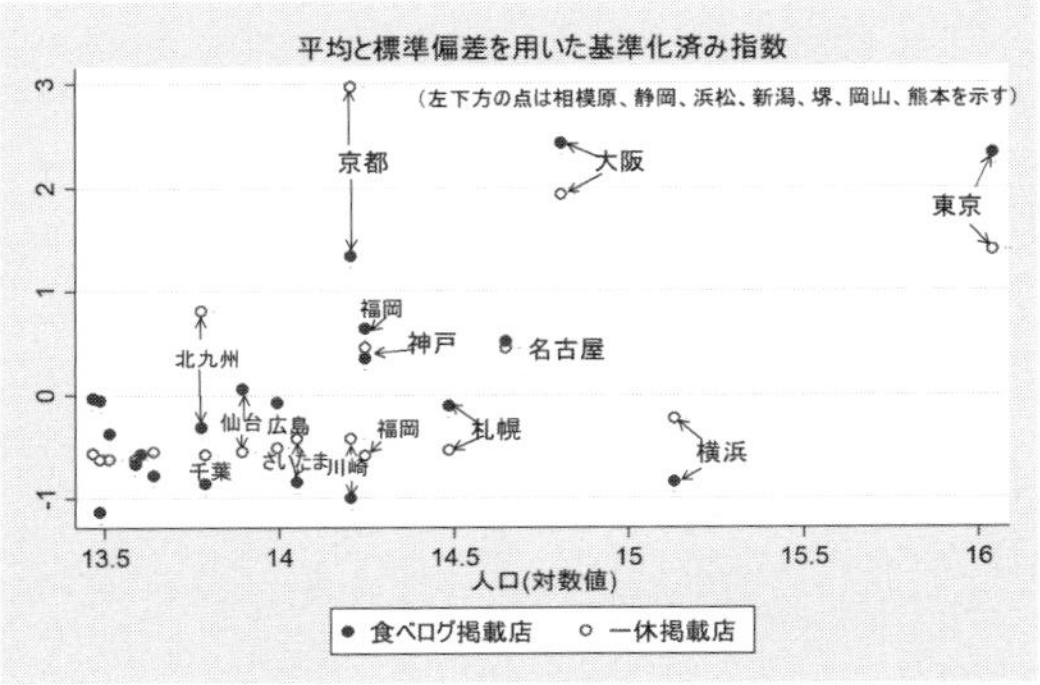

図表6-2　人口当たりレストラン軒数

少なくとも集中地域で比べる限り、京都の和食料理店は東京、大阪に引けを取らない店舗の集中が見られる。特に、他の2都市がいずれも数地域に集中地点が分散しているのに対し、京都は河原町を西端とし四条通を挟み、円山公園まで続く極めて限定されたエリアに集積があることに特徴がある。

タウンページはもともと電話番号簿であるから、その情報は立地や電話番号に限定されていて、店の評価や人気度について知ることは出来ない。店舗数とその集中度だけで都市を比較するのは限界がある。そこで、都市のレストラン全体の魅力度の指数として、「食べログ」に掲載されている店の人口当たり軒数を求めた。ただ「食べログ」には、フレンチレストランからラーメン店に至るまで幅広いジャンルを含むので、よりフォーマルで高級な店に限定されていると思われる、「一休.com」の掲載店をやはり人口当たりに換算した指数も求めた。図表6－2は、それぞれの指数の平均からの差を標準偏差で割った基準化されたものを利用している。(したがってサンプルとなる主要21都市の平均的集積を持つ場合、縦軸の値はゼロである)横軸は人口規模の違いが大きいので図を見やすくするため対数値で人口を測っている。京都が人口サイズに比して突出してこれらの指数が高いことが一目瞭然である。特に、一休の指数では、東京、大阪を凌駕して、主要都市のトップである。煩瑣になるので、データを示さないが、二つのデータを提供される食事の種類に分けても、京都の優位はゆるがない。和食は言うまでもなく、西洋料理においても、京都の優位は和食と大きく異なるわけではない。（但し、中華に限定すると京都は、神戸に劣る）

京料理の盛衰

人口規模の大きさを考慮するなら京都の突出ぶりは明らかである。京都のレストラン、特に和食については、観光に関わりなく、常にゆるぎない地位を持つものであったと思われる方も多いだろうが、実はそうではない。京都の食が今日の隆盛を迎えたのは実は比較的最近、少なくとも高度成長期以降であると考えられる。そのことを幾つかの資料から検証したい。

図表6－3は事業所統計における飲食店の従業員比率を1981年と2016年で比較したものであるが、1981年時点では京都の飲食業比率は他の政令指定都市より高い方ではあるものの突出してはおらず、大阪や福岡とほぼ同じで、神戸より小さい。しかし、35年間で比率は1・7ポイント、ほぼ2割増加し、2016年のデータでは政令指定都市の中では神戸と並んで突出したものになっている。京都における飲食店の盛況は少なくともバブル以前には現在ほど目立ったものでなかったことを窺わせる。

この傾向を示すもう一つの傍証として、メディアの注目度を調べてみる。朝日新聞の記事検索（知恵蔵）を利用して、1986年以降2020年末まで、「京料理」という言葉の記事検索を行うと、合計で906あり、5年刻みで以下のような度数分布が得られた（図表6－4）。

1986年から1990年までの21が最低で、そこから増加を続け、1996～2000年には

	1981年	2016年
京都市	7.96%	9.63%
北九州市	6.48%	7.00%
名古屋市	7.69%	9.25%
大阪市	7.96%	8.05%
川崎市	6.17%	8.13%
広島市	7.03%	7.34%
札幌市	7.57%	7.52%
横浜市	7.11%	8.15%
特別区部	7.59%	7.67%
神戸市	8.55%	9.78%
福岡市	7.86%	8.87%

図表6-3　就業者に占める飲食店従業員の比率

1986 ～ 1990年	21
1991 ～ 1995年	69
1996 ～ 2000年	105
2001 ～ 2005年	176
2006 ～ 2010年	179
2011 ～ 2015年	246
2016 ～ 2020年	109
合計	906

図表6-4　「京料理」記事年度別件数

１００を超え、２０１１～２０１５年がピークで２４６と、最初の５年間の10倍以上になっている。要するに京都の飲食店の突出ぶりは、比較的近年、恐らくは１９８０年代以降に起こった現象であり、そのタイミングは「そうだ 京都、行こう。」などのキャンペーンの成功や、近年の外国人観光客の顕著な増加に後押しされたものであることを示唆している。

京料理の技術革新

「京の着倒れ、大阪の食い倒れ」の表現にもあるように、少なくとも高度成長期までの日本では、京都を食の都と捉えるのは一般的ではなかった。歴史ある名店が多いことは確かであり、豆腐、湯葉、漬物などに名品が多いことも知られてはいたが、京都の食の代表は、お茶屋や高級料亭などに代表される会席料理であり、そのイメージはよく言えば伝統的、ありていに言えば古色蒼然としたものであった。

江戸後期の戯作者、滝沢馬琴は『羇旅漫録《きりょまんろく》』で「京によきもの三つ、女子、賀茂川の水、寺社。あしきもの三つ、人気の吝嗇、料理、舟便」と批評したという。関東大震災後は関西に移り住み、戦後は京都に居を構えた谷崎潤一郎でさえ、京都の食べ物を、東京と比較しながら「人によってそれぞれの嗜好があるとしても、鰻、すし、そばなどは遥かに東京より劣っている。海の魚は種類が乏しくて、しかも品質が悪いようである」と辛口の評を『朱雀日記』(1912)に記している。

現代の京料理として代表的な、ヴァラエティに富み、色鮮やかな小品が提供されるコース料理の起源の一つは、懐石料理、もう一つは割烹と呼ばれる、ややカジュアルで、オープンカウンターで調理される料理であり、その起源は大阪である。また近代以降の日本料理の頂点を極めた店といえば、湯木貞一が大阪に開いた「吉兆」であるのは異論のないところであろう。料理研究家として知られた辻静雄の筆になる辻調理師学校のウエブサイトでは「大阪が『食い倒れ』の町といわれる理由は、まず新鮮な食材に大いに恵まれたことそして質の高い包丁が作られそれを使いこなす腕の良い職人が多くいたためなんです。私は、日本料理は、大阪が一番だと思っています。(中略)料理という全体の形でみた場合どうかというと、その点やはり大阪は一番優れていると思います」と記す。一方、京料理については「その中でも『食』の文化の発展には目をみはるものがあり、一般に京都の料理をさして『京料理』という言い方をしますが、私共の学校でも就職は『京料理』のお店にしたいという生徒が後を絶たず、人気は衰えません。『京料理』が日本一だとかたく思い込んでいる生徒もいるようです」と書いて、京料理の人気が近年のものであることを示唆する。

客観的な条件も、京料理が現在のような洗練を見せるには戦後の高度成長が不可欠だったことが分かる。第一に新鮮な海産物が京都市内で利用できるようになるためには、高速道路、冷蔵設備を持つ専用車の発達が欠かせない。このような条件が整ったのは、60年代後半以降であり、それ以前、京都市内で鮮魚を食べる機会は、琵琶湖の川魚、それに生命力の強い鱧《はも》など、ごく限られていた。今日でも京都で鱧が珍重されるのは、鱧が冷蔵車の普及する以前、京都まで陸送しても生魚として利用できる数少ないものであったからだ。和食に占める海産物、特に生魚の重要性を考慮すると、それ以前の京料理には極めて大きなハンディキャップがあったといえる。

このような事情と京都と大阪の食に関する評価が、恐らく70年代初期くらいまでは一般的であったことは、井上章一の以下のような発言にも表れている。「僕が子供のころだと、(中略)街の噂で『あの人は大阪で修業しはったから腕は確かや』と。まあ大阪印が技術を保証していたわけです」(井上・鹿島 2018)。井上は1955年生まれとあるから、仮に10歳当時とすると1965年である。また、京都の食の水準向上には、冷蔵設備の普及があったとする指摘も、上に述べた通り、素材の違いが、京都の食に不利に働いていたことからも納得できる。

京都の食が外側から評価が難しかったのにはもう一つ理由があり、それは多くの名店が一見さんお断りの高級料亭や仕出し店であるため、一般的な外食では経験できないものであった事情がある。実際、上で触れた谷崎の『朱雀日記』でも、別の箇所で「とにかく、瓢亭の料理だけは、一遍東京人も喰っておくべきである」と激賞している(現在瓢亭は一見さんお断りではない)。仕出し屋の料理は、祇園を中心としたお茶屋などで供される他、茶会、仏事、婚礼などの行事や、市中の富裕な家庭でも特別な機会に利用された。少なくとも戦前期まで、大阪に比べて京都人は外食をせず、特別な機会でも仕出し屋を利用して自宅で食事をふるまうのが一般的であったのは留意されて良い。特一見さんお断りの高級料亭や、仕出し屋が料理を提供するような行事や機会に招かれない限り、京都の外部の人間がこのような経験をすることは出来なかった。多くの仕出し屋が自店舗を構えるようになったのは今世紀に入ってからである。

要するに、京料理が和食の中で群を抜くものであるという一般的な認識は比較的最近のことであり、少なくとも高度成長期の頃までは、大阪がその位置にあったことは、関西では一般的な認識であった。

京料理の飛躍

京料理が現在のような名声と繁栄を得たのには三つの要因があると考えられる。第一はいうまでもなく、観光客、特に相対的に裕福な旅行者の増加が、京都のレストラン需要を大きく引き上げたことにある。第二は上にも触れたように、高速道路の発達と冷蔵冷凍技術の進化により、京都市内でも十分に新鮮な魚介類が提供できる条件が整えられたこと。もう一つ、そしてこれがこの章の主題であるが、京都のレストランは集積により大きな飛躍を遂げたと考えられる。

京都の都心は狭い。主要なレストランを考えるには、上・中・下京と祇園を含む東山区、それもかなり限定された一部の区域を考えれば十分である。例えば上に挙げた一休の場合、京都市で350程度の店舗が掲載されているが、祇園・清水寺周辺で118、河原町・木屋町・先斗町周辺で81とこの2エリアで200近く、市内全体の掲載店舗の実に6割近くが集中している。このエリアは、東西で500m程度、南北でも1㎞に満たない。この二つのエリアの両端となる、南東の清水五条坂から北西の河原町三条まで歩いても30分とかからない。つまり徒歩で全域をカバーできる狭い範囲に、京都の名店と呼ばれるレストラン・料亭の6割程度が集中する。

飲食店というのは開業・廃業率が極めて高く、常に競争の激しい業界であり、調理師の移動も激しい。徒歩圏内でこれだけ名店が集中していれば当然、料理人の出入りも大きく、技術の伝播速度も速い。この業界では事実上、特許制度が機能せず、他店の技術を模倣することは当然と考えられており、革新的な技術やメニューはあっというまに伝播する。

ここで見逃せないのは、このような技術伝播が、特定のジャンルに限定されないことで、京都の場合、特に80年代以降、中華、フレンチやイタリアンのメニューや製法技術を京料理のメニューに取り込むことが一般的になった点である。90年代以降は、中国以外のアジア系の料理法や素材も仲間入りした。例えば、和食のメニューに欠かせない先付では、液体の醬油の代わりにエスプーマしたものやポン酢のジュレを供するスタイルが、今世紀に入り急速に普及した。また、京料理では、アンコウの肝のポン酢がしばしば先付で現れるが、自然とフォワグラを素材にしたものも広く供されるようになった。コースの最後には米食が供されるが、伝統的なご飯と御御御付《おみお》けの組み合わせに替えて、リゾットやカレーが出てくることも珍しくなくなった。また、京都では合鴨を利用した料理が古くから盛んであるが、（合）鴨はフランス・イタリア料理でも重要な素材で、京料理に現れる合鴨も近年オレンジソースに似せて、和風の柑橘類を用いた料理が増えてきた。異業種交流や相互参入は和食とフレンチやイタリアンに限定されるわけではない。留学生の多い京都では東南アジア系のレストランも多く、彼らの提供するタイやベトナムのメニューも、多くの異業種で取り入れられた。京のおばんざいを供する多くの小料理屋では、これらのアジア系のメニューが入るのは最早当たり前になった。

京都は江戸時代から観光都市であったが、それが料理店の繁栄にどの程度結びついていたか、実は疑問の余地がある。今世紀に入るまでの京都観光の主流は、関西の日帰り圏からの観光客と修学旅行客で、多くの料理店にとって収益の大半をもたらす夕食の顧客に占める観光客の比率は大きくなかったのではないか。日帰り客の大半は夕食前に京都を離れるし、宿泊客も旅館利用が大半であるため、修学旅行客はいうまでもなく、夕食を外食する比率は高くなかったであろう。京都生まれの作家、綿矢りさによる自伝的長編『手のひらの京《みやこ》』(2016)には、「京都の夜は祇園祭の日ですら早い。(中略)殆どの店が九時には閉まるので、四条でも九時過ぎにはもう人の姿がまばらになる。(中略)大体みんな(市)バスの時間を目安にして帰ってゆく」とある。観光客が夕食の主要顧客になったのは意外と最近の現象であることをうかがわせる。東京や大阪のように繁華街でそぞろ歩きをする人波が深夜までみられるようになったのはごく最近のことである。

観光地での食の魅力を引き出すためには、三ツ星レストランや高級料亭だけでは十分ではない。手軽な予算の食べ歩きも重要な要素で、京都はこの面では大阪に比べて不利で、それが、京都の夜が早いことの一因でもあった。しかし、今世紀に入り、町家を改造した多くのカフェや菓子店が急増し、その不利は克服されつつある。多くの老舗菓子店は、現代風にアレンジされた和洋折衷の新しい商品やメニューを開発し、その全てが成功しているわけではないが、食べ歩きに似合った店舗が全体として急増したのは事実である。

また、戦後長期にわたり民営の職業紹介が禁止されていた時期でも、和食の調理師だけは例外とされ、京都と大阪には「口入れ」と呼ばれる民営の職業紹介所があり、これも都市経済学で集積の利益の要因の一つとされる分厚い労働市場の形成に寄与した。技術の創造と伝播、人的交流、異業種間のメニューのクロスオーバー、海外からの技術輸入、正しく、都市経済学の教科書にまとめられているような、集積の利益を実現するような実験場として京都の都心部は機能したといえよう。

食べログに見る人気店の特徴

最後に強調したいポイントは、この節の最初に利用した「食べログ」、「ぐるなび」、「一休」、「トリップアドバイザー」などのウエブサイトが果たした役割である。これらのいずれもが、実際に食事をした経験をベースに作成されたガイドであることから、必然的に一見さんお断りのような料亭はネット上で取り上げられる機会は少ない。現在でもその方針を守る名店は少なくないといわれるが、京都のレストラン業界の成長の中心にあったのはそのような名店ではなかった。

そのことを具体的に確かめよう。利用するのは食べログのサイトである。「京都、ディナー」で得られた検索結果2万1484店のトップランク50位までの各店舗についての情報をまとめたのが図表6－5である。

まず強調したいのは、各店舗の創業年である。50店舗の内、2000年以前にオープンした店舗は10店に過ぎない。残る40店はいずれも創業が今世紀に入ってからである。かといって食べログが、京都の名だたる歴史ある名店を無視している訳ではない。数少ないが、だれでも名前くらいは知っている名店も幾つかこのリストには含まれる。39位の嵐山にある名店は中でも有名である。また25位の店は、京都峰山の旅館から始まった名店で、戦前から京都屈指の仕出し屋として知られ、今は市内に数店舗を持つ。また、このリストの中にはいわゆる一見さんお断りの店も排除されておらず、4店は、紹介がないと来店できない店である。

このような例外はあるが食べログのサイトで人気があり、評価が高い店は今世紀に入って創業し

順位	都心部	一見さんお断り	地域	ジャンル	オープン年
1			仁王門	割烹・小料理	2018
2	●		四条西洞院	懐石・会席料理	2008
3	●		姉小路富小路	懐石・会席料理	2010
4	●		六角富小路	懐石・会席料理	2015
5		●	祇園町南側	イタリアン	2011
6			祇園町南側	割烹・小料理	1990年代？
7			岡崎仁王門	割烹・小料理	1994
8	●		寺町竹屋町	懐石・会席料理	2010
9			円山公園南	中華料理	2013
10			祇園町南側	牛料理、割烹・小料理	2004
11	●		堺町竹屋町下ル	懐石・会席料理	2017
12			円山公園東奥	懐石・会席料理	2004
13			天神道下立売	懐石・会席料理	2011
14			浄土寺石橋町	京料理	1996
15		●	泉涌寺山内町	中華料理	2014
16	●	●	四条高倉下ル	寿司、創作料理、そば	2020
17			花脊	懐石・会席料理	1895
18			紫竹北栗栖町	中華料理	2019
19		●	祇園町南側	割烹・小料理	2003
20	●		柳馬場通丸太町下ル	フレンチ	2014
21			祇園町南側	懐石・会席料理	2009
22			八坂通大和大路東入	割烹・小料理	1987
23			祇園町南側	懐石・会席料理	2012
24			千本通丸太町上る	懐石・会席料理	2013
25			高台寺北門前鷲尾町	懐石・会席料理	1982
26			木屋町四条下ル	割烹・小料理	2010
27			祇園町北側	懐石・会席料理	2008
28			祇園町南側	懐石・会席料理	2011
29			祇園末吉町	京料理	2001
30			京丹後市	懐石・会席料理	2008
31			西京区御陵溝浦町	ステーキ、ハンバーグ、洋食	1980
32			南禅寺草川町	懐石・会席料理	1837
33			出町柳梶井町	京料理	2002
34			祇園町南側	割烹・小料理	1997
35			妙法院前側町	割烹・小料理	2018
36			宮川筋	割烹・小料理	2010
37	●		富小路通二条下ル	フレンチ	2012
38	●		衣棚通三条下ル	イタリアン、モダンフレンチ	2008
39			嵯峨天龍寺芒ノ馬場町	懐石・会席料理	1948
40	●		御幸町通仏光寺下る	バー	2009
41			岡崎円勝寺町	懐石・会席料理	2021
42			下河原通八坂鳥居前下る	懐石・会席料理	2009
43			花見小路四条西入ル	フレンチ	2017
44			円山公園南	懐石・会席料理	2016
45	●		夷川通御幸町西入	懐石・会席料理	2017
46			河原町通四条下る	イノベーティブ・フュージョン	2019
47			鷹峯土天井町	京料理	2012
48	●		東洞院通竹屋町下ル	懐石・会席料理	2013
49	●		烏丸仏光寺東入ル	懐石・会席料理	2016
50			祇園町南側	割烹・小料理	2008

図表 6-5 「食べログ」京都の夕食トップ50店（2021年11月著者調べ）

たものが圧倒的に多い。近年の観光ブームの与えた影響を否定することは難しい。京料理、より広くは京都の飲食業の成功は、何よりも過去20年程度の観光客の増加に支えられた集積の利益にあった。名店は京料理のイメージを植え付け、修練の場を提供したであろうが、実際の集客は観光客の嗜好や予算、そしてこれらのネット上のガイドや情報を反映するものになっている。

そして、50店のリストでもう一つ気づくことは、多くの名店が集中する祇園・円山公園に50店が集中しているわけではないことだ。祇園町と円山公園とその付近の店は合計しても14店で3割に満たない。観光客が集中する岡崎・南禅寺エリアや四条河原町周辺にも多くの店が立地しており、●印で示したように田の字地区を中心とした都心部の店も13店と多く、その大半が町家を改修した店舗であると思われる。これも50店の多くがせいぜい過去20年程度の間に開業したものであることを反映しているといえよう。京都の和食が古い歴史と伝統をその背景に持つことを否定する必要はない。しかし、その革新と成長の歴史は浅く、高度成長期以降の京都の都市としての変遷が色濃く影響していることが見て取れる。

5　揺れ動く景観保護と土地利用政策

前節では、京都観光の光の部分に焦点をあてた。3節の議論に戻れば、観光業の成長は他の産業に正負いずれもの金銭的外部性をもたらす可能性がある。中でも重要なのは、観光関連産業の立地が進むことでもたらされる地価や地代の高騰である。それに、観光資源としての景観を保護する規制が加わることで、土地利用には様々な制約も課されることとなった。

しかし、京都はずっと観光都市であったので、土地利用がどのように進んできて、そこに観光都市であることがどう影響するかを見極めるのは実はそう簡単ではない。一方、前章の議論を踏まえれば、土地利用に見る戦後京都の歩みを振り返るのは、それ自体意味のあることだと考える。そこで、以下では、もう少し広い視点から、京都の観光政策と景観保護を巡る地域の歴史を振り返り、その後土地利用そのものを特にバブル崩壊の影響に注目することで考えてみよう。

京都は全国でも類例を見ない厳しい景観保護政策と高度地区指定がある。第五章で記したように京都は戦前から全国に先駆けて風致地区や歴史的風土保存地区を設定し、市を取り囲む東山、北山、西山の景観保護に取り組んできた。景観保護政策が、市内全体をカバーし、文化財以外の一般建築物に対する規制に範囲を広げたのは1970年代以降であるが、そのきっかけは銀閣寺参道の住居専用地区における7階建てマンションの建設を巡る紛争であったという（大澤2010）。風致地区に近接する場所であったが、当時の建築基準法では高さ20mまでの建築が可能であった。周囲の住民からは日照権や景観保護の観点から反対運動が行われたが、市としては建設を阻む法的根拠もなく、建物は計画通り建設された。これを受けて1973年には市街化区域のほぼ全域をカバーする高度地区指定が行われた。用途地域に応じて、6種の高度地区が指定され、山裾から都心にかけて上限をあげてゆく形で、10mから45mまでの4段階が決定された。但し、工業地区や準工業地区の一部は高度地区の指定から除外された。最後の45mの上限については、総合設計制度に準じる建築物に関して例外的に45mまでの建設を可能とするものであった。

1980年代以降地価の急騰を受けて、地価抑制の一環として総合設計制度の活用・推進がはかられ、京都市も1988年にその流れを受け、従来の45m上限を60mに緩和することとなった。2

年後の1990年、この制度を利用した、京都ホテル（現在は京都ホテルオークラ）の建て替え問題が起こり、京都仏教会を含む、市内の複数の団体や組織を巻き込み、大きな社会問題となった。また、これは総合設計制度の利用ではないが、同時期に京都駅ビルが京都ホテルと同じ高さ60mで計画され、改めて京都市内の超高層ビルの建設の是非が大きな社会問題となり、京都の景観保護を巡る論争は新たな局面を迎えた。次節で取り上げるように、1990年代以降都心部に多くの高層マンションが建設されたことも建築規制の強化の背景となった。

詳細は参考文献（大澤上掲論文）に譲ることにして、ここでは1990年代以降の推移を2点に絞ってまとめておく。一つは2007年に策定された新景観政策により、京町家の保存と共に、眺望景観や借景の保存の取り組みが政策の柱として取り入れられ、「原則として都心商業地区の建築物について一定限度の高さ（31m）の建築物を認め、都心から東、北、西の山麓に近づくにつれて次第に高さの上限を低くする」こととした。新景観政策により、京都の旧市街のほぼ全域が、景観保護政策の対象となった。そして、第二の重要な変化は、基本的に景観保護のための建築規制がより包括的で厳しいものになった点である。特に眺望景観や借景を明示的に保護の対象としたうえ、具体的な保護すべき眺望を選定し、それを保護するための高さやデザインが規制される。保護対象としては、圓通寺の比叡山を望む借景や五山の送り火の眺望が選ばれている。

景観保護を巡る政策の変遷を振り返ると、戦前の風致地区の選定に始まり、1990年代の京都ホテルの建て替え問題が起こるまで、景観保護の主たる対象は三山やその山裾に広がる地域と嵯峨野など都心から見た周辺地域に焦点があり、都心に移ってきたのは今世紀以降である。

数多い例外規定

京都市は景観保護と土地利用に関する諸規定の変更を繰り返してきたが、その全体を理解することが難しいのは、変更が何度も行われ、多くの法や条例が関わることに加えて、規制の例外規定の適用が市当局の裁量に委ねられており、適用の経緯が少なくとも外部からは分かりにくいこともある。例外規定のうち最も重要なのは、高度地区指定における総合設計制度であり、1994年に完成した建て替えられた京都ホテルは、当時の高度地区指定では高さの限度は45mと定められていたが、制度を利用して60mのビルが認められた。また、同じ時期に建設された京都駅ビルも同じ60mの高さであるが、別の高度地区にあり、総合設計制度を利用しても上限は45mであるため、都市計画法の特定街区制度を利用して建設が認められた（なお、1964年に建設された京都タワーは、建築物ではなく工作物であるため、当時は高度指定の対象外であった）。いずれのビルの建設も当時大きな論争を呼び、反対運動も繰り広げられたが、制度全体の理解が難しい上、少なくとも印象としては、制度には明記されていない京都市当局の方針があって、それに見合うものは例外規定が総動員されるように見え、景観保護行政の一貫性について疑念を招いたことは否定できない。

新景観政策の策定以来、最も厳しい高度地区制限が設けられたが、これにも新たな例外規定「景観誘導型許可制度」が、総合設計制度に代わるものとして設けられた。2008年には、京大病院の新棟や、帝国ホテルの進出が決まった弥栄会館の建て直しなど、既に多くの特例措置が適用されている。また2021年になって、JR京都駅そばの京都郵便局ビルの建て替えと再開発計画が発表されたが、これは、都市再生特別措置法に基づく「都市再生特別地区」の適用により、新景観政策の例外規定の外側で建築許可を得ようとするものとされ、計画によれば最大高さ60mのビルを建設するものとされている。

更に、2022年10月には、新景観政策策定以来の規制強化の方針を大きく変える、規制緩和案が発表された。報道によれば、「市の南部などで建物の高さ制限を見直す規制緩和案の内容を公表した。京町家が多く残る市中心部は制限を維持する一方で、複数の地域でより高いビルの建設を認めてメリハリをつける。2007年から建物の高さを厳しく制限してきた景観政策を大幅に見直し、オフィスや住宅供給を増やす狙い」で、新たな都市計画案では「5つの地域で高さ制限を見直す。JR京都駅の南側エリアや南区の工業地域、JRの山科駅や向日町駅周辺などが対象だ。京都駅の北側で昔ながらの京町家などが多く残る通称『田の字エリア』は変更しない」(日本経済新聞10月18日)。

京都タワー効果

景観保護政策を巡る対立は、常に「開発か規制か」といった表現で、景観保護によってもたらされる公益と、開発による私的利益の間の相克として捉えられることが多い。しかし、京都の景観保護政策の変遷を見直すと、利害関係はもっと錯綜している。京都の観光の根源に景観があるとすれば、観光関連の産業は景観保護の立場に立つと考えてしまいそうになるが、京都タワー、京都ホテル、JR京都駅と、景観論争の焦点となったのはいずれも観光関連の施設である。実際、高層のオフィスビルの建築計画で景観論争が起こったことは、京都では一度もない。

なぜ観光関連施設に限って景観を損なう恐れのある建築が現れるのか? それは次のような理由からである。京都タワーの展望台からは当然のことであるが(最も目障りな)京都タワー自体は見えない。周辺から見れば京都タワーは無視できないものでありながら、京都タワーはそこから眺める景観を売り物に出来る。つまり、優れた景観は、それ自体が景観を犠牲にしながら、同時に、優れた景観を売り物にする建築を促す強力な誘因となりうる。これを京都タワー効果と呼ぼう。この効果は観光関連施設に一番強く表れ、しかも優れた景観が見られる地域こそ、開発のインセンティブが最も強くなる。室内からの眺望に町家の並ぶ景観を配した高級マンションの広告も京都タワー効果の一例である。

景観保護政策の履歴効果

京都のように景観保護に関する諸規制が大きな変遷を繰り返してきた都市では、過去の規制が現在の景観にもたらす影響も重要である。これらの規制は遡及力を持たないから、現在の規制基準から見て不適格な建築物も一般的には是正を要求されない。今や、京都の都心では60ｍはおろか、31ｍ以上の高さの建築物も新築が不可能であるが（但し上記のような例外規定を適用すれば可能）、京都ホテルオークラに建て直しが要求されるわけではない。一方、京都市は現行基準に照らした不適格建築物に対して、建て直し時の救済条項を設けていないため、建て替え時には、これらの建築物は現行規制に適合したものであることが要求される。京都市が２００６年に行った調査によれば、このような不適格建築は市内に１７６９件あると推定されたが、近藤（2013）による再調査では、２００６年以降建設されたものも含み、マンションの塔屋等の不適格も含めると更に不適格物件は多いとされる。近藤論文では、田の字地区に限定して再調査を行い、計９８９件の不適格物件を確認したが、それは市が調査したこの地区の不適格物件４４３件の2倍以上である。近藤による調査結果は、989件の内訳も示しており、マンションが537件と過半を占めており、オフィスビル287件、店舗系ビル97件などとなっている。

上限15m（田の字地区でも細街路沿いに適用）という厳しい高さ制限を課すことで保存される景観とはどんなものであろうか？　最も保存するインセンティブが大きいのは、過去の規制緩和期に建てられた現行基準では不適格の建築物である。それはペンシルビル、あるいは主要街路に面する土地と合筆して開発されたマンションやオフィスビルである。これら建築物は現行基準では許容されない高さあるいは容積率を持つため、その分超過利益を反映するものとなっており、これらの建築物を維持する強いインセンティブになる。つまり、厳しい規制で最もその維持に強いインセンティブが付与されるのはかつての緩和期に建築され、景観保護から見て最も望ましくない建築物である。他方、現行基準より十分低い建築物、つまり町家には依然として建て替えにより容積率を上げてプラスの利得を得る可能性がある。規制強化は、強化以前に建築された不適格物件を保存する強い誘因をもたらすが、規制強化に影響されない本来の保存対象にとっての保存誘因にはならない。

かつて大店法を巡る紛争が全国各地で起こっていた時期、多くの実証研究が、大店法規制により最も大きな利益を得るものは、商店街の中にある小売店ではなく、規制以前に建設された大規模店であることを示した。規制強化は既得権益を保護することとなった。町家保存のための政策効果もこれに似ている。保存の効果が最も強いのは町家ではなく、その周辺に建つ高度成長期以降の既存不適格物件である。

景観保護政策の難しさ：外部性と金銭的外部性

京都は景観保護行政において間違いなく最も先進的かつ包括的な制度を構築し、数次にわたる見直しと修正を繰り返してきた。市としての規模の大きさと対象となる地域の多様性を考慮すると、景観保護としばしば相克する政策目標との整合性、不断に変化する都市としての姿と折り合いをつけ、京都の景観を守り向上させる政策の堅持が容易でないことは誰でも理解できる。そのために必要となる微調整、個別案件の処理に京都市は腐心してきたが、それが保護行政の一貫性の欠如、あるいは恣意的な例外規定の利用、といった反発も招いた。

より本質的な問題としては、景観保護行政が少なくとも理念としては地域公共財としての景観を守るための政策、つまり外部性に対処するものでありながら、同時にその政策が地価や地代の変化をもたらす副次効果も無視できない難しさがある。実際、多くの実証研究が建築物の高さ規制がもたらす地価への負の影響が無視できない大きさであるだけでなく、優れた景観そのものが地価に反映されることも示す（林 2017、大庭他 2006）。景観保護そのものが、一方では純粋な公共財としての景観を保護しつつ、同時に景観保護で利益を受ける者に対する金銭的外部性ももたらすのである。

規制強化は、少なくとも三つの異なる影響を土地市場にもたらす。第一に規制本来の目的である、景観の保護が一定の効果を持てば、地域公共財としての景観が守られ、それにより優れた景観を持つ地域としての評価は土地価格に反映される。第二に、規制がより厳しい区域と緩い区域の間で代替が起こり、土地需要はより厳しい区域から緩い区域にシフトする。そのため規制区域周辺は、規制対象区域に比べて相対的に地価が高くなる。

供給抑制効果

そして、第三に、供給抑制効果がある。高さ規制により一定の土地に建築可能な述べ床面積が減少するため、床面積で測った建築物の供給は減少する（ウエブ付論参照）。新景観政策が多くの既存不適格建築を生む結果になったことは、裏返せば、仮に規制強化が、1990年代のマンションブーム以前になされていた場合、これらの建築物は少なくとも高さ規制に見合う分だけ建築面積が減少したであろうし、厳しい高さ制限の下では、そもそも建築されなかったものもあったであろうという推測が成り立つ。

尤も京都市以外の殆どの都市では、景観保護のための高さや容積率の規制は、既成市街区の場合は極めて限定された区域に適用されるため、供給抑制効果は地域全体の土地市場ではそれほど重要ではないだろう。例えば倉敷美観地区は面積が約0・21㎢で倉敷市の面積355㎢の0・1%未満である。しかし、京都では景観保護に伴う規制対象区域はJR京都駅以北の市街化された地域のほぼ全てに及ぶ。しかも、田の字地区のような都心部分では地価が高いため、面積比率以上に経済的な効果は増幅される。そのため、景観保護政策全体がもたらす供給抑制効果は、量的に大きなものである可能性が高い。

景観保護は必ずしも観光目的のためだけに行われている訳ではない。しかし、観光ブームがもたらした土地需要の高まりは、環境保護政策の強化により更に増幅されることになった。3節で説明した観光ブームがもたらすオランダ病の懸念は、結果的に環境保護政策の強化によって、一層深刻になった可能性がある。京都の景観保護はそれが町家保存政策などと結びつくことで、事実上、建築物の外観や利用目的にまで踏み込んだ規制・誘導措置となっている。そのため、景観保護政策は

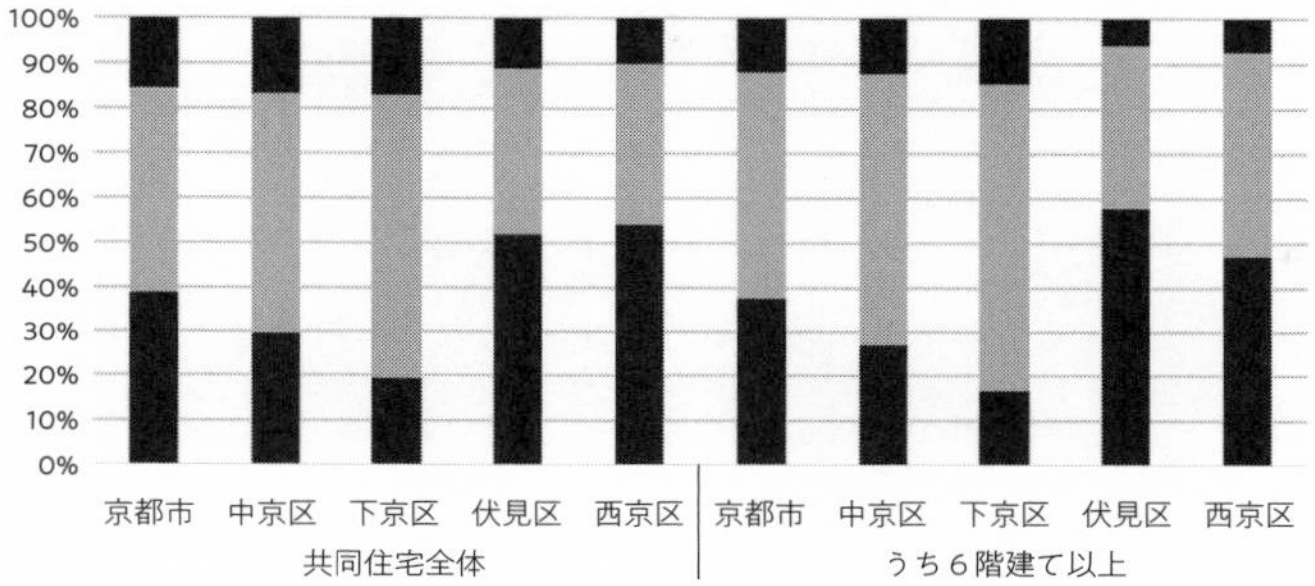

（下段1990年代以前、中段90-00年代、上段2010年以降）

図表6-6　京都市の共同住宅の建築年代別分布

高度制限がもたらす負の金銭的外部性だけでなく、用途により異なる制約要因としても機能する。そこで、オランダ病の問題意識に立ち返って、京都の土地利用の変遷とその影響を次節以降で検証してみよう。

6　バブル崩壊後のマンション建設

第五章でも触れたが、京都市内、特に中心部では1990年代以降に数多くのマンションが建設され、その幾つかは今日の厳しい景観保護政策のきっかけとなるものであった。図表6－6は、2018年の住宅土地統計であるが、貸家も含む共同住宅の建築時期別の戸数を示している。確かに、市全体あるいは都心区で見ても、共同住宅、特に6階建て以上の戸数は、1990年代と2000年代に集中している。

6階建て以上の共同住宅に限定すると1990年代～2000年代に建てられたものが、中京区では全体の58％、下京区では68％に達する。一方、郊外区である伏見や西京では、高層の共同住宅の建設時期はもっと早い年代に集中し、伏見区では1980年代がピーク、西京区では1990年代がピークであり、2000年代以降のシェアはいずれの区でも20％程度である。この分譲マンションの建設と表裏一体であるのが、都心3区への人口回帰であり、それが1990年代半ばから顕著になったことは第五章で既に記したとおりである。

西陣・室町の凋落

既に第二章でも触れたように、1990年代のマンション建設ブームは西陣と室町の凋落を直接的な契機とするものであった。バブル崩壊後、絹織物の生産額は激減し、生産高はピーク時の2割程度にまで落ち込んだ。西陣や室町の多くの企業は廃業あるいは破産により消滅し、これらの企業跡地にマンションが建設されることとなった。古賀（2007）は、1990～2000年代の田の字地区のマンション建設と建設前の土地利用を詳細に比較することで、繊維卸などを中心とした業務用施設が分譲マンションに建て替えられる過程を分析している。古賀によれば1990年代後半に、都心の業務地区の面積は約3分の1縮小し、その跡地の多くがマンションとなった。実際第五章でも見たように、1990年から2015年の間に最も自営業比率を減らしたのは、都心の上京、中京、下京と南区で、いずれもその比率は約2分の1かそれ以上の減少になっている。2003年に、西陣信用金庫が伏見信用金庫に救済合併されたのは、この間の西陣の凋落を象徴するものでもあった。

しかし都心のマンション建設が注目されたのは、その背景にある伝統産業の構造不況ではなく、高層マンションが都心の景観に与える影響であった。バブル崩壊以降続いたマンション建設ブームは町家の続く家並みと景観を損なうものとして問題視され、市が景観保護政策の再強化に至ったのは前節でみたとおりである。その最も重要なものが2007年の新景観政策による高さ規制の強化であり、更にはリーマンショックの影響もあり、今世紀に入って以降、マンション建設は減少傾向にある。それと同時に、都心への人口流入も鈍化しており、2015年以降はほぼ人口増加も止まった。吉田（2009）は、この間のマンション建設の動きは、新景観政策の高さ規制を見込んでの駆け込み需要とその後の落ち込みを反映したものと推測する。

7 ホテル建設ラッシュと都心機能の衰退

海外からの観光客が急増し始めた2010年代の初め、京都では観光に関して三つの大きな政策課題があった。一つは、観光客の季節変動が大きく、極端であり、特に紅葉と桜の季節に集中しがちであること。また、特定地域に観光客が集中することで混雑現象がひどくなること。

そして、最後に、宿泊施設が不足しており、そのため、観光客の多くが日帰りで、一人当たり支出が低いことであった。外国人観光客が急増し始めると、外国人が利用しやすいホテルの客室数の不足が特に深刻であると考えられた。また、後にも触れるように、外国人観光客の宿泊需要の急増を受けて、民泊や簡易宿所が住宅地内に急増し、それに伴う苦情も急増した。このような状況を背景として2010年、京都市は2020年迄に4万室に客室数を増やす計画を明らかにしてホテル誘致策を発表した。その結果、京都ではホテルの新築ラッシュが続いており、2014年には総客室数が2万程度であったのが2018年には4万6000室と倍増以上の異常な増加ぶりとなって、京都の宿泊施設は慢性的な供給不足状態から一気に過剰になった。過剰状態が明らかになった2019年以降も、建築ラッシュは続いており、2019年開業が34件、4200室の新設、2020年は38件、4460室、そして2021年は44件、5610室となっている。この3年間に限っても1万4000室余りの宿泊施設が新築されたことになる。日本経済新聞2022年7月28日ネット版によれば22年3月末の総客室数は5万8616に達した。つまり、2014年からのわずか10年たらずの期間で、ホテルの客室数は3万8000室増えた計算になる。

日本ホテル協会のデータによれば、協会所属のホテルの平均では1室あたり共用部分も含めると床面積は62㎡余りとなる。ビジネスホテルなどでは客室だけでなく、レストラン、宴会場など共用部分も小さいので、仮に京都の増床分について、1室あたり共用部分も含めた床面積をその半分未満の30㎡としても、2014年以降京都市内の新設宿泊施設の延べ床面積は114万㎡となる。第四章3節でも触れたように、京都市の床面積1000㎡を超える賃貸オフィスビルの総量は128棟で、床面積合計は107万㎡とされているから、2014年からの7年間で京都市内の賃貸オフィスビルの総量を上回る宿泊施設が建設(改築後の転用も含む)されたと推定できる。もちろんその全てが都心部に立地したわけではないが、この間の異常なホテル建設ラッシュが、京都市全体の土地利用に大きな影響を与えたことは否定すべくもない。

建築着工統計の都道府県別のデータもこの急増を示す。宿泊業・飲食サービス業用建築物をみると、2014年以降京都(府)の着工面積は急増している。2014~20年の7年間で、ホテル・飲食店施設の着工面積は年平均19万6000㎡、事務所は12万8000㎡と、事務所の着工面積の1・5倍を超える規模で、ホテルや飲食店施設が建設されてきたことが確認できる。これらの数字に、小学校建物等の改築によるホテル建設は含まれていないから、ホテル建築のペースはこの数字を上回るものと推定できる。

都心機能の減衰

このように、過去10年間に限定すると京都市内では新築の賃貸ビルだけでなく、新築マンションもいわゆる「億ション」を除くと建設は減少傾向となっている。ホテルを中心とした宿泊施設の建設ラッシュの影響は実に大きいと言わざるを得ない。

第四、五章でも触れたように、１９９５年頃をピークに都心の昼夜間人口比率は低下を続けている。京都市は都心に雇用が集中し、そこに郊外から人が集うという構造を次第に失いつつあり、その最も重要な理由は都心の雇用センターとしての規模が縮小しているからである。その背景には西陣の凋落と室町の繊維問屋の衰退があるが、それによって都心で職住共存を続けてきた町衆が去り、町家は建て替えられ、マンションブームが訪れた。更に、２０１０年代以降の観光ブームはホテルの建設ラッシュをもたらし、結果的に、都心機能の減衰はさらに進むことになった。

これを確認しておこう。国勢調査の市内従業者数（昼間人口のうち市内で就業している者）の推移を見ると１９９０年からの30年間で、総人口は約1万人増加したが、市内従業者数は14万７０００人以上減少した。図表6－7は、１９９０年を1として、過去30年間の市内従業者数の推移を示している。地域別の推移を見ると、都心3区（上・中・下京区）と南区の減少が大きく、この4区の減少幅は9万人以上で、京都市全体の従業者の減少数の6割以上を占める。京都市の中で、従業者の数がほぼ不変であったのは伏見区のみである。都心3区では、１９９０年代に入り人口が増え始めており、この間の従業者数の落ち込みと合わせると、都心での雇用力が低下し、新たな住人の増加は新たな雇用によってもたらされたものでないことが明らかになる。

なお、２０２０年の国勢調査の数値は２０１５年に比べても特に就業者数の減少が激しいが、コロナ禍という特殊要因があり、注意が必要である。それでも、都心の雇用の減少傾向が継続しているという大きな流れに変化がないことは確かであり、総じて、雇用の中心は南に移りつつあることはここでも確認できる。

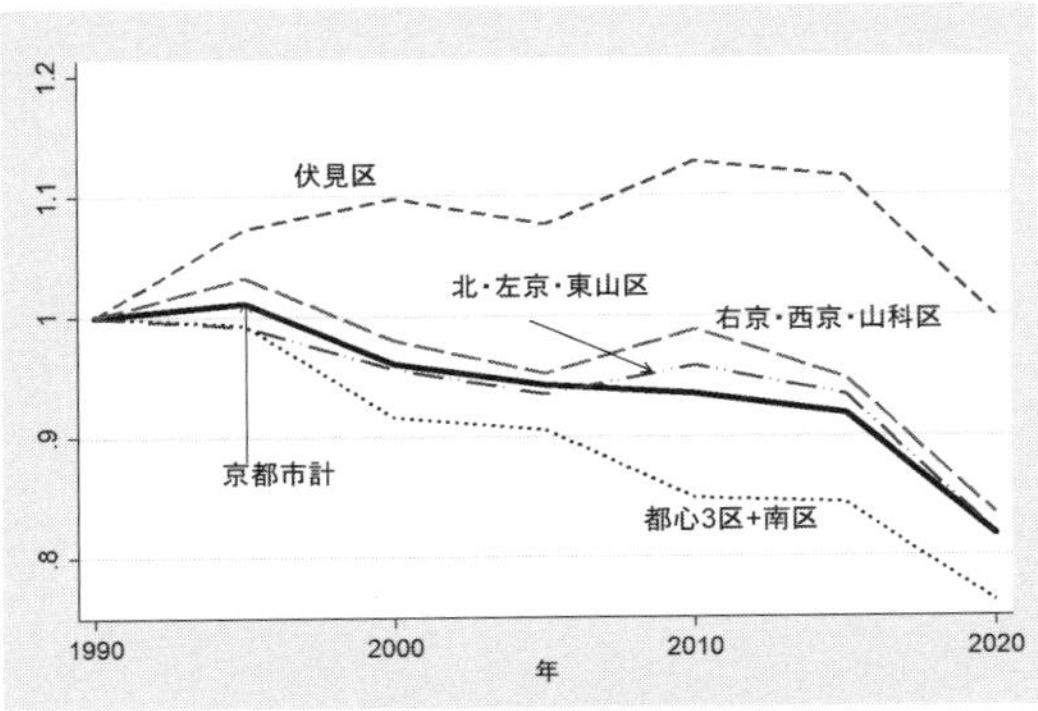

図表 6-7　市内従業者数の推移

１９９０年代のバブル崩壊以降の京都市は、前半には都心を中心としたマンション建設ブームがあり、それと軌を一にして都心部への人口流入が再起した。しかし、それは都心部での新たな雇用の創出によるものではなく、むしろ室町や西陣の衰退による、自営業者の廃業や転出に伴うものであった。後半には、観光ブームの末期に異常ともいえるホテル建設ラッシュにより、市内のオフィスビルの床面積の総量を上回る新規ホテルが建設された。他方、都心の空洞化は人口増加と並行する形で進み、昼間人口と雇用の減少は今日でも継続している。

8　観光と景観保護

本章の最初に述べたように、京都では戦前期に遡る風致地区の選定に始まり、保護対象の地域は次第に広がり、2007年に発表された新景観政策では、眺望や借景を含む、全市の景観と眺望を包括的に保護するものとなっている。

優れた景観は観光業の振興にも大きな要素となっていることはいうまでもなく、現在の景観保護政策の背景に観光都市としての利害が反映されていることも否定できない。その方向性をより突き詰めれば、町並み保護は景観の鑑賞の目的のみにより正当化されることになる。いわば書割としての景観である。他方、京都の景観保護にはそれとは異なる伝統と歴史の継承という目的も明確に打ち出されている。町家保存が現在の京都の都市計画にある、「職住共存」という目標と表裏一体にある限り、レストランに改装（改築）された町家は、景観保護には望ましくても、伝統と歴史の継承にはそぐわない。

結局、観光業の成功により、景観保護の方向性は、観光都市としての京都の魅力の最大化に進まざるを得ないように思われる。特に田の字地区を中心とする都心部では、現在の景観保護政策は土地利用に対して、高度化を阻み、住居としての町家か飲食店を中心とした商用店舗、あるいは小学校等の公共施設の転用によるホテルの建設といった、限られた用途以外の利用を事実上著しく制限する。戦前から風致地区指定がなされてきた東山や北山の山麓の景観保護と、田の字地区の「調和と再生」を目標とする景観保護の意味が大きく異なる理由もそこにある。

高さや容積率の規制は建設される建築物の用途にも強い制限を課すため、観光業の振興がもたらした他産業への影響は、景観保護政策により一層抑圧的な効果を大きくするものとなった。下京区や東山区で民泊が激増したことも、景観保護政策が事実上用途制限としても機能していることの証左である。

混雑現象と都心部への観光業の浸透

観光客の急増は交通に限らず様々な側面で混雑現象をもたらす。もちろん規模の大きさが混雑現象の最大の理由であるが、それだけではない。混雑現象のもう一つの理由は観光客が一般市民や通学通勤者とは異なった行動パターンを持ち、常住人口の行動パターンを前提に作られた様々なインフラや慣行やルールが観光客の行動にそぐわず、摩擦が生じることにある。例えば市民からの苦情の多い騒音やゴミ問題を考えると、住民にとっては従うことに無理のないルールも観光客にはそもそも理解されていないことが多いうえ、たとえ理解していても実行が難しいことが頻繁に起こる。

そして、このような苦情の多くが、住宅街の中に立地する簡易宿所や民泊施設の近隣で発生している。矢野（2021）によれば、2020年3月末の京都市のウエブサイトによると、市内には3274の簡易宿所があり、これは2年前の2018年（2269）とくらべてさえ1000件以上の増加である。また同論文は、その9割以上が2015年以降に許可を受けたものであることを示す。行政区別の分布では、下京（762）、東山（634）、中京（500）、南（453）の4区で全体の3分の2以上を占めるが、伏見や嵐山など周辺部にも集中立地の地域が点在する。最も集中が見られるのは祇園界隈を中心とした四条から五条にかけてであり、京都駅の南側や西陣にも集中が見られる。民泊の立地も簡易宿所と似ており、下京、東山、中京に全体の半数以上が集中していて、過半が、集合住宅の一室である。

インバウンドの急増が起こる前、今世紀初め頃までは、このような摩擦現象は季節・時間・地域が限定されており、それを予め避けることで、市内で社会問題として注目されることはなかった。観光客が集中するのは、東山エリア、嵯峨野・嵐山、金閣を中心とする北山など、京都を取り巻く山裾の周辺部であり、主要街路での春秋の交通混雑を除けば、都心部への観光客や関連産業の住民生活への浸透はごく限られたものであった。

変化は単純に観光客の絶対量が増加したことにもよるが、これまで混雑現象と縁のなかった地域にまで浸透したことも大きい。それは一方では急速に増えた民泊や簡易宿所が住宅地の中に突如出現することで、他方では、ホテルの立地難で、小学校跡地などこれもそれまで観光客の浸透していない地域に立地することによる。２０１０年以降、京都でのホテル客室不足が目立ち、ホテルの建設ラッシュが始まったが、ＪＲ京都駅の南側など数少ない開発可能な地域が埋められると、既存集積の中に入り込む形でビルの改装あるいは建て替えで充足されるようになった。そのターゲットの一つが明治以来の番組小学校の跡地あるいは小学校校舎の再利用である。現時点で、このような再利用は既に5件に上り、小学校以外の建築物の改修や再利用も目立つ。

このように観光客需要が急増することで町の姿、特に都心の表通りに面さない内側の地区で変容したものも多い。例えば、錦市場は今世紀初めころから急速に店舗が入れ替わり、それまで主流であった乾物屋、鮮魚・精肉店の多くが姿を消し、観光客向けの店舗に代わった。また、錦市場は料亭などへの卸機能を持つ商店も少なくなかったが、その多くで錦小路に面した店舗を観光客向けに改装したものが目立つ。今や錦の商店街はほぼそれまでの地元の商店街としての姿を失ったといえよう。

レントの優越再訪

観光業の土地利用に関して見逃せないのが京都固有で、しかも不足が叫ばれて以降の急速なホテル建設にみられる傾向である。それは、ホテルの建設予定地や候補地がいずれも狭隘で、その多くが既存建築物の改築や再利用を目指すものであることによる。都心の再利用で目立つのが、小規模のラグジュアリホテルの建設だ。これらの高級ホテルの多くが海外高級ホテルブランドの京都進出であり、客室数が100前後のものが大半である。客室単価の高さを反映して、一般の宿泊施設では得られない体験や借景を売り物にしている。例えば、「パークハイアット京都」は東山山麓の料亭敷地内に建設し、この料亭とのコラボレーションと、八坂の塔や京都市街の夜景を一望できるレストランやバーが強調される。帝国ホテルは祇園の弥栄会館の修復改築で進出を計画しており、いうまでもなく、花見小路の奥にある祇園の中心地としてのロケーション、花街の中心施設との協同が眼目である。三井系列は、二条城東隣りの京都所司代跡地にある「三井家ゆかりの地に250年以上にわたって存在した三井総領家（北家）の邸宅」を利用したホテルを建設した。また、二条城の北側に隣接する土地にはシャングリラ系列の高級ホテルの建設が進められている。

高級で小規模のホテル急増の傾向は、2010年代のアジアからの観光客の急増とそれに対応した民泊施設の爆発的増加の反動でもある。京都は明白な観光容量の制約に直面し、市民からの様々な「観光公害」の声に押されて、長期滞在で一人当たり消費金額の大きい富裕層にターゲットを絞った施設の建設を歓迎した。京都の密集市街地にホテル建設に適した更地を見つけるのが困難なのはいうまでもなく、このような既存施設の修復や再利用によるホテル建設はそれなりの知恵を絞った策であり、評価する論説も多い。

しかし、よく考えればこれらはいずれも第二章で取り上げた、京都の文化遺産、伝統技術や伝統工芸の希少レントの派生物でもある。言い換えればこのようなホテルの付加価値は、限定された顧客を対象とすることによる、京都の魅力の囲い込みにあるともいえよう。限定された顧客を対象とするこのような小規模ホテルは、事実上宿泊客以外の利用は極めて限定され、地域全体の再開発や活性化とは程遠い。つづめていえば、京都は観光業の量的拡大で混雑現象を引き起こしたが、続く富裕層限定の戦略では都市の魅力を切り売りするような形に変貌しつつある。いわば、京都のプライベートビーチ化である。極論すれば、このように切り売りされた観光レントは、これらのラグジュアリホテルグループの超過利潤として吸収されるだけになりかねない。いわば、新手のゼロドル観光である。

9 まとめ

観光業は、観光地の自然や魅力ある景観や歴史といった地域公共財の吸引力にただ乗りすることで潜在的な超過利益を得る。結果的に観光関連で超過利益を目指す参入が進むことで他の産業は圧迫、抑制されるが、このメカニズムは特に土地利用の歪みによって顕在化する。それでも活発な参入は集積の利益をもたらすことで生産性の上昇と成長の源泉となりうる。この章では、京都の食、特に京料理に注目して、集積の利益が見られることを主張した。

しかし、恐らくこのような集積の利益は他の観光関連産業では一般的ではなく、近年の高級ホテルの参入に見られるように、地域公共財の囲い込みの傾向が一般化すれば、競争は抑圧され、京都固有の景観や美しささえ一部の観光客にしか経験できないものになりかねない。レントの優越という京都の近代を覆った影は、観光業にも忍び寄っている。観光業の成長だけが原因とはいえないものの、厳しい景観保護政策の影響もあり、都心の土地利用は特に大きな影響を受け、オフィスビルの建設は進まず、2007年の新景観政策の開始以降は都心でのマンション建設も激減した。市内での雇用は減少を続け、過去30年間で2割近く減少、都心部では4分の1の雇用が失われた。

本章を終える前に、観光地としての京都の魅力が、観光以外の産業にも影響を与えうることに触れたい。第五章とその付論では、現代の大都市の多くが消費者都市であること、つまりその集積の最も重要な特徴が、大都市でしか経験できない様々な消費行動、特に個人向けサービスの利用可能性であることを見た。そして、それと並んで、都市生活の魅力こそが都市の吸引力の根本にあることを見た。京都は、このような意味での消費者都市ではない。しかし、それと同時に京都は常に「住んでみたい町」として最上位にランクされることも確かであり、恐らくは京都をそのような地位に押し上げている最大の理由は、京都の景観や文化が提供する他の都市とは異なる雰囲気、魅力である。

この魅力は観光以外にも利用可能である。京都の大学都市としての姿を顧みれば、少なからぬ部分が、観光地としての魅力と通底する古都に対するあこがれが、京都の大学の魅力であることを否定することは出来ない。それが京都での就職に繋がっていないのは、それが就職する際に重要でないからではなく、そのような潜在的可能性を実際の就業行動に繋げることが出来ていないためではないだろうか？　京都は優れた景観や都市としての魅力を専ら観光業のみに供することで、その価値を無駄遣いしているともいえる。これを京都に立地する新たな企業やオフィスあるいは研究組織に特権的に利用してもらうくらいの考えがあっても良いのではないか？　歴史的町並みを宿泊施設に提供するのではなく、職住一体の新しいタイプの低層のオフィススペースに置き換えることも可能なのである。

終章

2023年の京都

２０２１年の初めからすこしずつ書き進めてきた本書も最後の章になった。ここで、本書の内容を今一度振り返ることにする。このような章を加えるのは、本書の内容が多岐にわたるため、最後に論点を今一度振り返ることが役に立つと考えるからである。しかし、それにも増してこの章を付け加える最大の理由は、本書で触れることが出来なかったコロナ禍の影響もあり、京都の現状が危機といっても大げさではないほど、困難な課題が山積するものであるためだ。

第六章で見たように、２０１５年から20年までの５年間で、京都市の雇用は大きく減少した。図表７－１は東京都区部と政令指定都市について、市内昼間就業者数の変化をまとめているが、京都市の減少幅12・２％は群をぬいて最大であり、ま

2020 年国勢調査にみる市内昼間就業人口の 2015 年と比べた変化（%）			
札幌市	-0.5	名古屋市	-4.8
仙台市	2.6	京都市	-12.2
さいたま市	-0.6	大阪市	-6.2
千葉市	-1.8	堺市	-4.7
特別区部	0.9	神戸市	-3.6
横浜市	2.2	岡山市	-4.4
川崎市	3.0	広島市	-1.0
相模原市	-0.6	北九州市	-4.2
新潟市	-4.6	福岡市	3.1
静岡市	-2.3	熊本市	-0.5
浜松市	0.2		

図表 7-1　政令都市の昼間就業者数の変化

た、大阪、堺、神戸の関西の他の都市でも大きく減少していることが分かる。2020年の国勢調査がコロナ禍の中で行われたことを考慮すれば、この結果は一時的な雇用の落ち込みに過ぎないと楽観することも可能であるが、関西圏の主要都市の落ち込みが激しく、首都圏の都市はいずれも微減か増加であることを考慮すると、コロナ禍というショックが、それ以前の関西圏の人口減少というトレンドを加速している可能性もある。

京都市の諸政策もこの間の観光需要と雇用の激減を受けて大きく変化した。第六章で詳しく見たように景観保護政策も、2022年秋、大きな見直しが行われた。また、京都市は深刻な財政事情から2021年には大幅な緊縮財政路線への転換を発表し、地下鉄・市バス料金の値上げや、多くの予算の大幅縮減に踏み切った。京都は大きな転機を迎えている。2023年の京都はどうなっているのか、今後どうあるべきかを考えてみたい。その議論に移る前に、まずこれまでの章を振り返ることにする。

1 京都の練習問題：答え合わせ

小書で書き連ねたことを復習しよう。幾つかの質問に、小書はどう答えたかというスタイルでまとめてみる。

結局、京都が産業都市として未完に終わったのはなぜか？

第一章の議論を振り返れば、明治維新以降、京都には産業都市として飛躍する3度の契機があった。最初は維新直後、「京都策」と呼ばれる琵琶湖疏水を中心とする近代化プロジェクトが集中した時期である。しかし、明治前期の日本では、産業革命の加速に欠かせない動力化、工場制工業そのものが未発達で、政府が行った主な官営事業所もその殆どが技術輸入を主眼としており、本格的な集積を起こすには時期尚早であった。2度目は、昭和初期、1931年の第二次の大規模市域拡張により人口が100万を超えたころである。南西回廊には、西陣と友禅に代わる新たな産業集積が始まっていた。しかし、その契機は日本が全面戦争、そして敗戦に至る大きな波に覆われることで失われた。昭和初期は、阪神工業地帯が最もその優位を持った時期であり、南西回廊がそれと結びつくことで飛躍する可能性は高かったと思える。第三の契機は高度成長期である。京都では電機や精密機器を中心に多くの優良企業が急成長を見せたが、南西回廊の成長は都心のビルドアップには結びつかなかった。主要都市では都心の再開発や交通インフラの建設が続いたこの時期に京都は取り残された。史実を振り返れば、この二つの契機のいずれにおいても、京都のたちあがりは遅きに失したように見える。昭和初期の成長が、あと20年早く起こっていれば、あるいは高度成長の波と同時に京都が都市再開発に乗り出していれば、といった仮定の話を続けることは可能ではある。

しかし、「なぜ」産業化が未完に終わったかという疑問自体に答えるには、タイミングの問題にこだわるよりもっと違った見方をすべきだろう。一つは、都市間競争の視点から考えてみることで、その場合京都が産業都市として未完に終わったことは、大阪あるいは阪神間の産業集積との競争に敗れた、あるいは阪神間の産業集積と一体化することに失敗したと言い換えることが出来る。そう考えれば、少なくとも2度目、3度目の契機で京都が都市間競争に勝てなかったことは特段不思議ではないだろう。昭和初期の京都では製造業の中心は繊維であり、以前の絹織物中心から綿紡績にも集積が進行していたが、絹織物以外の商流の中心はあくまで大阪であった。大阪では戦後総合商社となる多くの繊維問屋が商社として都心に繊維の全国市場を形成した。京都は生産拠点として絹織物以外の繊維でも地歩を築きつつあったが、他方室町には全国市場をカバーする市場は育たず、むしろ西陣・友禅の卸に専業化する傾向が強まったのである（第二章6節）。南西回廊の企業にとって、繊維でさえその販路は大阪にあった。昭和に入っても江戸期以来の製造拠点としての京都と全国市場の中心としての大阪という位置づけに変化はなかった。第三の契機に眼を移せば、高度成長期前半までの産業集積の中心は機械と重化学にあり、立地点として京都は圧倒的に不利であり、阪神間の沿岸地域への集積は自然である。

むしろ問われるべきはなぜ阪神間との一体化が進まなかったかという問題で、都市間競争の視点からすれば、京都の産業化を可能にする道筋は一体化しかなかったことはほぼ確実である。一体化のカギとなるのは、一つは統合された経済圏を形成するために不可欠な交通インフラの整備であり、もう一つは阪神経済圏との相補性である。残念ながら、高度成長期以降、数次にわたる全総（全国総合開発計画）の中で京都は重点地域に選ばれることは一度もなく、都市交通や広域高速道路網の建設、都市の再開発など一体化のために欠かせないインフラの建設は京都の都心部を素通りしたのである。もちろんその背景には、京都の都心部では自生的なビルドアップのモーメンタムが生まれず、阪神間との結びつきを強める経済的求心力に欠けたことがある。それでも、例えば、阪神高速道路公団の設立に京都が参加していたら、蜷川革新府政がなかったなら、など幾つかのWhat-Ifの質問を想定することは出来るだろう。また、阪神経済圏との相補性を考えれば、中央政治の中での政治的なパワーこそ阪神経済圏に最も不足しているものであり、京都に求められていたものも中央との結びつきの強さではなかったか? しかし、戦後の京都はそのような要請にむしろ完全に背を向け、隣の阪神地域との連携さえ積極的とは言い難いものであった(第三章5節)。

更に、都市間競争の視点ではなく、より本論の内容に即して未完の産業化の原因をまとめるのであれば、京都の町と町衆の近代化の道筋をもう一度辿ってみるのが本筋であろう。それを次にとりあげよう。

京都はいつから古都になったか?

京都が名実共に日本の首都であった最後の時期は、織豊政権である。しかし江戸時代を通じて、天皇は京都にあり、幕末には、江戸ではなく、京都が明治維新に繋がる政治運動の中心となった。京都が名実共に古都となったのは明治維新であるというのが、常識的な回答である。しかし、京都は古都ではなく、西京として、あるいは大京都として、つまり東京、大阪と並ぶ日本の中心都市を目指した時期があることを第一、三章で学んだ。産業革命の進行に乗り遅れたとはいえ、京都は近代都市として生まれ変わろうとした。京都は古都として静かな町並みと古刹の残る奈良のような都市になることを拒んだともいえよう。それでも、明治維新以降の150年で東京や大阪が成し遂げたことを京都が成し遂げなかった、あるいは少なくとも未完成に終わったのはなぜか。本書の主張は明白で、それは京都という都市と社会が、近世の都市と社会から完全には脱却できなかったからである。

近世の都市社会、特に三都を中心にその特徴を考えると、近代都市との最も大きな違いはその社会的流動性に求めることが出来る。京都は人口移動の面でも、社会階層の流動性からみても東京や大阪に大きく後れをとった。それが一定程度変化を遂げるのは大正から昭和に至る１９２０年代であり、その時期でも新しい産業の進出と人口流入は南西回廊に限定されていた。戦後復興の時期になっても京都はその人口流動性の低さから閉鎖都市と呼ばれ、高度成長期に至り、漸く人口流動性は高まるものの、依然としてその変化は南西回廊に集中していた。高度成長期を迎えても京都の主人公は依然として上京や下京の町衆であり続けた。町衆は祇園祭の担い手であっただけでなく、彼らの利害や理想こそ京都の近代の道筋を決定したともいえる。彼らの支持なくして京都の厳しい景観保護の様々な条例は成立しなかったし、7期28年に及ぶ蜷川府政も存続できなかった。

江戸期、町衆は彼らより遥かに大規模で富裕な大店に対して、町の自治を守るという大義名分の下しばしば介入し、地域が彼らにより席巻されないよう腐心した。京都の中心部に8家と5軒の大店を持った三井家は、彼らの家や店を隣家の買い取りで増築したが、結果、複数の町にまたがることとなり、町割りをこわすものとして軋轢を生じたという（西坂 2019）。それから2世紀以上を経た２００３年、御池通に面して建設された高さ44ｍ（15階建て）の高層マンションについては、その計画が持ち上がると、予定地のすぐ南東にある京都でも屈指の名旅館として知られる柊家《ひいらぎや》は、マンション建設で中庭が日陰になるなど懸念を示した。しかし、町内会が問題視したのは、予定されるマンションが東西に長く、町割りを変えてしまうことであった。2世紀以上の時を経て、町割りを変えるという全く同じ理由で建築反対運動が起こったのである。

近世的な町の論理は消え去るのではなく、歴史都市京都の景観保護という新たな論理で再編成されたともいえる。そして第二章や第五、六章で見たように、その背後には近代における町衆、つまり地主・家主の自営業者が中心となる地域自治の体制が長期にわたり存続した事実があった。明治維新後、両替商の小野組の東京移転を巡っては地方政府まで巻き込んで東京への移動を阻止しようとした。近世と近代の軋轢という明治以降の日本にとって普遍的ともいえる問題は、京都ではしばしば町衆の間でそこから脱皮しようとする者との間の確執となって現れた。もちろん、彼らの中から次第に頭角を現し、近代企業へ脱皮したものは多い。しかし、典型的には彼らは生まれ育った京の町に留まることはなかった。一部は三井家のように明治維新直後に東京あるいは大阪に本拠を移したが、産業化以降もその流れは続いた。

このような都心部での町の姿と全く異なる地域社会が南西回廊を中心とした周辺部に形成された。被差別部落の住民、朝鮮半島からの移民も巻き込みながら、市の南部や周辺都市では無産政党運動が戦前から大きな力を持ち、戦後は市内の大学を中心とした革新政党の政治組織と連携した政治勢力が戦後京都の地方政治に大きな影響力を持った。但し、このような革新勢力は都心部の保守勢力と常に対立した訳ではない。蜷川府政に見られるように、京都では全国レベルでの保守対革新という図式はそのまま地方政治には持ち込まれず、政治イデオロギーとしての革新と地方自治における保守性とは問題なく結びついた。そのカギは歴史都市京都を守る、というスローガンである。それは地方自治の側面では、地元優先、大資本による地域経済の簒奪を防ぐという大義として機能しながら、他方では、市場経済のもたらす様々な歪みに異論を唱え、是正を要求するスローガンとして当時の革新政党の政治姿勢にも自然に結びついた。

停滞から漂流へ

近代の京都の中心であり続けた町衆の社会も、１９９０年代に入り都心部を中心に自営業の比率が激減したことに象徴されるように、急速に社会の表舞台から消えつつあるように思える。今や京都の都心はその生活基盤や生活スタイル、住民構成において「郊外」になりつつあるのかも知れない。京都はバブル崩壊の頃を境に、その町並みや産業構造、更には地域社会も大きく変化し、観光都市としての姿がより鮮明になるにつれ、変化は加速した。京都は戦後長く続いた停滞から抜け出したものの、町衆の本拠としてのアイデンティティーを失い、今や漂流しているように思える。消費者都市としての未来を考える限り、結局はそれほど遠くない未来には大きめの奈良のようになるしかないと悲観する向きもあろう。

しかし、ことはそう単純ではないかも知れない。第六章で見たように、バブル崩壊後、京都の都心部はマンション建設の急増と人口の都心回帰を経験し、西陣と室町を核とした町衆中心の都心部は不可逆的な変化を遂げた。２０１０年以降のインバウンド・ブームと、景観保護政策の強化は、都心部に新たなタイプの自営業者の進出をもたらした。レストランを中心とする観光関連の小規模事業所の進出である。観光関連だけではない。西陣、友禅を始め多くの伝統産業や美術工芸の分野で京都は魅力ある就職先、あるいは起業の候補地である。より一般的な表現をすれば、現在の日本の企業社会の中心から外れた分野や業種あるいは職業にとって京都はある種の受け皿として機能している。

残念ながら現時点では、これらはあくまで伝統工芸や美術関連あるいは観光需要に結びつく業種に限定されていて、京都の近代を支えた西陣や室町に代わる京都の代表産業になるとは考えにくい。新しい町衆が誕生し、京都の未来を支える原動力たり得る規模と力を持つためには、第四章で取り上げたように、京都がゆりかご都市として首都圏と競争しうる環境を整えることが求められている。

京都が新しい事業を立ち上げる地として魅力があるのは多くの大学や研究施設、そして南西回廊に点在するユニークな企業群との交流からもたらされる独創的な新技術や商品開発の可能性である。それを後押しするためには、このような潜在的な雇用機会を実際の事業に結びつけるための都市集積が必要である。しかし、観光都市としての姿がより鮮明になった今世紀の京都は、ほぼその要求に逆行する道を歩んでいる。景観保護はますます観光のための手段の色彩を強め、新規事業を立ち上げる企業家は、狭隘で割高な都心物件か、ＫＲＰや京大工学部の桂キャンパス内のオフィスに入居するか、難しい選択を迫られる。

京都市が目指す理想に一番近い都市はパリであろう。文化・芸術・先端産業の都市である。しかし、パリの繁栄はフランスという国家の中での極端ともいえる中央集権の鏡像でもあり、日本の主要都市の中で京都がそのような位置につく可能性はない。そして、そのパリでさえ、多くの新しい産業集積はラ・デファンスに集中しており、京都がこのような新都心を手にする可能性もゼロに近い。そこで、本書を閉じる前に今の京都に出来ること、やってほしいこと、やってほしくないことを思いつくままに書き連ねてみる。

2　幾つかの政策提言

本書を通読された方にはお分かりになると思うが、京都の都市としての基本構想には、根本的な部分で破綻があり、とうてい実現不可能な目標が掲げられている。中でも決定的なのは都心に対する基本構想であり、そこから導かれる主要施策である。

田の字地区を特別扱いするのはやめよう

北は御池、南は五条、東は河原町、西は堀川で囲まれた地域は、田の字地区と呼ばれ、町衆の本拠である。と同時に、この地域こそ京都の本来の都心であり、現在でも昼夜間人口比率が最も高い。このエリアは中京区と下京区の中心部分にあたる。そして、第六章でも触れたように、京都が都市として復活するためには、手元に既にありながら有効利用できていないこの都心部を再開発する以外の途は残されていない。しかし、それを阻む要因は累積している。現行都市計画や基本構想でも、田の字地区は、「歴史的都心地区」で「職住共存」によりワークライフバランスが保たれるエリアとされ、「伝統と最先端技術の融合や京町家をはじめとした歴史的なストックのオフィス活用などクリエイティブ産業を支える拠点の創出を図」る（京都市都市計画マスタープラン２０２１年　第五章）ことが目標とされる。そのために「歩いて楽しい職住共存地区では自動車交通の抑制と歩行者空間の拡充・魅力の向上に努め」るとある（同上）。

交通の利便性を確保して、より広範囲の地域を統合した労働市場を作ることは都市が果たすべき機能の基本中の基本ともいえ、その条件整備なくしてはいかなる都市振興策もスタートラインにさえ立てない。その意味で「歩く京都」を前面に押し出した交通政策にはどうしても賛同することが難しい。歴史都市として伝統的な町並みを保存するという姿勢は、町の利便性を犠牲にして初めて成り立つものではない。世界的な歴史都市の代表ともいえるパリには14系統のメトロがあり、ＲＥＲと呼ばれる近郊鉄道網や、４路線のトラムも含めてパリとその近郊イル・ド・フランス地域を文字通り縦横無尽に公共輸送網が覆っている。その利便性があってこそ、「歩く町」パリを巡る楽しみがあるのではないか？

こういっては身も蓋もないが、田の字地区を特別扱いするのはもうやめにしてはどうか？　職住共存の理想が「自動車交通の抑制と歩行者空間の拡充・魅力の向上に努め」、町家の有効利用を進めることで実現するとするなら、それは見果てぬ夢に過ぎない。

田の字地区の区画整理事業

私見では、直接費用の負担が小さく、決断次第で実行可能なのは、田の字地区の細街路をなくして、規模が大きい矩形の街区に統合する区画整理事業である。目指すのは、この地域の全ての街路が少なくとも2車線を持ち、両方向に通行可能にすることである。田の字地区の街路に全て最小限対面走行の可能な2車線を確保するとなると、ひとことでいえば、秀吉による天正の町割りを元に戻し、街路の両側面を拡幅するような区画整理が必要となる。現在ある南北の細街路の半数をなくすことで拡幅に必要な面積は確保できるのではないか？　四条通と交差する南北の街路を堀川から河原町まで数え上げると合計21あるが、そのうち2方向車線が確保されているのはわずかに四つ（堀川、室町、烏丸、河原町）に過ぎない。一方、御池から五条に至る東西の通りは13あるが、このうち、東西両方向車線があるのは、御池、四条、高辻、そして五条の四つの通りのみである。これら街路の交差点は合計273（13×21）あるが、そのうち、自動車が4方向全てに運行できる交差点はわずか4×4＝16、全体の6％に過ぎない。これで交通混雑が起こらなければ不思議である。

今考えている都心部は凡そ南北で1・7km、東西で1・2kmの矩形である。天正地割のため、特に南北の細街路が多く、堀川と河原町の間では約60ｍに1本、南北の街路がある。これは天正地割以前の街路が約100m毎に1本であるのを部分的に50mに1本にしたことを反映する。他方、東西の街路は丸太町と五条の間にほぼ140mに1本あり、これは、他都市の街路区分と大きく違わないので、街路の数ではなく拡幅で対処する必要があろう。

政令指定都市と東京特別区部について、それぞれの道路平均幅と市街化区域面積に占める道路面積の比率を調べると、京都は平均道路幅でさいたま市とほぼ同じ6m程度で最低ランク、面積比率も15%足らずで、最下位の川崎市をわずかに上回る水準である。要するに、京都は明らかに他の主要都市に劣り、細街路が多くしかも道路面積が市街地に比して小さい。そのため、市内の平均旅行速度は政令指定都市と特別区の中で最低である。区画整理事業の目的は細街路を減らし、同時に残す街路を拡幅することで、中心部の巡航速度を上げるだけではない。再開発には何よりもまとまった街区全体を整理して、計画的な事業推進が可能になる条件整備が先決になる。現状の地籍のまま高度制限を緩和してもペンシルビルしか建てられないのであれば、都市集積の高度化には殆ど貢献しないし、雑然とした町並みしか出来ない。区画整理後の街区は、現行の街区に比べて東西にほぼ2倍、1万~1万5000㎡程度になる。どの街区も4面が両方向の交通可能な道路で画される。このような街区が区画整理で実現し、計画的に再開発に供されるならば、現行の主要街路沿いの31mの高度制限を緩和することなく、実効容積率を3倍程度まで引き上げることは難しくない（現在でも細街路に面する田の字地区の実効容積率は200%に満たない）。

田の字地区が、鰻の寝床そのままに、細長い小規模の地籍で埋め尽くされていることが、再開発を不可能に近いまで難しくしている。事業が成功すれば、整然とした町並みは再生できる。町家は再生できなくとも、区画整理されたエリアに共同住宅を組み入れることで新しいスタイルの職住共存は可能である。また、街区内に改めて歩行者専用の細街路を作ることも可能で、すぐ横を走る自動車を気にすることなく、歩く京都を楽しむことも出来る。もちろん、文化財としてその保存に意義がある町家は移築して、町家の並ぶ街区を形成する形で再生できることは、市内でも祇園新橋のような特別保全修景地区の例を見れば明らかである。

景観は観光のためだけにあるのではない

京都市は人口が純流出を続ける最大の都市である。純流出は20代前半から30代にかけて続き、10歳未満も純流出が続くことは、就業機会に恵まれず、子育て世代にも良好な住環境を提供できていない何よりの証拠である。幸い京都ほど、日本中でよく知られている都会は東京以外には考えられない。日本人の大半が修学旅行で一度は京都を訪ねている。そして現在でも年間4000万人以上の国内観光客が京都を訪れることを考慮すれば、京都が魅力ある都市であることに異論はない。

問題はそれが就職の地として、また住む町としての魅力に結びついていないことにある。全ての若者にとって京都が魅力のある就職場所となる可能性は小さい。しかし、企業社会のメインストリームに馴染めない多くの若者に、代替的なライフスタイルと魅力的な町の姿を提示できれば、現在の状況を大きく変え得る可能性はある。その対象は独立のエンジニアであり、起業家であり、工芸美術家であり、アニメやビジュアルアートといった分野を目指す若者である。そして何よりもターゲットにすべきは、このような分野の高学歴外国人に、京都に移り住み職を持つことの魅力を訴えることであろう。2018年LINEは京都市にAIを中心とする新しい開発拠点を開いたが、京都オフィス勤務のエンジニア公募に1000人が応募しそのうち800人が外国人であったという

（日経産業新聞2018年6月）。職種が適切であれば、勤務する京都に魅力を感じる外国人専門職人材は豊富にあることの証左である。

そのような仕事は市が提唱するらくなん進都にではなく、職住共存を謳う、京都の中心部になければならないだろう。彼らが憧れるのは、竹田駅周辺の高速道路下のオフィスビルではなく、町家が残り、鴨川が近くにあって多くの魅力的なレストランに囲まれた京都の都心である。京都の優れた景観と歴史の積み重なりがもたらす魅力は観光客のためだけにあるのではない。

求められているのは魅力的な職場であり、家庭を築くにふさわしい町である。それに優れた景観や歴史がどのように役立つかを京都はもっと真剣に考えても良いのではないか？　そして繰り返しになるが、焦点となるのは東山や嵯峨野の観光地としての魅力ではなく、住む町、仕事を持つ町としての都心の魅力である。そのためには、都心が本来の業務地区としての機能を取り戻さねばならない。田の字地区の区画整理事業が都心再開発の切り札だとすれば、都心機能の実現のためには都心部の交通利便性を向上させることが不可欠である。それを次に考えよう。

3　国が京都に出来ること

京都市の深刻な税収不足と累積債務の大きさを考えれば、京都市が大規模な都市再開発に必要な新たな財政負担をすることは不可能であり、国が中心となってそれを実施するしか道は残されていない。中央政府が京都に出来ることは簡単明瞭である。交通インフラの整備に尽きる。

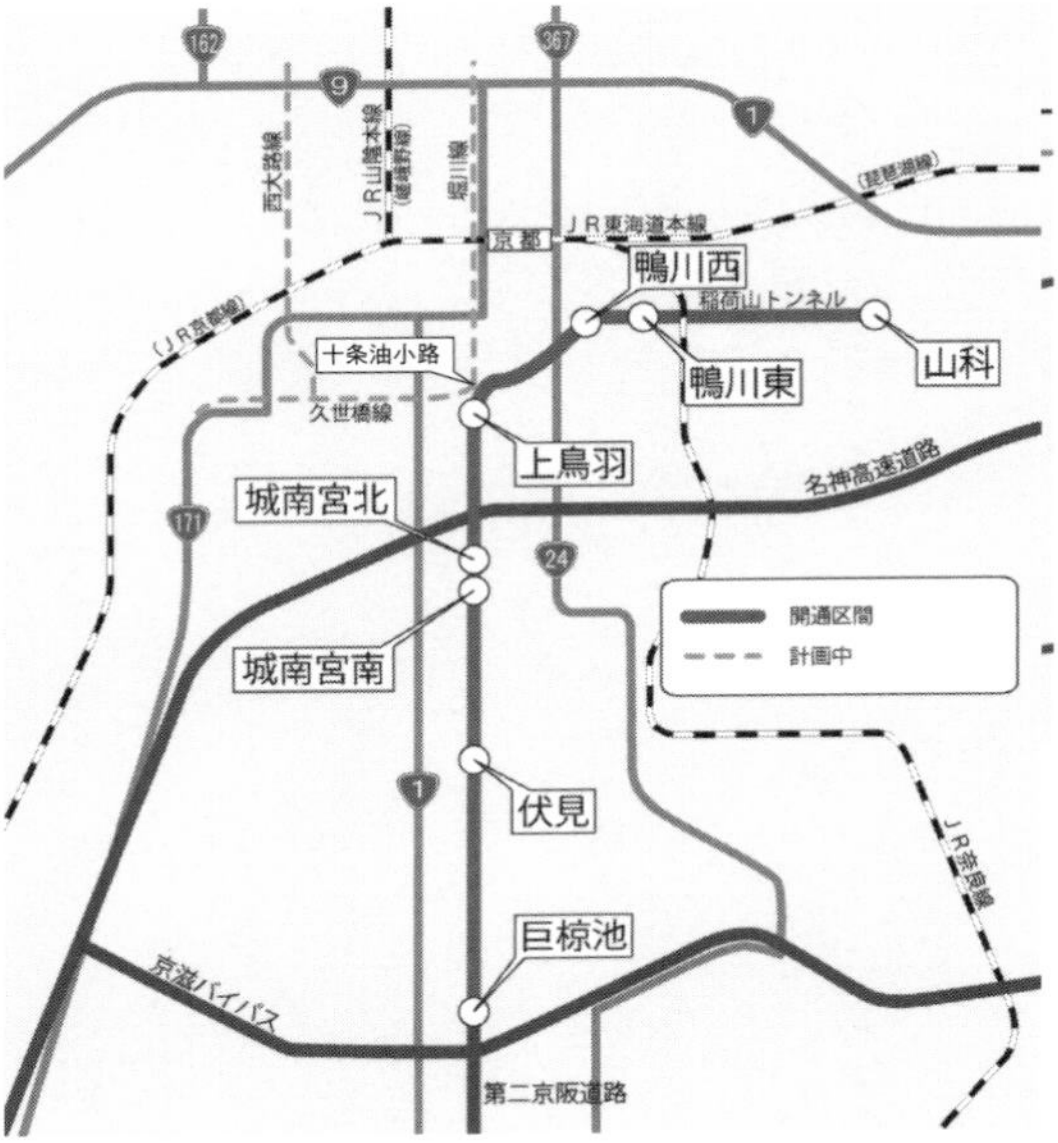

図表7-2　京都高速路線図（Wikipediaより）

南北連絡自動車道

今更ながらではあるが、市内交通の切り札は南北の連絡を改善する、（旧）京都高速道路の京都中心部への延伸である。第五章でも触れたように、この計画は事実上廃案になっている。京都高速は久御山ＪＣＴで第二京阪をそのまま北進させる形で伸び、京都南ＩＣで名神と交差して油小路通を通り、十条まで来ている（２０１９年西日本高速道路に移管され、第二京阪と一体化）。

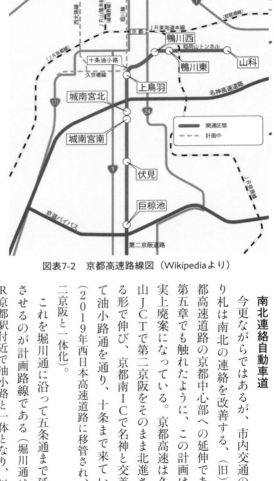

これを堀川通に沿って五条通まで延伸させるのが計画路線である（堀川通はＪＲ京都駅付近で油小路と一体となり、以南では油小路が付近の南北方向の主要街路となっている）。また計画ではこれを地下道として南行のみとし、図表７－２にあるように十条油小路から西進する久世橋線を建設、さらに西大路で北行線を分岐させ五条まで繋ぎ、これを北行一方通行とするのが計画路線である。

私自身のアイデアは、この延伸を油小路－堀川通の地下で行い、五条通を越えて北進させるものである。更に、地下高速は途中（例えば丸太町との交差点あたり）で２本に枝分かれさせ、一方は、例えば京都御苑の敷地内に出入口を作り、もう一方は北西方向に延伸させ、西陣エリアのどこかに出入り口を作る。枝分かれさせることの意味は明白で、一方は北東部、上京から左京区のエリアを、他方は、洛北（北区）から嵯峨野（右京区）にかけての地域を高速道に結節させることで、主に観光中心の交通を市内中心部の路上交通から取り除くことである。また、この高速道から出たトラフィックの一部は市内に向けて南行するが、この流量は恐らく大きくない。一方、現在の計画では、五条通に出入り口を作ることになっているが、これでは、五条以北の中心部への流入は地上となり、問題は解決しないし、五条通の慢性的な交通渋滞は更に悪化する可能性もある。

環状地下鉄（道）

京都市バスには幾つかの循環系統がある。なかでも鷲田清一の秀逸なエッセイ『京都の平熱』（講談社 2014）の舞台となる２０６号系統は、ＪＲ京都駅を出発し、東大路を北に百万遍を越え、高野から北大路に出て西進、千本北大路から千本通を南下、四条大宮を経て、ＪＲ京都に戻る長大な循環系統である。これを環状の地下鉄で代替できれば、市内の公共交通は飛躍的に改善するのは言うまでもない。問題は建設費用で、高速道と同様、あるいはそれ以上に、国費による建設が可能にならない限り、実現の道はない。ちなみに、第五章でも触れた地下鉄東西線は、資材高騰などの背景要因に加えて、開削方式でトンネルを建設したため、埋蔵文化財発掘調査が義務付けられており、そのため工事は大幅に遅延し、工費増大の重要な一因となった。仮に、将来環状地下鉄或いは地下道を建設する場合は、大深度地下の利用で、埋蔵文化財発掘調査が不要になる建設方式が望ましいと思われる。純粋に費用負担に議論を限定すれば、地下鉄ではなく、環状地下道を建設して、バス専用道とすることも一案ではあるように思う（村山［2019］はＬＲＴを提案）。バスあるいはトラム（ＬＲＴ）のみの地下道（鉄）であれば、片側1車線で十分だし、右回りと左回りを立体にすれば1車線を2階建てにすることも可能であろう。停留所の数をある程度絞り込めば、地上部分との連絡に必要な建設経費も抑えられる可能性がある。現在の地下鉄2路線は、主にＪＲや近鉄、京阪、阪急といった鉄道からの乗り換えを利用して市外との流出入に利用される比率が高く、市内での移動に供する部分は限定されている。結局、市内の移動を担う公共交通は事実上バスしかない。そのため、もとより交通容量の小さい市内の主要街路に市バスが溢れているのが現状である。環状地下鉄（道）は市内の移動交通を円滑化しスピードアップすることが主目的となる。

日本の中の京都

小著は京都という町を巡る考察であるから、京都はどうあってほしいか、どうあるべきか、という議論をこの最後の章で述べてきた。しかし、それとは別に、日本全体から見て京都がどうあるべきか、どうあってほしいか、という議論を完全に無視することは経済学の立場からは難しい。京都の都心が復活し、観光一辺倒から脱却し、イノヴェーションと新しいデザインを生み出す拠点として再生を遂げることは日本全体にとって望ましいことだろうか？　仮に京都が再生を遂げても、その社会的費用を十分に上回る新たな価値を創造できるのか、それが他の都市の衰退と引き換えになされることはないのか、それを疑う余地は大いにありそうだ。

厳密な議論が出来るような問題ではないが、大きく分けて二つの賛否両論があると思う。京都の都心が上に述べたような道筋に従い、再生したとすれば、都心の町並みは大きく変貌するであろう。

たとえ観光の主たる対象ではない都心部であれ、古都の姿が失われるのには反対である人が大多数であると思われる。東山の名刹、三山の遠景や鴨川の清らかさは残るにしても、都心から町家の姿が消えるのは反対であるという人が多いのではないか。とはいっても、特に保存の価値が高い町家については移設して、特定の美観・保存地区に収容することは、倉敷など多くの先行例から見ても十分可能ではあるが。このような反対論の最大の問題は、京都を観光で訪れる人は景観保護の社会的費用を一切負担しないので、ひたすら景観保護の受益者であることだ。それでも京都の景観を観光（だけ）ではなく、新しい住民と仕事を増やすために役立てるという考え方には、ある程度の賛意は得られるのではないか？

一方の賛成論にも同じような問題がある。上に述べたように、京都は再生しても、それが他の地域の犠牲のもとに成り立つのであれば、これも一方的な議論となりかねない。都市間競争の側面から見れば、その可能性は高いだろう。少なくとも人口集積に限れば、京都の再生は他都市や地域の人口減の犠牲なしにはあり得ない。しかし、それとは異なり、産業政策の側面から見れば、このような恐れについて私は杞憂ではないかと考える。

今世紀の東京及び首都圏の集積の姿と日本経済の低成長の実績を振り返ると、確かに首都圏は他の全ての都市圏を遥かに凌駕して、現在も成長を続ける（第五章付論参照）。しかし、その成功と成長は日本経済の過去30年に及ぶ低迷と裏腹である。首都圏が成長を続ける最も重要な要因は、企業向けサービスとＩＣＴ部門で他地域を圧倒する集積の利益を持つからであるが、このＩＣＴ部門こそ日本が１９９０年代以降最も国際競争力を失い、世界市場でその地位を下げ続けた産業である。ＩＣＴ部門での首都圏の覇権は、言語、特異な産業組織や政府規制といった非関税障壁に守られたもので、今や国際競争力を持たないのはガラケーの例を見れば明らかである。この分野では企業向けサービスも含めて競争政策上でも課題が多く、菅義偉政権が携帯電話の利用料金値下げに躍起となって、主要キャリアに政治的圧力をかけ続けたのも記憶に新しい。未だに、携帯電話の殆どが回線契約と一体となって販売されていて、主要キャリアの販売店の乱立は嘗ての新聞販売店と新聞社の間の魔訶不思議で怪しげな関係を想起させる。東京オリンピックを巡る多くの談合・買収疑惑や、政府主導のデジタル化戦略の多くでソフト開発の丸投げがもたらした失敗の数々を想起すれば、市場が寡占化しており、政府や地方自治体の発注自体にそれを助長する傾向があるのも明らかである。また、ソフトウェア産業の多重下請け構造や、電電公社以来の歴史的経緯を引きずっている市場構造を問題視する声も多い（竹下 2019）。都市集積としての首都圏の成長と成功は、この分野の歪んだ市場構造と国際競争力の欠如と裏腹だといえるのではないか。

そうであれば、東京に対抗する有力な集積が現れ、イノヴェーションと競争を活性化させることに貢献できれば、それはほぼ間違いなく日本全体にとってもプラスになるし、高学歴移民の新たな受け皿になれば、人口問題の解決の一助にもなりうる。ただ、その役割を果たす都市として京都が一番ふさわしいかと聞かれれば、答えに窮する。ＩＣＴ部門では、半導体素材関連を除けば京都に有力な企業は存在しないし、スタートアップで目立つのは医療や創薬関連である。京都市は未だに、上皇御夫妻の京都移住を訴えており、それが京都の回生に繋がると信じる人たちもいる土地柄である。逆にいえば、そうだからこそ京都の都心が潜在的には再開発によって飛躍的にその価値を高め得る存在になっているのだが。１５０年かけても出来なかった革新を、これから京都がやりぬくことが出来ると信じるのは判官贔屓が過ぎるかも知れない。

4　京都を超えて：城下町の近代化

京都は近代化の道筋で様々な制約要因に直面した。本書がその中でも重視したのは、江戸期以来の町の中心であった町衆の果たした役割と、彼らが産業都市化の途上で経験した困難であった。このような近世と近代の相克は、京都に限定されず、多くの城下町から発展した都市でも近代化の道筋に影響を与えたのではないか？

もちろん、このような問題を正面から捉えるためには全く別の新しい研究が必要であり、本書の射程外であることはいうまでもない。それでも、近世と近代の対立は城下町から出発した多くの都市にも通底する研究課題であることに違いはなく、本書の締めくくりとしてこの問題に触れたい。京都は城下町ではなかったが、天皇・公家の住居あるいは寺社地が町の大きな面積を占め、町人地は狭隘で、そこに多くの自営業者が自家で生業を営んでおり、近代的な産業集積の発展には制約となる恐れがあった。実際、第五、六章でみたように、都心部の高度化と機能純化が進まなかったことの背景には、西陣や室町が停滞しつつも高度成長期以降も大きな変化を経ることなく存続したことがあった。

多くの城下町から発展した都市でも、都心部の町人地とその住人がどのように近代化の波に対処したかが、その町の成長に大きな影響を与えた可能性がある。城下町には維新時には多くの町民が住んでおり、彼らは狭隘な町人地でその生業を営んでいた。城下町の面積の大部分を占めるのは城を中心とした武家地であり、明治維新によりその殆どが政府に上地され、その多くは県庁、市庁や政府の出先機関の建物と城址公園に生まれ変わった。金沢や仙台では国立大学が城址の敷地に建設された。旧城下町の町人地は維新後は多くが商業地区の中心となり、官営鉄道の駅は城下町の中心部を避け、周辺部に設けられた。旧町人地の商業地区と駅を結ぶ道路は「駅前商店街」となり、都市として発展を遂げるにつれ、次第に旧市街地と駅前商業地が一体となった都市もあるが、駅前の集積が次第に旧町人地を凌駕して、都心が移動した都市も多い。佐藤他（1988）は、旧城下町から発展した地方都市の都市集積の姿を幾つかの類型に分類し、それぞれの類型の持つ特徴に対し、上に述べたような、町人地と城郭や武家地、更には近世の街道筋や鉄道駅との位置関係が大きな影響を与えていることを示している。

産業化が進展するにつれて城下町で生業を営んでいた近世的商人や手工業者は次第に商社や工場制工業に取って代わられることになるが、その進展のためには自営業者の営む商家や手工業を営む町家が存続することが土地利用の側面で障害になった可能性がある。この制約がどの程度町の発展を阻害するかは、自営業者がどの程度維新後の町にとって重要な役割を果したか、更には彼らが産業資本家として変貌を遂げたか、あるいは自営業として大きな変革なしに存続できたかに依存するであろう。

多くの城下町では高度成長期以降、区画整理事業が実施されたが、その主たる対象は旧町人地で、商業集積の中心あるいはそれに近く、狭隘で城下町特有の複雑な街路が発展の障害となったことを背景にしている。例えば、仙台市のＪＲ仙台駅の東口から広がる街区がその典型で、旧町人地で密集し入り組んだ街路を整理するものであった。同じような例は福岡市にも見られる。福岡は、ＪＲ博多駅周辺が江戸期の町人町博多であり、那珂川を隔てた西側が福岡城を中心とする武家地であったが、高度成長期には旧武家地の天神地区に業務地区と商業集積が集中していた。博多側では、1963年博多駅の移転に伴い土地区画整理事業が実施され、次第に駅周辺は天神に次ぐビジネス街となった。このように城下町から発展した都市は町人地を中心に商業集積が成長するとその狭隘で複雑な街路が制約要因になることを示すケースは多い。

仮説の検証

もしもこの仮説が正しければ、城下町として近代化以前に町人地での商業や手工業が発展しているほど、産業都市への変化には制約となり、成長が阻害された可能性がある。このことを統計的に検証してみたい。しかし、城下町全体について、この制約要因を直接観察できるようなデータは見当たらない。

そこで、この制約の代理変数として、1920年の第1回国勢調査のデータを利用して、商業及び製造業に従事する女性の女性人口に占める比率を採用する。アイデアとしては、大正期において、これらの産業に従事する女性の殆どが自営業の家族従業員であった（男性の場合は既に勃興していた大商社や近代的工場で雇用されていた者も多いと推測される）と考えれば、この比率の大小が土地利用に対する制約の強さを代表すると推定できるからである。このアイデアの潜在的な問題点は、1920年時点では既に多くの紡績工場で女工が勤務していたので、彼女らを含むこの変数は、紡績工場の立地する地域では大きくなり、回帰式のアイデアと相いれない可能性がある。ただ、このような紡績工場は、ここでサンプルに含まれる旧城下町の中心部には殆ど立地しなかったから、検証に大きな影響はないと考えられる。逆に、神戸や横浜のような前身が城下町ではないような都市では、

1920 ～ 50 年の人口成長				
被説明変数	1920-1950 人口成長			
	都道府県内シェア変化		人口変化	
城下町ダミー	0.747	0.776	0.595	0.627
	(0.205)***	(0.206)***	(0.207)***	(0.208)***
商工業女性労働者・女性人口比率	2.394	2.770	1.496	1.930
	(1.180)**	(1.213)**	(1.196)	(1.226)
城下町ダミー×比率	-4.001	-4.146	-3.217	-3.404
	(1.406)***	(1.414)***	(1.425)**	(1.429)**
空襲被害率		-0.002		-0.002
		(0.001)		(0.001)
定数項	-0.007	0.001	0.534	0.542
	(0.148)	(0.148)	(0.150)***	(0.149)***
サンプル数	79	78	79	78
自由調整済み決定係数	0.158	0.179	0.105	0.130
括弧内は推定係数の標準偏差 ***p < 0.01, **p < 0.05, *p < 0.1				

図表7-3　推定結果

この指標は産業化の発展を示す代理変数として考えることが出来よう。その場合、この変数の効果は正となることが予想される。

そこで、被説明変数として1920年から1950年にかけての人口の成長率をとる。1950年を端点とするのは、高度成長期からそれ以降の時期には、上に触れた区画整理事業が実施され、ここで城下町の成長を阻害する要因としている、狭隘な土地と密集した家並み及びその地割自体が解消された可能性があるためである。1950年を端点とすることで、この影響は除去されるが、他方戦後まだ5年しかたっていないため、戦争被害の影響が残りそれがこの期間の人口変化に影響している可能性もある。戦災の影響をコントロールするため、各都市の空襲被害の被災率を加えた推定も行った。空襲被災率は(1)北九州市以外は本多他（1995）に掲載された各都市の被災率を利用、(2)北九州市については、「北九州市の空襲被害」の被災人数と当時の人口から本多他（上掲論文）に従い算出した。

まとめると、説明変数としては、製造業・商業女性労働者／女性人口比率（以下単に比率と略記）、城下町ダミー、および両変数の交差変数を用い、更には空襲被災率を加えた推定も行った。結果は図表7－3にまとめた。図表7－3では四つの回帰式を示す。最初の二つは、都市人口の成長変数として、各都市人口の該当都道府県人口に占める比率をとり、その1920年と1950年の対数差分をとった。後の2式は、各都市人口そのものの変化（対数差分）を利用した。更に、それぞれのケースで、空襲の被災率を説明変数として追加した回帰式も行った。推定式の各推定係数（下段の括弧内はその標準偏差）は、比率変数の推定係数が5％水準で有意、城下町ダミー及び比率との交差項の推定係数はいずれも1％水準で有意である。また、空襲被害の推定係数は負であるが、統計的には有意ではない。

結果は城下町でこの比率が高い都市ほど人口成長率が低くなり、それ以外の都市では逆に人口成長率が高くなることが示された。このデータに含まれる市は79あり、そのうち51は前身が城下町である。図7－4と7－5が、上の推定式（図表7－3の左端の式）が示すとおり、比率変数と都市人口の成長率の相関が城下町とそれ以外の都市では逆転していることを示す。

この回帰式が意味するところは、1920～50年の都市人口の変化に対し、1920年における自営業の重要性は旧城下町では変化に有意な負の効果を、他方それ以外の都市では正の効果を持ったということである。大正から昭和前期にかけて京都と同じように、多くの都市では人口成長を経験し、産業化の途上にあった。推定結果は城下町から発展した諸都市では、その際旧町人地に密集した自営業の比率が大きいほどその成長が阻害された可能性を示すものである。

しかしながら、本書の京都に関する主要な論点を振り返ると、それは戦前期ではなく、高度成長

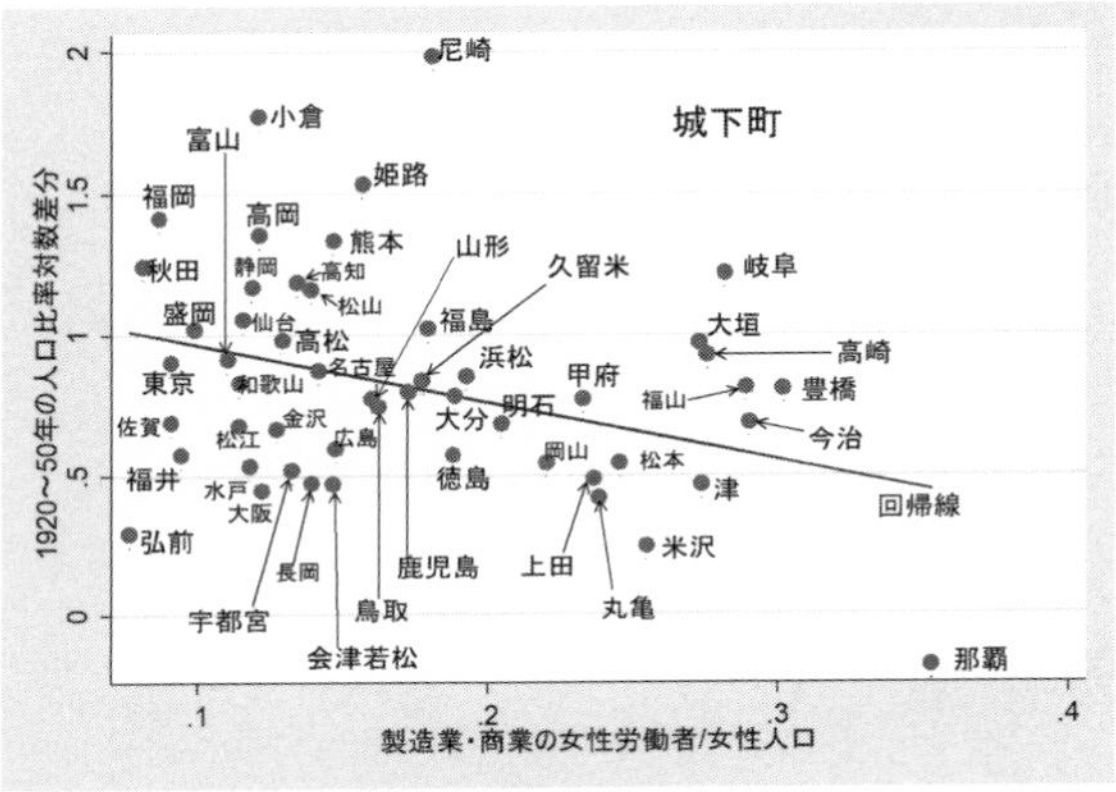

図表 7-4　城下町のケース

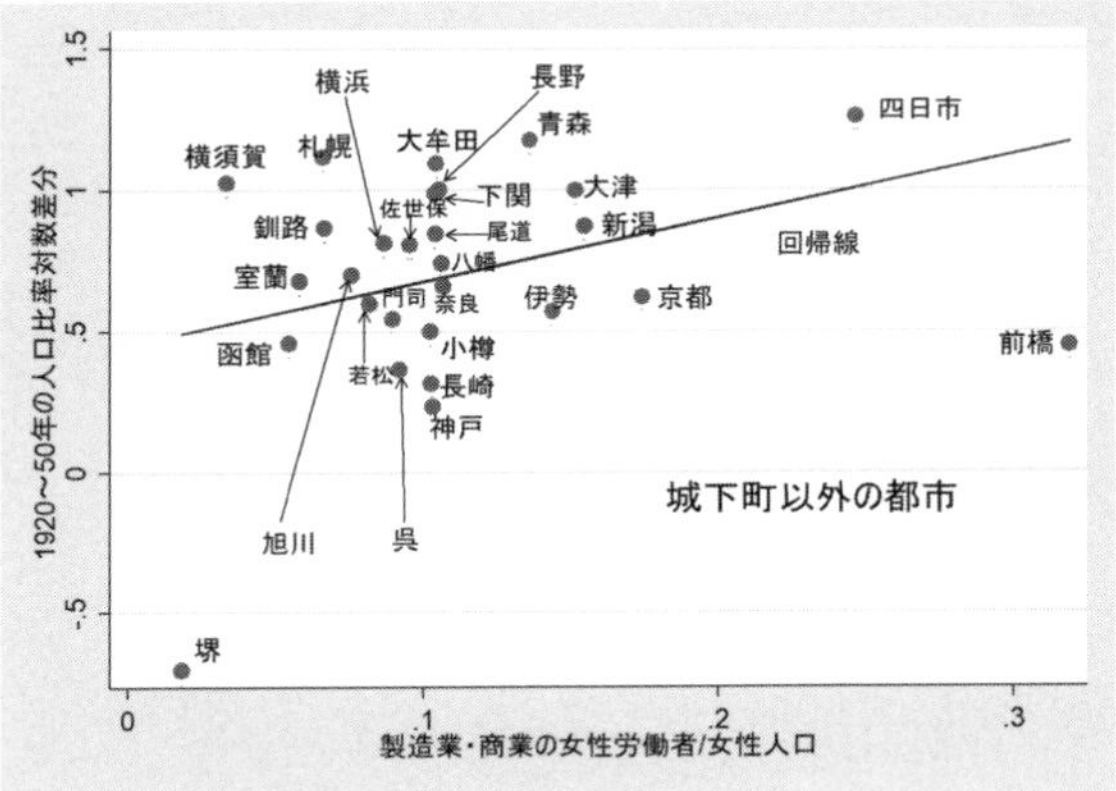

図表 7-5　城下町以外のケース

期に自営業の存続が京都の都心の機能純化や高度化を妨げたという推論であった。この仮説が高度成長期の他の都市にもあてはまるか否かは、未解決の課題として残される。

多くの都市では高度成長期以降に区画整理事業が実施された。そのため、ここで焦点となっている狭隘な旧町人地が都心の発展の妨げとなるという障害は、区画整理事業によって解消された都市も多いと思われる。京都の都心部は戦災被害を受けず、それだけが理由ではないかも知れないが、戦災復興事業やそれに伴う区画整理事業も実施されなかった。それもまた、結果として都市としての京都の発展にとって制約となった可能性が高い。

あとがき

未完の産業化がもたらしたものが如何に今日の京都に大きな影を落としているか、それを多面的に捉えることが、本書で目指したものである。そのため、本論では京都が失ったものに焦点があてられ、残し得たものについて殆ど触れることがなかった。その罪滅ぼしとまではいわないが、冒頭で私個人の京都との関わりについて触れたので、もう一つの京都に関わる個人的な思い出を披露したい。私は2016年に京都大学を定年退職したが、その数年前、大学本部からいきなり連絡があり、次年度の大学入試（二次試験）の数学の採点委員に選ばれたとのこと。定年間際の担当は意外で、きちんと採点が出来るのか、体力も含め多少とも不安ではあったし、この年齢になって試験の採点作業に駆り出されるのも、何となく気が重かった。

しかし、当初の懸念とは異なり、大部屋に集合し、数学科の担当教授のもとで行う採点作業は、決して陰鬱なものではなかった。作業の合間には、しょっちゅう部屋に差し入れが持ち込まれた。本店がすぐ近くにある「満月」の阿闍梨餅、出町桝形の商店街からは「ふたば」の豆餅など、京都の和菓子でも特に評判の高いものが次々に現れた。採点作業の合間に甘いもの、という組み合わせの絶妙さに感心したものであった。さすがに退職する頃には少なくなっていたが、京都大学の職員には男女を問わず一定の比率で、思わず聞き惚れるような京言葉で応対をされる方がおられた。差し入れと柔らかな言葉に励まされて作業を続けることが、何よりも場の雰囲気を和やかなものにさせた。日常的に殆ど接点のない理学部数学科の教員と一日を共にし、専門は異なるものの、やはり何かと共感を覚えることの多い昼食での雑談、更には採点の途中で手を休め、皆で談笑しながら差し入れの和菓子を楽しんだ時ほど、京都大学に職を得たことの幸運を実感したことはない。更に振り返れば、京都という町の風景と空気のやさしさが学ぶことの背景に常にあって、この地で研究者としての人生を送ることが出来た幸運も、改めて実感した。

本書を閉じる前に幾つかの謝辞と、覚書を付け加えておきたい。本書を書く直接の契機となったのは、２０１６年度から２０２０年度にかけて同志社大学国際教育インスティチュート（ＩＬＡ）での二つの留学生向けの講義（Society and Economy in Kyoto, Industry and Corporation in Kyoto）を担当したことである。手探りの状態で授業を続けるうちに、少しずつ京都という町の特徴やその歴史的背景を学び、次第に小著の中心となる問題意識が浮かび上がってきた。

本書が完成に至るまでに多くの方からの協力を得た。まず、京都大学経済研究所の森知也教授には、本書で頻用される地図情報データの出所である東京大学空間情報科学センター（ＣＳＩＳ）が主催する「共同研究利用システム」（Joint Research Assist System）ＪｏＲＡＳへの紹介と、ＪｏＲＡＳへの参加にあたり、特にお世話になった。また、研究プロジェクトにあっては森教授の紹介を得てＣＳＩＳの高橋孝明教授には受け入れ世話人になっていただいた。森教授、ＣＳＩＳ及び高橋教授には改めて御礼を申し上げたい。また、第四章およびウエブ上で公開しているその付論部分の統計分析で用いたスタートアップ企業については STARTUP DB からデータ提供を受けた。担当者川田一聖氏の迅速かつ丁寧な対応にも感謝したい。

出版以前の段階で数次の原稿校正を経たが、本書の最初の読者として、念入りに原稿を読み、一般読者の視点から多くのコメントを頂いたのは中学時代以来の畏友、西本貞比古氏である。経済学の素養はないが、高度の常識と国語教員としての識見を駆使して、達筆の手書きコメントと、生硬で長大な文章に、逐一×印を入れてもらったことが、大いに役立った。しかし、それ以上に、書き溜めてはいたものの、その原稿をどうするのか考えあぐね、迷っていた時にきちんと読んで、励ましてもらえたのが何より小著の誕生に決定的であった。

西本氏のコメントを経た第二次稿を、現役時代の友人や同僚に読んで頂き、貴重なコメントを頂いた。脱稿直前には森教授主宰の京都大学経済研究所の都市経済学のセミナーで内容を発表する機会にも恵まれた。それに先立つ出版社探しにあたっての示唆や助言、この研究会や校正段階で頂いたコメントも含め、以下の方々に御礼を申し上げたい（順不同、敬称略、所属は2023年4月現在）。

森知也、文世一、大澤実、山田浩之、町北朋洋、遊喜一洋（以上京都大学）、大竹文雄（大阪大学）、保元大輔（大阪大学・院）、渡辺努（東京大学）、神林龍（武蔵大学）、手島健介（一橋大学）、松本和幸（元立教、帝京大）、大塚啓二郎、橋野知子（以上神戸大学）、秋田次郎（東北大学）。

残念ながら、頂いた貴重なコメントの全てが本書に反映されている訳ではない。そうなった最も重要な理由は、私自身の至らなさであるが、コメントや批判にうなずきながらも敢えて自説を曲げなかった箇所も多い。その全てではないが、幾つか特に留意すべきと判断したものについては、ありうる異論や代替仮説という形で紹介させていただいた。また、本書に付属するウエブで公開している付論、特に第五章付論では、森教授はじめ多くの方々から頂いたコメントや批判、疑問に対しても、著者なりのリジョインダーが付け加えられている。

一般向け教養書を企図して原稿だけは一応書き終えたものの、さあそれをどう世に問うかという、本来、最初に考えるべき課題にはたと気づいて、出版社探しを始めたのは2022年も暮れになってから。ようやく小著の出版まで漕ぎつけることが出来たのは、何よりも新潮社選書編集部の庄司一郎氏の丁寧な読み込みと適切なコメントに多くを負う。そしてそれに先立つ三辺直太選書編集長からの連絡がなければ出版は実現しなかった。「洛陽の紙価を高からしむ」とは、今や古めかしくなった書評の誉め言葉であるが、本書の出版前に「洛陽の紙価」が値上がりして紙幅に余裕がなくなり、著者としては本論に含めたい多くの付属文書をウエブ上で公開するという、日本の出版物ではあまり例のないスタイルでの出版にも快くご協力を頂いたことも感謝して記しておきたい。

本当のことを言えば、この本の最初の読者でありコメントを貰うべきは、40年近く人生を共に歩んできた妻やよいであるが、家庭の平安？のため、敢えて原稿を読んでもらわずに来た。きっとやよいからは、漸く上梓に漕ぎつけたこの小論について山ほどダメ出しがやってくるに違いない。覚悟しておこう。

2023年5月　京都府木津川市の寓居にて

参考文献

鰺坂学他（2018）「『都心回帰』による大都市マンション住民と地域生活：京都市中京区と大阪市中央区のマンション住民調査より」『評論・社会科学』124, 1-105

井上章一（2015）『京都ぎらい』朝日新書

井上章一・鹿島茂（2018）『京都、パリ　この美しくもイケズな街』プレジデント社

今尾恵介（2004）『住所と地名の大研究』新潮選書

岩本馨（2021）『明暦の大火』（歴史文化ライブラリー532巻）吉川弘文館

上野裕（2019）「近代京都の市街地形成と土地区画整理事業」『ジオグラフィカ千里』（1）71-92

大澤昭彦（2010）「京都市における高度地区を用いた絶対高さ制限の変遷——1970年当初決定から2007年新景観政策による高さ規制の再構築まで」『土地総合研究』18（3）181-210

大庭哲治・柄谷友香・中川大・青山吉隆（2006）「京町家集積の近隣外部効果に関する研究」『土木学会論文集』D 62（2）

奥田以在（2006）「近代京都『町』における家持自治の転換：東玉屋町、仲之町を事例として」『社会科学』76, 79-112

奥田以在（2010）「近代京都山鉾町における町自治——住民自治から『適任者』自治へ」『経済学論叢』62（3）368-338

奥村彪生（2016）『日本料理とは何か：和食文化の源流と展開』農山漁村文化協会　2016

加美嘉史（2016）「戦前期京都の『浮浪者対策』—昭和恐慌から戦時体制移行期を中心に—」『佛教大学社会福祉学部論集』12, 27-50

北九州市の空襲被害（ウエブサイト　https://www.city.kitakyushu.lg.jp/files/000763627.pdf）

京都経済同友会『京都再発見』（2012～14）（ウエブサイト https://www.kyodoyukai.or.jp/rediscovery/）

京都市編（1968-76）『京都の歴史』全10巻　学芸書林

桐村喬・塚本章宏・矢野桂司（2009）「京都の通り名の時空間データベースの作成とその利用」『人文科学とコンピュータシンポジウム』16（2）331-338

桐村喬（2019）「1930年代半ばの東京・京都におけるホワイトカラーの居住地分布—電話帳に基づく分析—」『皇學館大学紀要』57

金膳美（2018）「『町家ブーム』から見た大都市インナーエリアの地域社会変動　京都・西陣地区の事例から」『日本都市社会学会年報』36, 146-179

古賀慎二（2007）「京都市におけるオフィスの立地変化に伴う業務地区の変容」『地理学評論』80（3）

後藤直義・フィル・ウイックハム（2022）『ベンチャーキャピタリスト』ニュースピックス

小林丈広（2006）「公同組合の意義と町組織の歴史」『ヘスティアとクリオ』コミュニティ・自治・歴史研究会編（1）5-11

近藤暁夫（2013）「新景観政策導入後の京都市における既存不適格建築物」『人文地理』65（5）

斎藤修（2002）『江戸と大阪——近代日本の都市起源』ＮＴＴ出版

佐賀朝（2012）「近代大阪における都市下層社会の展開と変容」『桃山学院大学経済経営論集』53（3）

佐藤滋・重松論・久保勝裕・福岡京子（1988）「近世城下町を基盤とする地方都市の都市構造の類型化」『第23回日本都市計画学

会学術研究論文集』
就職みらい研究所（2018）『大学生の地域間移動に関するレポート』リクルート就職みらい研究所
高野昭雄（2020）「京都市西部地域における都市化の進行と在日朝鮮人」『鷹陵史学』(46) 47-69
髙山正樹（2018）「大阪の産業構成の歴史的展開と地域的特性」『専修大学社会科学研究所月報』661・662, 15-31
竹下智（2019）「ソフトウェア業の現状と課題」『大阪経大論集』70 (2) 93-120
谷直樹（1991）「近世『町』共同体における都市居住システムに関する研究（2）」『住宅総合研究財団年報』17
田村一軌（2017）『大学進学にともなう都道府県間人口移動』アジア成長研究所調査報告16-08
虎屋の五世紀（ウエブサイト　https://www.toraya-group.co.jp/toraya/corporate/chronology/）
中川理（1988）「大正期の京都市における税制度を用いた住宅政策」『日本建築学会計画系論文報告集』385, 88-94
中村宏治（1989）「室町繊維卸売市場の歴史的構造と織物問屋」『同志社商学』40（5）293-334
名武なつ紀（1999）「戦前期における大阪都心の土地所有構造」『土地制度史学』163, 33-48
名武なつ紀（2006）「戦前・戦後復興期における大阪都心の土地所有構造」『歴史と経済』190, 1-17
名武なつ紀（2007）『都市の展開と土地所有：明治維新から高度成長期までの大阪都心』日本経済評論社
西坂靖（2019）「町方社会と三井」杉森哲也編『シリーズ三都京都巻』（東京大学出版会）所収
橋野知子（2019）「比較産地発展論序説：西陣から桐生へ、更に福井へ」『国民経済雑誌』219（1）95-111
浜野潔（2007）『近世京都の歴史人口学的研究』慶應義塾大学出版会
林歓太郎（2017）「景観政策が地価に与える影響について　京都市を事例として」政策研究大学院大学修士論文
原武史（2020）『「民都」大阪対「帝都」東京　思想としての関西私鉄』講談社学術文庫
ハン・木村・小林・塔筋・藤井・藤田・水内（2003）「地図で復元する近代京都の歴史社会地理」『空間・社会・地理思想』(8) 76-115
一橋大学経済研究所データベース（ウエブサイト https://www.ier.hit-u.ac.jp/Japanese/databases/index.html#29）
深尾京司・中村尚史・中林真幸編（2017）『日本経済の歴史』全6巻　岩波書店
本庄裕司・長岡貞男・中村健太・清水由美（2015）「バイオスタートアップの新規株式公開と資金調達」IIR Working Paper WP#15-01
本多義明・嶋田喜昭・黒崎裕光（1995）「戦災がその後の都市形成に及ぼした影響に関する研究」『福井大学工学部研究報告』43 (2) 347-358
松下孝昭（2006）「京都市の都市構造の変動と地域社会」伊藤之雄編著『近代京都の改造：都市経営の起源１８５０～１９１８年』（ミネルヴァ書房）所収
三倉葉子（2009）「近代京都の町による土地売買介入」『日本建築学会計画系論文集』74（638）987-992
水島あかね（2002）「近代京都西陣地域の土地所有実態に関する研

究 大正元年度発行『京都市及接続町地籍図』の分析」『都市計画論文集』
宮城俊作（1990）「歴史的市街地における土地経営とオープンスペースの形態変化」『造園雑誌』53（5）13-18
村山祥栄（2019）『京都が観光で滅びる日―日本を襲うオーバーツーリズムの脅威』ワニブックスPLUS新書
矢野桂司（2021）「2010年代末における京都市の宿泊施設GISデータベースの構築とその活用」『立命館文學』672, 111-129
山本崇記（2007）「都市下層における反差別のかたち―日雇労働のなかの『部落』と『在日』」『立命館言語文化研究』19（2）165-182
吉田友彦（2009）「京都市における新規住宅供給の立地特性 国勢調査および住宅着工統計の分析から」RPSPP Discussion Paper No.10（立命館大学）2009
脇田修（1963）『近世封建社会の経済構造』御茶の水書房
脇田修・脇田晴子（2008）『物語京都の歴史』中公新書
脇田晴子（2016）『中世京都と祇園祭』吉川弘文館
渡邊秀一（2019）「1910年代における京都中心部の土地利用」『鷹陵史学』（45）1-34

Davis, D.R. and D.E. Weinstein（2002）“Bones, Bombs, and Break Points: The Geography of Economic Activity,” *American Economic Review* 92(5): 1269-1289
Duranton, G. and D. Puga (2001) “Nursery Cities: Urban Diversity, Process Innovation, and the Life Cycle of Products,” *American Economic Review* 91(5):1454-1477
Florida, R. and C. Mellander (2014) “Rise of the Startup City: The Changing Geography of the Venture Capital Financed Innovation,” *CESIS Working Paper* 377
Fujita, M. and J-F. Thisse(2002) *Economics of Agglomeration: Cities, Industrial Location, and Globalization,* Cambridge University Press
Glaeser, E. L. (2005) “Reinventing Boston: 1630-2003,” *Journal of Economic Geography* 5(2): 119-153
Kirimura, T. (2009) “Changes in Residential Structure in 20th-Century Kyoto City,” *Japanese Journal of Human Geography* 61(6)
Mano, Y. and K. Otsuka (2000) “Agglomeration Economies and Geographical Concentration of Industries: A Case Study of Manufacturing Sectors in Postwar Japan,” *Journal of the Japanese and International Economies* 14(3): 189-203
STARTUP DB https://lp.startup-db.com/
Yamazaki, J., K. Nakajima, and K. Teshima (2021) “From Samurai to Skyscrapers: How Historical Lot Fragmentation Shapes Tokyo,” *TDB-CARE Discussion Paper Series* (Hitotubashi University) E-2020-02
Zucker, L. G., M.R. Darby, and M.B. Brewer (1998) “Intellectual Human Capital and the Birth of U.S. Biotechnology Enterprises.” *American Economic Review* 88, (1): 290-306

ま行

や行

ら行

わ行

た行

な行

は行

さ行

索引

アルファベット

あ行

か行

ウエブサイトの案内

本書中で参照されるウエブサイトは

https://sites.google.com/view/mikan-sangyo-tosi-kyoto

にあり、Google で「未完の産業都市京都」でサーチすることでもたどり着けます。

その内容は以下の通りです。

また右のQRコードからもアクセス可能です。

1．第四章付論
本書第四章で展開されるスタートアップ企業立地に関する議論の背景をなす統計分析を詳述しています。
2．第五章付論「日本の都市の姿」
京都を含む日本の主要都市を特徴づけるための統計分析で、都市間競争を理解するカギとなる都市経済学の理論を紹介します。
3．第六章付論「景観保存と建築規制」
景観保護の効果と副次的効果を検証するための簡単な模型分析を行っています。
4．リジョインダー
本書の原稿や、研究会での発表の際になされた主要な批判や疑問に対する著者の応答をまとめました。
5．参考文献
本書末尾の参考文献では紹介できなかった参考文献です。本書の目次に従って、テーマ毎にリストアップしています。
6．図表索引
本書に現れる図表の元データの出典と、必要な場合は行った統計分析の概略を記しています。

新潮選書

京《きょう》都《と》　未完《みかん》の産業《さんぎょう》都市《とし》のゆくえ

著　者……………… 有《あり》賀《が》健《けん》

発　行……………… 2023年9月15日

発行者……………… 佐藤隆信
発行所……………… 株式会社新潮社
〒162-8711 東京都新宿区矢来町71
電話　編集部 03-3266-5611
　　　読者係 03-3266-5111
https://www.shinchosha.co.jp
シンボルマーク／駒井哲郎
装幀／新潮社装幀室
組版／新潮社デジタル編集支援室
印刷所……………… 株式会社三秀舎
製本所……………… 株式会社大進堂

乱丁・落丁本は、ご面倒ですが小社読者係宛お送り下さい。送料小社負担にてお取替えいたします。価格はカバーに表示してあります。

ISBN978-4-10-603901-0 C0330